Quaderni di Palazzo Te   2

Quaderni di Palazzo Te

Electa

Quaderni di Palazzo Te
Rivista Internazionale di Cultura Artistica

Direttore responsabile
Renzo Zorzi

Direttore onorario
Ernst H. Gombrich

Coordinatore scientifico
Chiara Perina

Redazione
Ugo Bazzotti
Amedeo Belluzzi
Renato Berzaghi
Gian Maria Erbesato
Daniela Ferrari
Irma Pagliari
Giuseppe Papagno
Gianna Suitner
Anna Maria Tamassia

Redazione estera
Keith Christiansen
Metropolitan Museum of Art, New York
Dominique Cordellier
Musée du Louvre, Parigi
Konrad Oberhuber
Graphische Sammlung Albertina, Vienna
Ilaria Bignamini
The Paul Mellon Center, Londra

Coordinamento editoriale
Maria Bugli, Electa

Impaginazione
Claudia Brambilla

Quaderni di Palazzo Te
Pubblicazione semestrale
Registrazione al Tribunale di Milano
n. 548 del 6.11.1995
Prezzo di copertina: L. 40.000

Sommario

2

*1. Convento di Santa Maria del Sasso, veduta
da nord- ovest.*

Antonio Mariotti
La chiesa di Santa Maria del Sasso a Bibbiena e la cultura laurenziana

Il patronato medíceo

Il 15 agosto 1486 i frati domenicani dell'ospizio di Santa Maria del Sasso presso Bibbiena registrano il saldo di pagamento del miniatore Gherardo del Fora, incaricato di portare a termine le decorazioni della nuova chiesa[1]. Tra le spese annotate a favore dell'artista fiorentino viene conteggiata la pittura di "tre arme de' Medici" da mettere in relazione con le "tre arme tonde pe' serragli delle volte" affisse al centro delle coperture della chiesa e realizzate da Bartolomeo Bozzolini, capomastro lapicida originario di Fiesole, responsabile della lavorazione della pietra nel cantiere di Santa Maria del Sasso[2]. Gli stemmi, al di là dell'aspetto formale che si rifà ad un modello arcaico più volte presente nel convento di San Marco a Firenze fatto ricostruire da Cosimo il Vecchio, e nella cappella del Crocefisso in San Miniato al Monte commissionata dal figlio Piero, presentano un puntuale riferimento e un'identica disposizione di quelli utilizzati all'interno della chiesa della Badia Fiesolana, fabbrica nata per volontà e su programma dello stesso Cosimo. Il fatto che al tempo della costruzione della chiesa sia Lorenzo a guidare le sorti della famiglia getta una luce particolare su tale patronato, soprattutto se messo in rapporto ad altre imprese artistiche, fuori e dentro Firenze, che, pur non sfuggendo al rigido controllo del Magnifico, non si fregiano però dello stemma di famiglia. Per tentare di capire la reale portata della scelta medicea dobbiamo considerare le origini della chiesa.

Santa Maria del Sasso, nata per iniziativa della comunità di Bibbiena a seguito di una prodigiosa apparizione della Vergine nel 1347, ricade fino all'arrivo dei frati predicatori (1468) sotto lo stretto controllo e l'integrale patronato dell'amministrazione locale. Mentre le autorità religiose preposte alla cura spirituale dei fedeli (dal pievano di Bibbiena ai Domenicani di San Marco) si succedono riflettendo la situazione politica del momento, ormai totalmente dipendente dagli umori di quella fiorentina, l'organizzazione economica del centro religioso e della annessa struttura ospedaliera (dal 1444 rappresentata dagli Operai Secolari di Santa Maria del Sasso) è espressione diretta dell'autorità comunale. L'arrivo dei frati predicatori inizialmente non sembra alterare l'organizzazione del santuario: ancora nel novembre 1472 la registrazione dei singoli contratti di locazione dei possedimenti di Santa Maria avviene alla presenza di "Papi di Domenico di Bonchorso chome fattore dell'Opera (di) detto luogo"[3]. Ma i frati di San Marco hanno un proprio progetto. Fondatore della comunità di Santa Maria del Sasso è frate Santi Schiattesi, priore della comunità fiorentina dal 1463 al 1470, colui che per primo separerà il convento di San Domenico di Fiesole e quello di San Marco dalla Congregazione di Lombardia dando vita al secondo movimento di riforma dell'Ordine in Toscana[4]. Schiattesi torna a Firenze, dopo il priorato retto a Faenza, come vero continuatore dell'opera di Sant'Antonino suo maestro e guida spirituale e del suo predecessore, Giovanni Dominici, che aveva raccolto il primo gruppo di frati votati alla riforma della disciplina nel piccolo convento di Fiesole. A proposito della fondazione di nuovi centri religiosi Dominici ci ricorda: "se vuogli spender quantità più ti consiglio rifacci una chiesa guasta e abbandonata o spedal rifiutata per povertà, dotando di quel che puoi, che fabbricar di nuovo"[5]. Proprio grazie all'utilizzazione di strutture ospedaliere esistenti e usufruendo dei cospicui capitali cittadini, Schiattesi e i suoi successori costituiranno nuove comunità utili al grande progetto di riforma che accompagna l'ascesa del Savonarola. Tali comunità sono caratterizzate dal fatto di essere costruite servendosi di uno stesso apparato direttivo e di un gruppo di maestranze oculatamente selezionate che affondano le loro esperienze all'interno di importanti cantieri fiorentini. Fondamentali risultano l'elevato numero di adesioni raccolte dal convento di San Marco entro le mura cittadine e l'appoggio offerto da banchieri e ricchi commercianti tra i quali Andrea Cresci che assume il patronato dell'ospizio di Santa Maria Maddalena alle Caldine in Pian di Mugnone, Filippo Strozzi, patrono della chiesa dell'ospizio di Lecceto, e i Medici che danno un contributo essenziale alla costituzione e allo sviluppo della casa madre[6].

I rapporti tra la famiglia Medici e il convento di San Marco, che Cosimo considera una specie d'istituzione privata, sono sviluppati da Lorenzo: in parte perché San Marco è ormai divenuto un prestigioso centro di aggregazione, ma anche perché il convento rientra in quella parte di città dove si concentrano gli interventi urbanistici finanziati dalle casse medicee. È stato dimostrato che all'interno di Firenze l'area compresa tra San Marco e il Duomo costituisce il nucleo degli interventi laurenziani volti al rinnovamento della città come "centro" della nuova lingua architettonica[7]. Progetto che Lorenzo persegue grazie alla sua equilibrata politica interna, attenta alla complessa e diversificata realtà economica fiorentina, basata sulla capacità d'imporre la propria egemonia culturale nei confronti dell'oligarchia cittadina per riservarsi all'esterno di Firenze le negate autorappresentazioni urbane: evidente l'intento che guida la costruzione della villa-tempio di Poggio a Caiano. Altrettanto palese è la risoluzione di sfruttare la sua influenza e il suo indiscusso primato per imporre i propri convincimenti nelle scelte artistiche e nelle imprese architettoniche del momento. In quest'ottica è possibile interpretare l'imposizione di Giuliano da Sangallo come progettista della chiesa delle Carceri a Prato, i probabili suggerimenti per la costruzione della chiesa della Madonna dell'Umiltà di Pistoia, fino al contributo offerto alla chiesa di Santa Maria del Sasso[8]. Interventi che lasciano significativamente traccia di sé e di una cultura artistica ricercata – ricca di riferimenti culturali classici – in parte complementare a quella legata alla tradizione di famiglia. Un tipo di architettura ispirata al modello albertiano e affidata alla mano di Giuliano da Sangallo che rivela il desiderio da parte di Lorenzo di introdursi in prima persona, dopo gli studi condotti sugli edifici e sul trattato dell'Alberti, all'interno del dibattito architettonico contemporaneo. In questo senso Lorenzo si discosta dal modello di committenza proposto da Cosimo e Piero, "i quali avevano accettato pienamente il mondo artistico nel quale avevano vissuto", per puntare alla ricerca e addirittura alla formazione del gusto 'all'antica' giungendo a promuovere "l'arte come scuola, come vivaio di nuovi ingegni quale si proponeva di essere il Giardino di San Marco"[9].

È Piero Dovizi, segretario personale di Lorenzo e potente personaggio della "corte" fiorentina, che si incarica di reperire i fascicoli a stampa dell'opera di Alberti, il *De re aedificatoria*, nella *editio princeps* di Niccolò della Magna, per darne lettura al Magnifico durante il soggiorno ai Bagni di San Filippo nel settembre del 1485[10]. Ed è attraverso suo padre Francesco Dovizi, discendente di una famiglia di notai stabilitisi a Bibbiena, che Lorenzo ha modo di visitare il centro casentinese[11]. Non priva di significato appare la data di chiusura dei conti della chiesa del Sasso (1489) coincidente con l'elevazione al cappello cardinalizio di Giovanni de' Medici, futuro papa Leone X, che erediterà la tradizione culturale del padre trasferendosi a Roma e farà di Bernardo Dovizi, il Cardinal Bibbiena, il protettore della Santa Casa di Loreto[12]. Altro fondamentale contatto con Lorenzo è costituito dal vicario del convento di San Marco nell'ospizio di Bibbiena, frate Francesco Salviati, che segue i rapporti economici con le maestranze presenti nel cantiere del Sasso[13]. Vista sotto questo aspetto l'operazione di Santa Maria del Sasso può essere inserita all'interno di quella sorta di attività promozionale del Magnifico, volta alla imposizione e alla rappresentazione del proprio primato politico e artistico attraverso l'aiuto di alleati o parenti, tanto più efficace in questo caso in

2. Convento di Santa Maria del Sasso, veduta da nord-est.

3. Fra Bartolomeo della Porta, Veduta del convento di Santa Maria del Sasso da nord-ovest (1506 circa). Oxford, Ashmolean Museum (cat. 108).

4. Fra Bartolomeo della Porta, Veduta del convento di Santa Maria del Sasso da nord-est. Vienna, Graphische Sammlung Albertina (inv. 17.578).

rapporto alle modeste risorse economiche impiegate. Il passaggio di Santa Maria del Sasso da piccolo oratorio di montagna a chiesa medicea, siglato con l'imposizione dello stemma di famiglia, relega il patronato del Comune di Bibbiena alla cripta inferiore – allegoria del mutato ordine politico – ma dà anche al centro religioso la possibilità di usufruire di nuovi mezzi e di attingere a maestranze fresche e altamente qualificate sia sotto il profilo tecnico che artistico, circostanza che segna un evidente scarto nell'evoluzione del complesso architettonico.

Le origini di Santa Maria del Sasso
Le vicende della chiesa di Bibbiena riflettono l'evoluzione del culto mariano che nel corso del Quattrocento, sullo slancio della devozione popolare, porta allo sviluppo di monumentali santuari dedicati a Maria. I prodigiosi eventi della Santa Casa di Loreto, il più importante santuario mariano d'Italia, risalgono alla fine del Duecento, ma solo in età rinascimentale s'innalzano strutture imponenti. La storia di Santa Maria del Sasso, come quella di altri santuari mariani tra i quali quello della Madonna delle Grazie a Pistoia, è strettamente connessa alle vicende calamitose del 1348. A Bibbiena l'apparizione è preceduta dall'arrivo di due eremiti stabilitisi al Sasso per la presenza di una "candidissima e bellissima colomba" che preannuncia l'arrivo della Vergine[14]. Nuovo e decisivo impulso dà al culto l'apparizione della Madonna nel 1347 a seguito della quale la comunità di Bibbiena decide di costruire un oratorio dedicato a Maria[15]. Il primo documento che attesta l'esistenza dell'oratorio risale all'aprile 1348, anno segnato dalla tremenda epidemia di peste che si abbatte su tutta Europa[16]. Cronista degli eventi è don Massimo da Silvestro, monaco della Badia Fiorentina. Don Massimo parla della chiesa come di una piccola costruzione eretta "attorno" al sasso nei pressi del quale è avvenuta l'apparizione della Vergine[17]. Probabilmente si tratta di una cappella votiva che utilizza l'asperità rocciosa per segnalare il luogo dell'apparizione, un tipo di soluzione che presenta alcune analogie con la cappella di San Galgano sul Monte Siepi costruita nella prima metà del secolo XIII, anche questa caratterizzata, nel suo interno, dalla presenza di uno sperone di roccia[18]. Santa Maria del Sasso, sorta in prossimità di due corsi d'acqua al di fuori delle mura cittadine, come il santuario di Santa Maria delle Grazie ad Arezzo o quello della Madonna del Calcinaio a Cortona, è vicina ad un antico percorso di

pellegrinaggio che sfrutta il Passo di Serra per collegarsi con la Romagna, tappa del percorso francigeno in Casentino[19]. Si trova quindi sia sulla strada di pellegrinaggio dei romei, sia di chi, dal monte Verna, sede del santuario francescano, scende a Bibbiena[20]. Per far fronte al crescente afflusso di devoti che giungono a visitare il piccolo oratorio il Comune di Bibbiena nel 1444 decide di fabbricare uno "spitio", ricovero di visitatori e viandanti che battono la vallata casentinese[21]. L'anno di fondazione dell'ospedale coincide con una nuova serie di apparizioni. Questa volta non solo fanciulli e religiosi, ma un gran numero di persone sono chiamate a dare testimonianza degli eventi prodigiosi. Lo stesso Ilarione di Conte Compagni, podestà di Bibbiena, tornando da caccia con i suoi amici, afferma di aver visto un globo luminoso "di grossezza quanto era un torchio" volteggiare in cima alla chiesa[22]. La prima testimone del ciclo di apparizioni che si protraggono per tre mesi è ancora una volta una donna. Dalle sue parole si deduce che fin dall'origine l'oratorio comprende un ambiente inferiore, documentato anche nell'inventario dei beni di Santa Maria del Sasso risalente al 1463[23]. Il grande interesse suscitato dalla nuova serie di prodigi e la partecipazione corale da parte della comunità locale, che gestisce il modesto centro di preghiera attraverso il Consiglio degli Operai Secolari di Santa Maria del Sasso, spiegano la

5. Fra Bartolomeo della Porta, Fabbricati rurali e capitello (1506 circa). Vienna, Graphische Sammlung Albertina (inv. 17.577).

6. Chiesa di Santa Maria del Sasso, braccio nord del chiostro, particolare di uno dei capitelli originali.

celerità con cui si porta a termine la costruzione dello spedale. I primi interventi di costruzione da parte dell'Opera risalgono all'agosto 1444 e già nell'ottobre dello stesso anno vengono registrate le spese per la copertura, gli infissi e i serramenti dell'ospedale. Sin dalle prime note di spesa si avverte la forte presenza in cantiere di maestranze provenienti dal Nord Italia coadiuvate da maestri locali specializzati per lo più nell'approvvigionamento di materiale da carpenteria e nella lavorazione della pietra. Per la fornitura dei materiali da costruzione viene inoltre costruita una fornace affidata al maestro lombardo "Francesco di Pier di Posano" incaricato della fornitura dei laterizi e della calce[24]. Con i lavori dello spedale si portano avanti quelli necessari all'abbellimento dell'oratorio: nel 1445 l'Opera di Santa Maria del Sasso annota l'uscita di "soldi III danari III (...) per pigliale la forma del tabernacholo si mandò a Firenze"[25]. Probabilmente anche in precedenza ci si preoccupava di accogliere adeguatamente i visitatori, ma solo in questi anni vengono distinti gli ambienti destinati alla preghiera da quelli destinati alla permanenza dei pellegrini. Parti di tali strutture, in origine caratterizzate da un ingresso autonomo dal lato opposto al sagrato e refettorio comune, sono ancora visitabili e si trovano sul fianco nord dell'aula liturgica. Dal 1445 viene fatto riferimento ad una ulteriore "casa" identificabile con la loggia che occupa il fianco sud del sagrato, e sopra la quale successivamente verrà costruita l'abitazione del rettore. In particolare il 18 aprile viene pagato il maestro "Ghaggio (..) per achonciatura de' peducci delle volte", elementi architettonici che non compaiono tra i resti del primitivo refettorio[26]. L'ideazione del complesso architettonico è affidata al responsabile del gruppo di maestri provenienti dal nord Italia[27]. La cronologia delle fasi di costruzione della loggia, realizzata prima dell'arrivo dei padri domenicani, non è chiara, tuttavia rimangono le lettere "OPA" incise sulle colonne a testimoniarne la paternità da parte dell'Opera. Esempio cittadino di loggiato affiancato da una struttura ospedaliera confrontabile con Santa Maria del Sasso è quello di San Matteo in piazza San Marco a Firenze (1387-1391). Qui ritroviamo l'uso di ampie campate con profilo a sesto ribassato coperte con volte a crociera. Analoghi risultano anche i capitelli con il doppio ordine di foglie d'acqua e l'inserimento dell'abaco mediato dalla presenza di un rilievo a dentelli fortemente diradati. Ancora paragonabile con quello di Santa Maria del Sasso è il loggiato dell'ospedale di Sant'Antonio a Lastra a Signa (1416-1422). Con l'erezione della loggia l'impianto architettonico del centro religioso è fissato attorno alla corte porticata posta all'ingresso della chiesa. Il tema del portico annesso al santuario si ritrova nel più importante santuario mariano toscano del Quattrocento: il riferimento è al chiostro dei Voti della chiesa della Santissima Annunziata a Firenze risalente alla metà del secolo. Di particolare importanza la versione rielaborata da Giuliano da Sangallo nella sistemazione del quadriportico antistante la chiesa di Cestello (poi Santa Maria Maddalena dei Pazzi), in forme notevolmente diverse e con spiccato gusto archeologico. Ma un riferimento più diretto è costituito dal santuario di Santa Maria delle Grazie presso Arezzo, altro edificio di culto mariano situato al di fuori delle mura cittadine. In questo caso il fronte della chiesa è allineato con il loggiato aperto su di un ampio recinto successivamente porticato ai lati. Il disegno del loggiato è presentato da Domenico del Fattore il 1° giugno 1450[28]: stessa accentuazione dell'ampiezza dei fornici, stessa decorazione dei capitelli. A Santa Maria del Sasso tuttavia il fusto delle colonne, oltre ad essere più esile in questo più vicino a quello dell'Annunziata, presenta una maggiore delicatezza nelle decorazioni dei capitelli e nel disegno delle basi attiche. Il complesso architettonico forma così una pic-

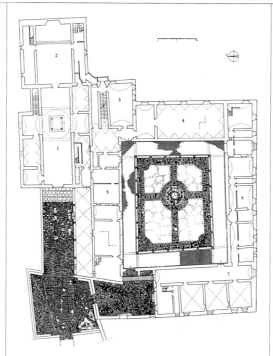

7. *Planimetria generale del piano terreno del complesso architettonico di Santa Maria del Sasso: 1. chiesa superiore; 2. coro (aula capitolare); 3. cucina; 4. refettorio; 5. parlatorio; 6. foresteria; 7. foresteria e aule di studio (rilievo di S. Falsini, R. Felici, S. Landi, R. Paoli).*

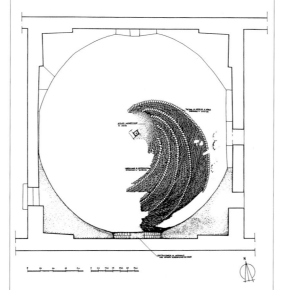

8. *Chiesa di Santa Maria del Sasso, planimetria del tiburio con disposizione dei conci in laterizio della cupola (rilievo di A. Mariotti).*

cola piazza chiusa, delimitata a nord dall'ospizio dei pellegrini, a sud dalla loggia, e sul fondo dalla facciata dell'oratorio.

I Domenicani al Sasso

Nella copertina del libro di entrata e uscita degli Operai Secolari viene annotato: "li padri domenicani vennero a S. Maria a 29, settembre 1468". Dopo oltre un secolo dalla data dell'apparizione della Madonna, i frati prendono ufficialmente possesso della struttura[29]. Dalle cronache del convento di San Marco apprendiamo che la casa ospizio di Santa Maria del Sasso è aggregata definitivamente al convento della Congregazione di Lombardia nel 1475 e solo nel 1495 viene elevata a convento formale[30]. L'istituzione di tali centri di preghiera fa parte della tradizione dei Domenicani in Toscana. Molte volte si ricorre alla fondazione di ospizi e solo in un secondo tempo, trovati i fondi necessari, alcuni di questi possono essere elevati a convento formale[31]. Giunti al Sasso, i frati di San Marco si trovano nella necessità di dotarsi delle strutture comunitarie. Nella relazione consegnata da un padre domenicano ad Angelo Maria Bandini, bibliotecario della Laurenziana di Firenze (1790 circa), si afferma che "risolsero di fabbricare sollecitamente alcune stanze sopra la loggia, e attorno alla medesima alcuni necessari comodi alla vita religiosa, come fecero mediante il soccorso loro prestato e dai padri del convento di S. Marco di Firenze e da alcuni gentiluomini fiorentini bene affetti ai medesimi"[32]. La tradizione culturale dell'Ordine Domenicano si pone come termine di paragone per le scelte compositive e l'organizzazione delle costruzioni. Uno statuto del 1221 descrive accuratamente gli ambienti collegati dal chiostro, luogo di contemplazione, ricreazione e sviluppo organico del centro religioso su un lato del quale deve insistere la chiesa[33]. Per orientarci nelle varie fasi di trasformazione delle strutture esistenti dobbiamo considerare l'esistenza della piazza porticata antistante la chiesa, indicata nei libri contabili come "corte", e lungo il fianco sud del complesso architettonico, l'orto, nucleo del perimetro claustrale. I materiali da costruzione impiegati nelle opere di ampliamento e restauro sono in gran parte lavorati sul posto oppure reperiti nelle immediate vicinanze del centro casentinese. Parte del legname proviene dai possedimenti di Santa Maria del Sasso, tuttavia esiste un fiorente mercato del legname da carpenteria in Casentino, legato ai possedimenti dell'Opera di Santa Maria del Fiore di Firenze e alla via flu-

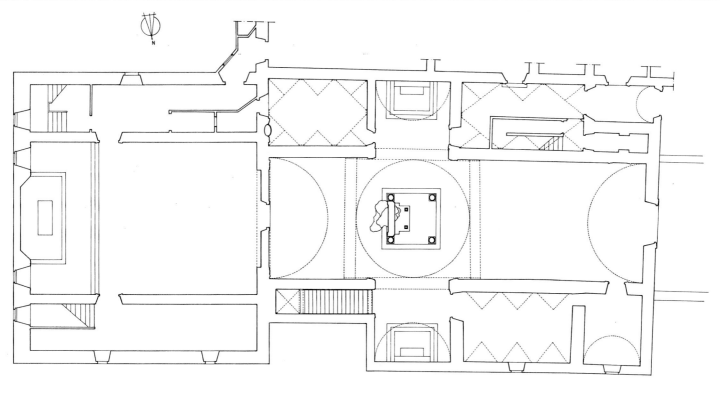

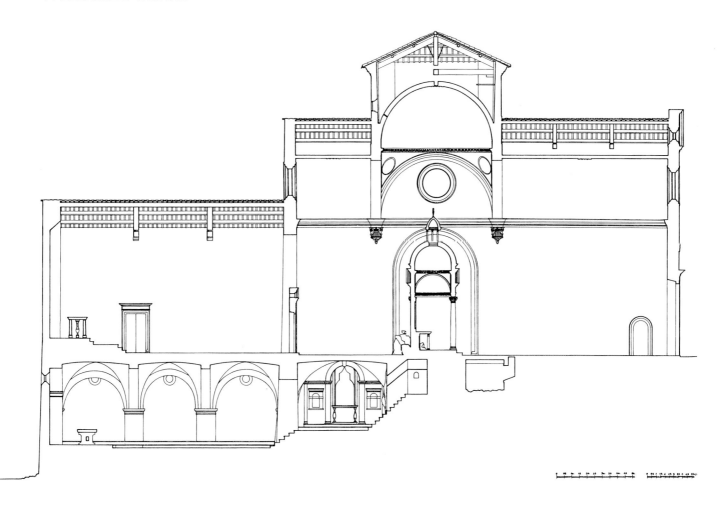

9. *Chiesa di Santa Maria del Sasso, pianta*
(rilievo di A. Mariotti).

10. *Chiesa di Santa Maria del Sasso, sezione longitudinale*
(rilievo di A. Mariotti).

viale costituita dall'Arno. I rapporti con l'istituzione fiorentina sono stabiliti attraverso Giovanni "venditore" e suo fratello, Luca di Santino da Casalino, uno dei principali fornitori di legname del mercato fiorentino nonché custode dei boschi dell'Opera di Santa Maria del Fiore[34]. Le forniture che affluiscono nel cantiere del Sasso riguardano essenzialmente elementi strutturali semilavorati e legname grezzo, inviati a Bibbiena servendosi dell'attracco fluviale di Poppi. I rapporti di lavoro con Luca si mantengono costanti tanto da consentirgli di gestire un deposito personale – "sua stanza" – a contatto con il cantiere di Santa Maria del Sasso[35]. Una squadra di scalpellini provenienti da Settignano con a capo il maestro Iacopo di Nanni Rocco detto "Rocha" provvede alla fornitura del materiale lapideo estratto dalla cava di macigno di San Piero in Frassino. Con Iacopo figurano il fratello Andrea e il maestro Giovanni, incaricato di dare "maggior forma" ai blocchi sbozzati. Gli scalpellini prendono albergo a ridosso della cava in località Giogalto. Nel febbraio 1474 viene pagato a Gherardo da San Piero il "fitto della chava", mentre il trasporto del materiale è registrato a nome di Angelo di Chimenti "vetturale" originario di Settignano[36]. La squadra di cavatori, vera e propria impresa capace di assicurare la fornitura del materiale lapideo completo di trasporto e finitura in cantiere, testimonia il grado di specializzazione ed organizzazione conseguito dalle maestranze fiorentine che, grazie all'esperienza acquisita nelle cave di Fiesole e dintorni, nel corso del Quattrocento si affermano su tutto il territorio nazionale, riuscendo ad instaurare proficui rapporti di lavoro anche con il mercato estero[37]. Ulteriore testimonianza della generale sostituzione di maestranze a favore di quelle fiorentine è offerta dalla nomina del nuovo responsabile del cantiere. Oltre al muratore lombardo Paolo di Val di Lugano, dal 1472 è presente in cantiere un importante capomastro costruttore proveniente da Firenze, Stefano di Jacopo Rosselli[38]. Questi interviene al Sasso in una fase decisiva del cantiere, e cioè tra l'ultimazione dei lavori di ristrutturazione e la realizzazione del primo lato del chiostro, costruito in aderenza al fianco sud della loggia, dalla parte dell'orto e della vigna. Rosselli è uomo di fiducia dei frati di San Marco. I Domenicani si affidano a lui anche per la costruzione del centro religioso di Lecceto, entrato in possesso del convento di San Marco nel 1470[39]. Per quest'ultimo incarico, svolto sotto il patrocinio di Filippo Strozzi, il capomastro, fra le altre cose, è pagato "a ddare disegni"[40]. Possiamo quindi ipotizzare che a Stefano Rosselli spettino compiti di rilievo anche perché la sua figura professionale nel cantiere del Sasso si avvicina a quella di un supervisore, spesso assente da Bibbiena, che ha piena facoltà di reperire a Firenze collaboratori di fiducia. Nell'ottobre 1472 viene registrato il compenso al legnaiolo "Piergiovanni mandato da maestro Stefano muratore per chonciare il legname, impianellare, coprire, porre su il tetto del dormitorio di chasa"[41]. In questa fase di costruzione e nei successivi sviluppi, sotto il controllo dei frati di San Marco, il cantiere del Sasso offre puntuali riferimenti con altri complessi architettonici dipendenti dal convento fiorentino. Abbiamo accennato all'ospizio di Lecceto, che oltre ad avere lo stesso apparato direttivo, impiega maestranze presenti anche nel cantiere di Santa Maria del Sasso, e le stesse osservazioni sono valide per l'ospizio di Santa Maria Maddalena alle Caldine nei pressi di Fiesole. Nel 1474 Rosselli è ancora impegnato nel cantiere del Sasso, affiancato da vari aiuti: il maestro muratore Nicola Bellucci, che lo segue nei suoi spostamenti tra Bibbiena e Firenze, il muratore Simone dalle Rose ed altri manovali. Entro l'anno vengono sbozzate le otto colonne e i capitelli della loggia della vigna – primo lato del chiostro a essere costruito – come registrato nel saldo di pagamento del capomastro scalpellino nell'agosto 1476[42]. La stessa "morbidezza plastica" osservata da Falletti nei capitelli del loggiato antistante la chiesa di Santa Maria Maddalena alle Caldine in Pian di Mugnone, costruzione riferita alla mano di Michelozzo, si ritrova in questi raffinati esemplari composti con fregio scanalato e rudentato che termina in un pronunciato astragalo, modellati sul tipo di quelli presenti nel Chiostro dei Voti della Santissima Annunziata a Firenze[43]. L'immagine è fissata da uno studio di fra Bartolomeo della Porta che ha lasciato testimonianza della fabbrica di Santa Maria del Sasso così come si presentava intorno al 1506, ma anche dell'ospizio di Lecceto, di quello di Santa Maria Maddalena alle Caldine – al quale il disegno in questione è stato riferito –, e della Santissima Annunziata. Tuttavia l'echino riprodotto nel disegno di fra Bartolomeo presenta una decorazione floreale (foglie di acanto e di tribolo acquatico) più simile a quella utilizzata in alcuni dei capitelli di Santa Maria del Sasso che, a mio giudizio, sono da ritenere gli originali[44]. Per la finitura delle parti strutturali lignee e per gli arredi dei nuovi ambienti i frati di Santa Maria del Sasso inizialmente si rivolgono a fra Michele di Piero Capaccini "minore conventuale francescano maestro di legname", chiamato in cantiere nel 1475 e sostituito l'anno successivo dal legnaiolo fiorentino Francesco di Giovanni[45]. Alcune indicazioni documentarie sembrano confermare l'ipotesi che si possa trattare di Francesco di Giovanni detto Francione, legnaiolo, maestro d'intaglio e di tarsia, nonché esperto di fortificazioni militari; personalità significativa della cultura architettonica del secondo Quattrocento, maestro di Giuliano da Maiano e dei fratelli Giuliano e Antonio da Sangallo il Vecchio[46]. Francione è presente nella provincia aretina negli anni immediatamente precedenti la costruzione del dormitorio di Santa Maria del Sasso (1470). In occasione dell'intervento nella Badia di Santa Flora e Lucilla "Giuliano [da Maiano] menò seco due buoni maestri di legname, cioè Francescaccio e Monciatto da Firenze, perché tutti tre venivano di Casentino da comprar legname"[47]. Francesco di Giovanni prende contatto con i frati di San Marco attraverso Antonio Francesco (anche per gli accordi della ristrutturazione della rocca di Sarzana con gli Otto di pratica della Repubblica Fiorentina Francione si rivolge al notaio bibbienese Antonio Francesco); con lui è il maestro muratore Simone di Mariotto da Settignano, che lavora contemporaneamente nell'ampliamento del dormitorio (anch'egli presente nel cantiere della fortezza di Sarzana)[48]. Francesco oltre ad avere la responsabilità della lavorazione del legname del dormitorio che comprende una grande varietà di manufatti (elementi strutturali, infissi, arredi di cucina, refettorio e celle), si occupa anche di alcuni arredi della chiesa tra i quali la predella e il tabernacolo della cripta. Durante il 1478 tra le molte visite cittadine del legnaiolo viene ricordata quella "quando andò a Firenze quando Giuliano de' Medici fu morto", rimanendovi "uno mese" a spese dei frati di Santa Maria[49]. Francione ha in effetti rapporti con Giuliano e Lorenzo de' Medici proprio nel 1478: mi riferisco alle acquisizioni di lotti situati nella parte occidentale della piazza dell'Annunziata, con accordo stipulato nel gennaio 1478. Fra gli altri convenuti al momento dell'acquisizione troviamo Giuliano da Maiano e Francione, presenti in qualità di periti e testimoni del contratto, entrambi legati alla costruzione di Santa Maria del Sasso[50]. I contatti del legnaiolo con il cantiere del Sasso terminano con l'anno 1481 a seguito dell'ultimazione degli arredi del dormitorio e dello spostamento di refettorio e cucina nei nuovi ambienti al piano terreno, sul fianco sud dell'oratorio. Entro l'anno viene saldato sia il suo conto sia quello del maestro muratore Simone di Mariotto, e contemporaneamente iniziano le spese registrate "per la muraglia della chiesa"[51].

La nuova chiesa

Gli studi sulla chiesa di Santa Maria del Sasso fissano unanimemente come data d'inizio della costruzione l'anno 1486. Giovanni Tolosani, primo cronista del convento di Santa Maria del Sasso (1517), narra che la ricostruzione della chiesa avviene a seguito di un incendio dal quale esce illesa solamente l'immagine affrescata della Madonna, da allora oggetto di speciale venerazione[52]. Tuttavia una attenta analisi delle operazioni del cantiere dimostra che la chiesa viene costruita a partire dalla seconda metà del 1481 e che il saldo di spesa effettuato nel maggio 1486 riguarda essenzialmente opere già compiute e contabilizzate, sulla base di una perizia tecnica dell'architetto Giuliano da Maiano, ad esclusione della cappella laterale aperta sul fianco nord dell'edificio terminata entro il 1488. Per la nuova costruzione sono chiamati i capomastri Mariotto di Papo da Balatro originario dell'Antella, il cui principale incarico riguarda la fornitura e finitura delle murature e dei tetti, e Bartolomeo Bozzolini da Fiesole, incaricato di realizzare i conci lapidei necessari alla struttura e alla decorazione della chiesa. Mariotto giunge al Sasso dopo l'impegno costruttivo nell'ospizio di Santa Maria Maddalena alle Caldine, terminato entro il 1484. Seguendo il lavoro svolto dal maestro prima alle Caldine, poi a Santa Maria del Sasso, è possibile analizzare il tipo di tirocinio che deve affrontare un capomastro fiorentino per accedere, con incarichi di direzione e controllo, all'interno di importanti cantieri cittadini[53]. Sappiamo che dopo l'interruzione dei pagamenti per il cantiere di Bibbiena, avvenuta intorno alla metà del 1488, partecipa alla costruzione del grande palazzo della famiglia Strozzi in Firenze, rivestendo l'incarico di "capomastro di murare" dall'aprile 1491 al marzo 1507 e rimanendovi in seguito con un ruolo che Goldthwaite paragona a quello di un sovrintendente alla costruzione[54]. Il suo impegno nel cantiere di Palazzo Strozzi prevede un incarico a tempo pieno per il quale vengono pagati 60 fiorini l'anno: somma superiore persino al compenso di Cronaca, al quale è affidata la direzione artistica della costruzione. Per comprendere il ruolo di Mariotto nella fabbrica di Santa Maria è opportuno sottolineare alcune differenze tra i due incarichi. Il salario concordato con il priore di San Marco non comprende una remunerazione annua, e il diverso modo di reperire i materiali da costruzione non consente a Mariotto di godere della stessa autonomia. Un'ultima considerazione riguarda la presenza nel cantiere del capomastro lapicida, Bartolomeo Bozzolini, la cui perizia tecnica riguarda anche la realizzazione dei ponteggi per la copertura del presbiterio. L'elevato grado di specializzazione dei due capomastri ci è testimoniato dalla tecnica di allettamento dei laterizi che compongono la cupola emisferica realizzata con mezzane solcate da dodici nervature di mattoni disposti a spinapesce, struttura che riflette perfettamente le prescrizioni di Antonio da Sangallo il Giovane, documentate dal suo disegno per "volte tonde di mezzane quali si voltano senza armadura a Firenze" conservato al Gabinetto Disegni e Stampe degli Uffizi di Firenze[55]. La vivida descrizione del Tolosani, riportata nelle cronache del convento di Santa Maria del Sasso, sembra voler trasmettere l'impressione suscitata sui visitatori dalle strutture della chiesa "cum testudinibus per totum, cum testutidine maiori rotunda in crucis ecclesiae medio et cum testudine minori super saxum et taberaculum sustetata quatra columnis lapideis"[56]. L'impianto centrico generato dal ciborio viene fuso con l'ambiente voltato attraverso l'inserimento della cupola maggiore sorretta da pennacchi sferici. L'utilizzazione di elementi espressamente definiti "all'antica" – come le porte per l'interno della chiesa – e il ricorso a tipologie costruttive che dall'antico vengono recuperate, confermano la consapevolezza, da parte dei costruttori, di muoversi verso un risultato nuovo, che ha però più profonde radici del decoro "moderno" rappresentato dal repertorio di forme gotiche o, come allora venivano chiamate, alla "todesca".

L'elemento che più direttamente sembra voler citare il repertorio classico è il monumentale ciborio realizzato in forma di tempietto. A mio avviso il tempietto, posto al centro dello spazio circolare sotteso alla cupola della tribuna, non è episodio concluso in se stesso ma funge da elemento generatore e fulcro della composizione, a sua volta organizzata attraverso l'incastro dei bracci laterali, corpo longitudinale e cupola, in una precisa gerarchia spaziale volta a sottolinearne la centralità. L'intera trattatistica rinascimentale "esalta l'assoluta coerenza di forme geometriche elementari organizzate attorno a un polo centra-

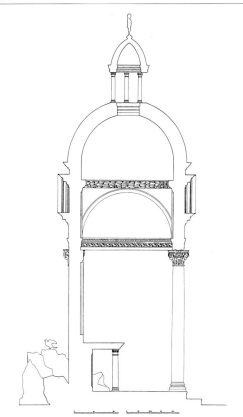

11. Chiesa di Santa Maria del Sasso, sezione del tempietto (rilievo di A. Mariotti).

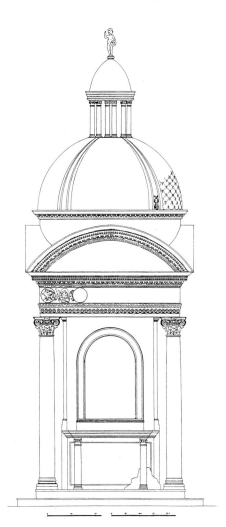

12. Chiesa di Santa Maria del Sasso, prospetto del tempietto (rilievo di A. Mariotti).

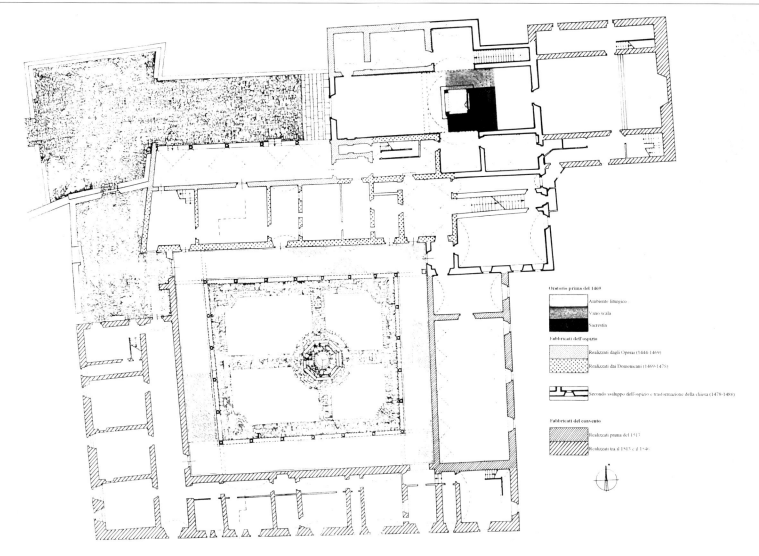

13. Cronologia delle fasi di sviluppo del complesso architettonico di Santa Maria del Sasso (ricostruzione di A. Mariotti).

le"[57]. Nel caso di Santa Maria del Sasso dobbiamo considerare le reali difficoltà di sviluppare coerentemente il tema dell'impianto centrale a causa delle preesistenze che ne condizionano la planimetria. La cupola della tribuna, completamente spoglia di decorazioni, conclude l'articolazione spaziale sia in senso verticale, sviluppando il tema compositivo generato da quella inferiore, sia in senso orizzontale, saldando i bracci del transetto. L'uso di volte a botte nei quattro ambienti che cingono la tribuna impedisce che si creino spazi semi-autonomi, come sarebbe accaduto con volte a crociera o a vela. Ed anche la scarsa illuminazione, radente le grandi volte della navata e delle cappelle laterali, favorisce la percezione di uno spazio fluido e dilatato che si espande dal centro-croce. Gli elementi di articolazione muraria si sovrappongono all'omogenea superficie delle pareti, ricorrendo in parte all'uso dello stucco, in parte alla decorazione pittorica (è il caso dei sottarchi della tribuna e delle modanature sopra le aperture delle cappelle che richiamano illusionisticamente l'uso della pietra serena). Gran parte della cornice architravata all'im-

posta delle coperture è realizzata in laterizio, mentre tra le spese a favore degli scalpellini compaiono i "XIIII chanti" della cornice, dimensionata in rapporto al braccio fiorentino[58]. La spartizione delle membrature murarie non è realizzata da elementi che obbediscono ad un rigido schema tettonico. La cornice architravata si aggancia soltanto ai quattro peducci inseriti nella parte centrale della chiesa, che non riescono ad imporsi per la propria valenza strutturale, e sembrano appendici degli archi della tribuna. Dal punto di vista distributivo la scelta del gesto fondativo del tempietto all'interno di uno spazio liturgico cruciforme, che privilegia l'asse longitudinale, evita problemi connessi alle costruzioni ad impianto centrale[59].

Il patronato da parte della famiglia Medici e il probabile interessamento da parte di Lorenzo fanno dell'opera di Alberti un riferimento privilegiato per l'interpretazione dell'edificio. Nel suo *De re aedificatoria* (completato intorno al 1452) è analizzato il tempio all'antica (libro VII, cap. 6). Del vocabolario albertiano possiamo intravedere riflessi nell'intera composizione di Santa Maria del Sasso: nel

14. Chiesa superiore di Santa Maria del Sasso, interno.

tempietto con colonne trabeate, nella sua copertura, nella corrispondenza tra questa e le strutture voltate della chiesa (libro VII, cap. 5), magnifiche, durature, sicure contro pericoli d'incendio, ma anche economicamente vantaggiose se realizzate con tecniche costruttive e materiali opportuni (illuminante a questo riguardo la lettera inviata da Leon Battista a Ludovico Gonzaga nella quale presenta il suo Sant'Andrea sottolineandone il costo minore rispetto al progetto proposto da Manetti)[60].

Sono poco numerosi gli edifici realizzati prima di Santa Maria del Sasso che presentano soluzioni compositive analoghe. In primo piano va posta la chiesa della Badia Fiesolana, fabbrica di famiglia per Lorenzo de' Medici, costruita su programma del nonno Cosimo[61]. Con le sue ampie volte a botte, che sottolineano l'assoluta continuità muraria dello schema a croce latina, presenta un'articolazione spaziale analoga a Santa Maria[62]. Scavalcato il modello di San Marco, viene individuato nella fabbrica di Fiesole il termine di riferimento per misurarsi con le più aggiornate ricerche architettoniche: "L'intera architettura umanistica esprime un ardito e raffinato equilibrio fra ricerca di fondamento e sperimentazione"[63]. A Bibbiena la cupola emisferica sorretta da pennacchi sostituisce la volta a vela al centro della croce della Badia. Affine è l'effetto di nuda semplicità che acquistano le superfici delle coperture, ma la diversa proporzione tra la larghezza dell'aula e l'altezza d'imposta delle volte influisce notevolmente sulla percezione dei due spazi. Nella Badia Fiesolana si avverte infatti un maggiore slancio ascensionale, placato a Santa Maria del Sasso dal rapporto di 7 parti ad 8, più vicino in questo all'albertiano Sant'Andrea di Mantova o ad alcune interpretazioni sangallesche di ambienti voltati a botte[64]. Il sistema della cupola affiancata da volte a botte, introdotto nella cappella Pazzi di Santa Croce e rielaborato nel portico d'ingresso, è interpretato a scala monumentale da Giuliano da Sangallo nei santuari mariani delle Carceri a Prato (1485) e dell'Umiltà a Pistoia (1495). È significativo che in vista della costruzione della chiesa della Madonna delle Carceri, dall'impianto a croce greca, Lorenzo il Magnifico richieda a Luca Fancelli disegni del San Sebastiano di Alberti: tempio a sua volta caratterizzato da quattro volte a botte che racchiudono una cupola. Il vestibolo della Madonna dell'Umiltà ha proporzioni paragonabili a quelle dell'esempio bibbienese, ma una dimensione maggiore e una straordinaria ricchezza decorati-

15. *Chiesa superiore di Santa Maria del Sasso, particolare del retro del ciborio.*

16. *Chiesa superiore di Santa Maria del Sasso, particolare della lanterna del ciborio.*

va. Va inoltre ricordato che negli anni Ottanta del Quattrocento anche Bramante e Francesco di Giorgio esperimentano l'innesto di cupole fra navate voltate a botte, come illustrano la chiesa di Santa Maria presso San Satiro a Milano e la Madonna del Calcinaio a Cortona. Il santuario casentinese s'inserisce, con minori ambizioni, in questa ricerca di spazi all'antica, e la committenza medicea spiega le assonanze con le più aggiornate sperimentazioni della cultura architettonica italiana[65].

All'interno della chiesa di Santa Maria il tempietto-ciborio innalzato sul "sasso" è a pianta quadrata con colonne angolari. La ricchezza decorativa della trabeazione – con fregio di terracotta invetriata attribuito alla bottega dei della Robbia[66] – contrasta con la sobrietà delle modanature della chiesa. I frontoni curvilinei mascherano il tamburo circolare della cupola emisferica, a sua volta sovrastata da una lanterna. L'invenzione del tempietto è eloquente espressione delle ricerche volte ad arricchire di nuovi segni e significati la tradizione dei cibori monumentali, risalente all'età tardo-antica. Esempio fiorentino che funge da contatto con la cultura medievale, è quello ideato da Andrea di Cione detto Orcagna: il Tabernacolo di Orsammichele, realizzato dall'artista nel periodo in cui conduceva il cantiere di via dei Calzaiuoli (terminato con la sua recinzione nel 1366). Al pari degli esempi romani, legati al nome di Arnolfo di Cambio, il tabernacolo dell'Orcagna esibisce una complessa struttura gotica. Un interessante riferimento per il tempietto di Santa Maria del Sasso è l'inserimento della cupola a sesto acuto dietro i frontoni triangolari. Durante la prima metà del Quattrocento, Michelozzo interpreta il motivo del ciborio in chiave classicheggiante. Il tempietto della Santissima Annunziata a Firenze e quello di Santa Maria dell'Impruneta hanno in comune con Santa Maria del Sasso l'inserimento in santuari mariani, l'impianto quadrangolare, le colonne trabeate e l'esuberanza ornamentale, ma si accostano alla parete e non costituiscono il fulcro dell'ambiente religioso. La cappellina del Crocefisso in San Miniato al Monte – anch'essa attribuita a Michelozzo – presenta capitelli compositi ad unico giro di foglie simili a quelli di Bibbiena, e anticipa la decorazione loricata della copertura. Per i frontoni curvilinei e la cupoletta emisferica il termine di riferimento può essere identificato nel Tempietto del Volto Santo, edificato da Matteo Civitali nel Duomo di Lucca all'inizio degli anni Ottanta[67]. Quanto alla lanterna,

17. *Chiesa superiore di Santa Maria del Sasso, intradosso della cupola.*

non mancano gli esempi quattrocenteschi, da Brunelleschi ad Alberti, a Giuliano da Sangallo. Quello di Bibbiena si distingue per le proporzioni poco sviluppate in altezza e per il coronamento ogivale, sostenuto da sei colonne ioniche. L'intervento di Giuliano da Maiano a Santa Maria del Sasso rende opportuno un confronto con il progetto per la cappella di San Bartolo nella chiesa di Sant'Agostino a San Gimignano, che è stata attribuita a Giuliano da Maiano sulla base di documenti oggi irreperibili[68]. Del tempietto si conserva solo l'altare realizzato da Benedetto da Maiano (1494-1495). La composizione prevedeva un modello molto simile a quello bibbienese, dettagliatamente descritto nel contratto firmato dallo scalpellino e trascritto da Giuliano da Maiano il 20 dicembre 1488. Nella descrizione si ritrova l'uso di frontoni curvilinei affiancanti la tribuna, in questo caso impreziositi da cinque figure incorniciate. La presenza di Giuliano nel cantiere di Santa Maria del Sasso viene analizzata da Giuseppe Marchini, per il quale l'idea dei frontoni curvilinei del tempietto ricorda quella per il balla-

toio della cupola di Santa Maria del Fiore che, secondo Vasari, prevedeva "altro ordine di fregio, cornice e ballatoio, con alcuni frontispizi a ogni faccia delle otto della cupola"[69]. Dobbiamo tuttavia considerare il reale contributo offerto dal da Maiano così come risulta dai documenti contabili del cantiere della chiesa.

Il ruolo di Giuliano da Maiano

La presenza di Giuliano da Maiano nel cantiere del santuario casentinese durante le fasi finali di costruzione, è stata considerata sicuro riferimento per l'attribuzione del progetto della chiesa[70]. L'analisi dei documenti ci consente di mettere in discussione questa tesi considerando che la partecipazione di più artisti è frequente nelle fabbriche del Quattrocento e che le stime metriche e pecuniarie compiute dal da Maiano non implicano la paternità del progetto. Le competenze professionali, unite agli studi giovanili per la carriera notarile, rendono Giuliano da Maiano persona di sicura affidabilità per eseguire stime e perfezionare accordi di contratti e pagamenti. I sopralluoghi in via de' Servi, in vista di un progetto a scala urbana che interesserà la città di Firenze, sono solo un esempio della sua attività di estimatore svolta, fin dai primi incarichi, per conto della casa Medici[71]. Sotto questo aspetto può essere interpretato l'intervento di Giuliano nel cantiere del Sasso nell'aprile del 1486, per stabilire l'importo dei lavori già realizzati, per controllare quelli in fase di ultimazione ("tribuna", "chapella del tabernacholo", elementi decorativi della "tromba della scala") e formalizzare l'accordo per la definizione dei lavori successivi[72]. Un altro elemento che deve far riflettere sulle effettive responsabilità da parte di Giuliano è l'assenza di riferimenti alla sua bottega, alla quale collabora il fratello Benedetto. Dove Giuliano ha piena responsabilità sull'impresa progettuale, la bottega dei da Maiano ha generalmente un ruolo preminente nelle realizzazioni; tanto da far ritenere che le responsabilità di Giuliano, oltre ad interessare i problemi compositivi, siano quelle di un vero e proprio imprenditore intento a procacciare commissioni per la società[73].

Anche dal punto di vista compositivo, la presenza di elementi fortemente caratterizzanti come le grandi volte a botte getta qualche dubbio sulla paternità progettuale di Giuliano. Pur riconoscendogli una particolare abilità tecnica nel risolvere problemi legati alla realizzazione di strutture voltate – è il caso ad esempio delle sottostrutture di Palazzo Spannocchi a Siena – una soluzione simile non fa parte del repertorio architettonico del da Maiano. L'unico indizio è l'ipotesi avanzata da Quinterio di un possibile inserimento di volte a botte nel Duomo di Faenza; soluzione poi abbandonata per problemi di illuminazione che si ripetono a Santa Maria del Sasso[74]. Giuliano, chiuso l'impegno faentino, torna a Firenze, dove, nel dicembre 1485, viene confermato capomastro all'Opera del Duomo. Nel frattempo partecipa alle controversie per l'ultimazione della facciata del Santo Spirito (aprile 1486) guidando il partito delle tre porte; segue il cantiere della Basilica di Loreto ed è richiesto assiduamente a Napoli. Se questi impegni non consentono la partecipazione costante di Giuliano al cantiere bibbiense, possono spiegare però come egli, di passaggio, magari per recarsi a Urbino o a Loreto, si trovi spesso sulla strada di Bibbiena, che collega Firenze con la Val Tiberina ed Arezzo con la Romagna. A questo riguardo è interessante rileggere un documento conservato nell'Archivio della Fraternità dei Laici di Arezzo. Il 14 aprile 1486 i Rettori del Capitolo aretino a causa dei cedimenti strutturali della chiesa di San Francesco deliberano d'inviare una lettera al priore di Santa Maria del Sasso, frate Francesco Salviati: "in efecto che passando li Giuliano da Maiano, maestro architectore, esso priore, per parte di questo uficio, lo pregassi e confortassi a vinire Arezzo per la reparatione di S. Francesco"[75]. Il primo pagamento per gli uffici svolti ad Arezzo da Giuliano risale al 21 dello stesso mese. Ancora una volta Giuliano si occupa di problemi strutturali e stime delle somme da impiegare. Il 6 giugno 1486, i rettori, sentita la relazione di Giuliano, dichiarano che i 210 fiorini in deposito nel "cassone" sono sufficienti per le riparazioni[76].

Se a Giuliano da Maiano è da attribuire il controllo dei pagamenti per la costruzione della chiesa di Santa Maria del Sasso resta comunque da individuare la personalità che ha ispirato la composizione generale del progetto. Quello che traspare dalla storia e dalle mura di Santa Maria è che il linguaggio architettonico con il quale si è data nuova forma alla costruzione, l'ambiente artistico del quale è espressione, la complessità spaziale dell'edificio, sembrano appartenere alla ricerca architettonica della quale abbiamo tracciato le linee essenziali, propiziata in territorio fiorentino da Lorenzo de' Medici e interpretata il più delle volte dalla mano di Giuliano da Sangallo.

Si riportano le principali abbreviazioni utilizzate per semplificare le citazioni: ACB (Archivio del Convento di Santa Maria del Sasso, Bibbiena); AFLA (Archivio della Fraternità dei Laici, Arezzo); ASF (Archivio di Stato, Firenze); BLF (Biblioteca Medicea Laurenziana, Firenze); BMF (Biblioteca Marucelliana, Firenze); BRF (Biblioteca Riccardiana, Firenze); GDSU (Gabinetto di Disegni e Stampe degli Uffizi, Firenze). Un ringraziamento particolare per l'aiuto offertomi durante le mie ricerche va a Bernadetta Giordano o.p. bibliotecaria del convento di Santa Maria del Sasso.

[1] Gherardo (1444/5-1497) è figlio del fiorentino Giovanni Miniato detto Fora (1398-1479) collaboratore di Michelozzo e Donatello (G. Milanesi, *Commentario alla Vita di Gherardo*, in G. Vasari, *Le vite de' più eccellenti pittori scultori ed architettori*, a cura di G. Milanesi, Firenze 1878, vol. III, pp. 247-252). La sua formazione tecnica deriva dalla bottega di Domenico Ghirlandaio mentre l'erudita preparazione umanistica deriva dagli studi condotti sotto la guida di Poliziano (cfr. M. Levi D'Ancona, *Miniatura e Miniatori a Firenze dal XIV al XVI secolo*, Firenze 1962, pp. 127-137). Il primo impegno come miniatore risale al 1460 e viene eseguito per la biblioteca di Bartolomeo Scala, cancelliere di parte guelfa già segretario di Pierfrancesco Medici. Vedi G.S. Martini, *La bottega di un cartolaio fiorentino della seconda metà del Quattrocento*, in "La Bibliofilia", 1956, supplemento, pp. 5-82.

[2] ASF, *Corporazioni religiose soppresse dal Governo Francese*, 30, 2, *Debitori e Creditori 1472-1499* (d'ora in poi *Debitori e Creditori 1472-1499*), cc. 87s e 77d. Questo registro presenta lo stesso numero nella carta sinistra ("dare") e destra ("avere"), per cui le pagine sono indicate con s: sinistra e d: destra.

[3] ASF, *Corporazioni religiose soppresse dal Governo Francese*, 30, 12, *Entrata e Uscita di quanto facevano l'Operai Secolari di Santa Maria del Sasso 1444-1469* (d'ora in poi *Entrata e Uscita 1444-1469*), c. 54v.

[4] R. Creytens, *Santi Schiattesi o.p. disciple de S. Antonin de Florence*, in "Archivium Fratrum Praedicatorum", XXVII, 1957, pp. 200-318. Santi Schiattesi istalla ufficialmente i suoi frati a Santa Maria del Sasso il 29 settembre. Vedi anche R. Creytens, *Les actes capitulaires de la congrégation toscano-romaine o.p. (1496-1530)*, in "Archivium Fratrum Praedicatorum", XL, 1970, pp. 127-133.

[5] G. Dominici, *Regola di governo di cura famigliare*, ante 1420, ed. cons. 1860, p. 122.

[6] Cfr. F. Falletti, *Le origini del convento di Santa Maria Maddalena in Pian di Mugnone*, in "Rivista d'Arte", IV, 1988, pp. 63-124, e E. Borsook, *Documenti relativi alle cappelle di Lecceto e delle Selve di Filippo Strozzi*, in "Antichità viva", IX, 1970, pp. 3-20. Il programma di Lecceto prevedeva: l'oratorio, una casa per i frati, un ospizio e varie costruzioni di servizio in tutto simili a quelle di Santa Maria del Sasso (vedi anche R.A. Goldthwaite, *The Building of the Strozzi Palace: the construction Industry in Renaissance history*, in "Studies in Medieval and Renaissance History", Lincoln (Nebraska), X, 1973, p. 109).

[7] M. Tafuri, *Ricerca del Rinascimento*, Torino 1992, p. 95.

[8] Cfr. P. Morselli, G. Corti, *La chiesa di Santa Maria delle Carceri a Prato. Contributo di Lorenzo de' Medici e Giuliano da Sangallo alla progettazione*, Firenze 1928, pp. 13-17; A. Belluzzi, *I modelli di Giuliano da Sangallo e del Francione*, in *Giuliano da Sangallo e la chiesa della Madonna a Pistoia*, Firenze 1993, pp. 13-18.

[9] E.H. Gombrich, *Il mecenatismo dei primi Medici*, in *Norma e Forma*, Torino 1973, pp. 81-82; cfr. F. Borsi, *Il realismo di Lorenzo*, in "Per bellezza, per studio, per piacere". *Lorenzo il Magnifico e gli spazi dell'arte*, Prato 1991, p. 33 sgg.

[10] M. Martelli, *I pensieri architettonici del Magnifico*, in "Commentari", XVII, 1966, pp. 107-111.

[11] ASF, Mediceo avanti il principato, filze 85 e 124, citato in G. Moncallero, *Il cardinale Bernardo Dovizi da Bibbiena umanista e diplomatico (1470-1520)*, Firenze 1953, I, p. 26. È probabile che proprio durante una di queste visite Lucrezia abbia lasciato a Santa Maria del Sasso l'elemosina registrata nel settembre 1470 (ASF, *Entrata e Uscita 1469-1498*, c. 1v). Cfr. ASF, Mediceo avanti il Principato, filza 94.

[12] A conferma di quanto il cardinale Bibbiena tenesse al santuario mariano rimangono i lasciti testamentari e il ricordo di un suo progetto, dal sapore di leggenda. Di unire cioè, con una strada porticata, il tempio della Madonna con il centro cittadino. Cfr. M. Salmi, *Bernardo Dovizi e l'arte*, in "Rinascimento", IX, 1969, p. 20.

[13] La famiglia Salviati è imparentata con i Medici attraverso Jacopo Salviati, genero di Lorenzo e suo compagno di imprese architettoniche. Vedi R. Pacciani, *Modi della Committenza d'Architettura del Magnifico*, in *Lorenzo il Magnifico*, a cura di F. Cardini, Roma 1992, pp. 155-170. In particolare le pp. 160-161, dove viene messa in luce la particolare inclinazione da parte di Lorenzo ad operare anche indirettamente su imprese architettoniche attraverso l'aiuto di alleati o parenti.

[14] La vicenda viene descritta dal monaco benedettino Don Lorenzo Ciatti. Lo scritto in lingua latina è preceduto da un endecasillabo indirizzato a Lorenzo de' Medici e datato 1 dicembre 1488 (data di ultimazione della costruzione della chiesa). Trascrizione di parte del codice si trova in BMF, A.M. Bandini, *Odeporico del Casentino*, Mss. 1.I.19, vol. VIII, cc. 9-16. A carta 16v viene riportato: "il codice è in cartapecora di pagine 19 in ottavo grande prima lettera miniata coll'arme de' vecchi Medici messa a oro (...) talché può credersi che questa sia la copia medesima preserbata dall'autore al Magnifico Lorenzo". Cfr. ACB, 11, *Ricordi* (L. Ciatti, *Miracula S. Mariae Saxi*, 1488), cc. 26-31. Tradizione vuole che sia la prodigiosa colomba ad indicare a

18. *Chiesa superiore di Santa Maria del Sasso, particolare
dell'ordine del ciborio.*

Martino, primo monaco ritiratosi al Sasso, di stabilirsi in prossimità della roccia, volontà che il monaco accoglie ritirandovisi a vita contemplativa. Vedi ACB, Mss. 3/A, *Processo dell'Origine e Miracoli di S. Maria del Sasso di Bibbiena*, 1621, copia di quello di A. Paoli custodito nella sede vescovile di Arezzo e A.M. Bandini, *Odeporico...*, cit., vol. X, c. 14: cfr. B. Giordano, *Cortona*, 1984, pp. 26-29.

[15]Secondo la tradizione la Madonna dona dei baccelli ad una giovane pastorella di sei o sette anni che si trova nei pressi del masso con la madre intenta a lavare indumenti nell'adiacente torrente Vessa. La sera la madre, che in un primo momento non crede alle parole della figlia, volendo cuocere i baccelli scopre con grande meraviglia che sono rigonfi di sangue. Alle grida della donna accorre tutta la gente del castello. La mattina successiva, dopo una solenne processione, la comunità di Bibbiena decide di costruire un oratorio in onore di Maria. Per mantenere vivo il culto, in questa data, "il clero della Propositura di Bibbiena si porta quivi processionalmente, e vi canta la messa della beata Vergine" (V. Fineschi, *Compendio istorico critico sopra le due pregiabilissime immagini di Maria Santissima che si venerano nella Chiesa de' Padri Domenicani di S.a Maria Del Sasso*, Firenze 1792, p. 17 n. Cfr. ASF, *Entrata e Uscita 1469-1498*, c. 40r). In origine la data non sembra avere un così unanime consenso: cfr. A.M. Bandini, *Odeporico...*, cit., vol. X, cc. 21-21v.

[16]La notizia si riferisce all'indulgenza di 40 giorni che Boso, vescovo di Arezzo, concede "a quelle persone che danno sussidio, o elemosine alla nuova chiesa della Beatissima Vergine in luogo volgarmente detto il Sasso" nella curia di Bibbiena. "Data in Gressa sotto il 12 aprile 1348. Sed. Clemente VI sum. pontif". ASF, *Campione*, *Chiesa e sagrestia del convento di S. Maria del Sasso*, c. 182.

[17]BRF, sez. Moreniana, M. Da Silvestro, *Ricordi relativi al Santuario e i miracoli della Madonna del Sasso di Bibbiena*, Mss. Frullani, XXIX, ante 1481, c. 57. "Andarono laggiù dove fu questa apparizione di nostra dona a questa fanciulla, e quivi intorno a questo saxo, deliberorno di fare la chiesa di Sancta Maria".

[18] I. Moretti, R. Stopani, *San Galgano a Monte Siepi*, in *Italia Romanica*, Firenze 1981, vol. V, pp. 156-159.

[19] Renato Stopani dimostra che il percorso casentinese era conosciuto e divulgato fino dal secolo XIII. Lo studio si riferisce all'*Iter de Londinio in Terram Sanctam di Mathew* (Matthaeus) *Paris*, compilato nel 1253, sorta di *vademecum* del pellegrino che, diretto a Gerusalemme, passava da Roma, e agli *Annales Stadenses*, "la più completa guida per i pellegrini che dal nord Europa affluivano alla Città Eterna", la cui compilazione dovrebbe risalire al 1240-1256 (R. Stopani, *Le grandi vie di pellegrinaggio del Medioevo le strade per Roma*, Firenze 1986, pp. 85-111). Cfr. A. Dacci, *Strade romane e medioevali nel territorio aretino*, Cortona 1985, pp. 283-315; A. Fatucchi, *Le strade romane del Casentino*, V, *La via verso Camaldoli e la Valle del Bidente*, in "Atti e Memorie della Reale Accademia Petrarca di Lettere, Arti e Scienze", XL, 1970-1972, pp. 256-266).

[20]M. Da Silvestro, *Ricordi...*, cit., c. 63r. "E più mi disse Antonfrancesco che vi vennono alquante donne che venivano dal Sepolcro, et erano state anchora a visitare altri luoghi di grande divotione. Visitarono la Vernia dipoi sentendo la divotione di questa chiesa la visitarono et andarono per tutta la chiesa."

[21]Altre strutture ospedaliere ricordate dagli statuti del Comune del 1423 sono lo "Spedale di S. Maria della Porta S. Angiolo", lo "Spedale il quale è nel Poggio del Mercatale fuori della Porta Guelfa" a nord del centro abitato e lo "Spedale il quale è posto nel Poggio di Lontrina appresso la chiesa di S. Andrea" a sud del centro abitato. Archivio Storico del Comune di Bibbiena, *Statuti del 1423*, rubrica XIV riportato in G. Goretti Miniati, *Gli Ospedali dei pellegrini e dei malati in Casentino (1300-1400)*, in "Atti e memorie della Reale Accademia Petrarca di Lettere, Arti e Scienze", XXV, 1938, pp. 302-303.

[22]M. Da Silvestro, *Ricordi...*, cit., c. 58v.

[23]La fedele si trova in chiesa quando vede tre globi luminosi fuoriuscire dal masso, "in quel luogo quando si discende giù ammezzo la schala e laggiù nel fondo della chiesa". M. Da Silvestro, *Ricordi...*, cit., c. 57v. L'inventario è riportato in ASF, *Entrata e Uscita 1444-1469*, ultime carte non numerate di un fascicolo aggiunto al manoscritto.

[24]ASF, *Entrata e Uscita 1444-1469*, cc. 24r, 25r.

[25]*Ibidem*, c. 25v.

[26]*Ibidem*, c. 26r.

[27]Il responsabile dell'opera viene indicato con l'appellativo "abate maestro lonbardo", ASF, *Entrata e Uscita 1444-1469*, c. 26r. La loggia è stata attribuita a Bartolomeo Bozzolini da Carlo Beni (*Guida illustrata del Casentino*, a cura di F. Domestici, Firenze 1983) e a Turriani da Poppi da G. Benci (*Guida ai Santuari del Casentino ed ai luoghi principali della Valle Tiberina Toscana*, a cura di A. Zuccagni Orlandini, Firenze 1884, p. 3).

[28]Per Salmi il loggiato è realizzato da Domenico del Fattore – "*magister lapidum*" di origine lombarda morto nel 1479 e al tempo operante nella provincia aretina (M. Salmi, *Santa Maria delle Grazie ad Arezzo e il suo piazzale*, in "Commentari", XX, 1969, pp. 37-51 e Idem, *Civiltà artistica della terra aretina*, Novara 1971, pp. 98-99). Romanelli mette in discussione sia l'attribuzione del portico al da Maiano, sia l'origine del capomastro Domenico del Fattore: secondo Romanelli di origine aretina (G. Romanelli, in *Architettura in terra d'Arezzo*, catalogo della mostra, Arezzo 1985, Firenze 1985, pp. 46-49).

[29]Il breve del pontefice Paolo II è datato 18 marzo 1468 (nella bolla pontificia viene confermato il patronato del comune di Bibbiena sopra "ecclesia Sanctae Mariae de Saxo"), ACB, Mss. 2, *Ricordi*, c. 1, riportato in B. Giordano, *Cortona*, cit., pp. 47 e 204-205.

[30]P. Tito, S. Centi, *La chiesa e il convento di S. Marco a Firenze*, in *La chiesa e il convento di S. Marco a Firenze*, Firenze 1989, pp. 21-37.

[31]A. Zucchi, *Gli ospizi domenicani in Toscana*, in "Memorie Domenicane", LXI, 1944, pp. 1-5; vedi anche G. Pierattini, *Vita domenicana delle origini e nella Firenze del Principato, sulla traccia di manoscritti del cinquecento*, in "Memorie Domenicane", LXVI, 1949, pp. 182-195.

[32]A.M. Bandini, *Odeporico...*, cit., vol. X, cc. 31v-32v.

[33]Cfr. G. Meesserman, *L'architecture Domenicaine au XIII siècle. Legislation et Pratique*, in "Archivium Fratrum Praedicatorum", XXXVI, 1966, p. 142.

[34] C. Vasic' Vatovec, *Giuliano da Maiano capomaestro a Santa Maria del Fiore*, in *Giuliano e la bottega dei da Maiano* (Atti del Convegno Internazionale di Studi, Fiesole, 1991), Firenze 1994, p. 68 e appendice documentaria pp. 78-83.

[35]ASF, *Debitori e Creditori 1472-1499*, cc. 8s, 53s, 53d. Cfr. ASF, *Entrata e Uscita 1468-1498*, c. 38v.

[36]ASF, *Debitori e Creditori 1472-1499*, c. 15s; ASF, *Entrata e Uscita 1469-1498*, c. 43v.

[37]R.A. Goldthwaite, *La produzione dei materiali*, in *The Building of Renaissance Florence. An Economic and Social History*, Baltimora 1980 (trad. it. *La costruzione della Firenze rinascimentale. Una storia economica*, Bologna 1984, pp. 249-348) e F. Quinterio, *Note sul cantiere quattrocentesco: le fabbriche brunelleschiane*, in *Filippo Brunelleschi. La sua opera e il suo tempo*, Firenze 1980, II, pp. 645-654.

[38]Stefano Rosselli (1417-1485, cfr. A. Gotti, *Ricordanze della nobile famiglia Rosselli Del Turco tratte dai suoi archivi*, Firenze 1890) ricopre cinque volte la carica di console dei maestri costruttori tra il 1459 e il 1484, per cui è tra i soggetti più influenti legati alla corporazione fiorentina (per le implicazioni legate all'organizzazione delle Arti fiorentine vedi R.A. Goldthwaite, *La produzione...*, cit., pp. 349-407). A lui è affidato l'incarico della costruzione del secondo piano della corte interna dell'Ospedale degli Innocenti nel 1470 (G. Morozzi, *A. Piccinini. Il restauro dello spedale di Santa Maria degli Innocenti, 1966-1970*, Firenze 1971, p. 38). Con il figlio Jacopo (1439-1515), genero di Simone del Pollaiolo detto il Cronaca, è presente in vari cantieri commissionati da Filippo Strozzi. Per lo Strozzi partecipa alla costruzione di un palazzo in Firenze, una villa e due oratori nel contado, fino alla costruzione del grande palazzo fiorentino: il figlio è uno dei due direttori del cantiere nelle prime fasi di costruzione. L'altro figlio, Bernardo (1450-1526), pittore influenzato dal celebre biscugino Cosimo Rosselli, lavora presso la bottega di Neri di Bicci (G. Milanesi, *Commentario...*, cit., vol. II, p. 87).

[39]Nel 1482 è documentata la presenza nel cantiere di Lecceto di Benedetto da Maiano, Stefano e Francesco di Jacopo Rosselli. Nella decorazione dell'oratorio sono impegnate le botteghe del Ghirlandaio e di Neri di Bicci con il figlio di Stefano Rosselli, Bernardo, altre volte impiegato per conto dello Strozzi. Poco prima della morte di Filippo (14 maggio 1491) la nota di spesa per la chiesa di Lecceto, comprensiva della maggior parte delle decorazioni, ammonta a 1500 fiorini, che si avvicina alla spesa sostenuta per la cappella di Santa Maria Novella, sua sepoltura. Cfr. E. Borsook, *Documenti...*, cit.

[40]Il programma di Lecceto prevedeva: l'oratorio, una casa per i frati, un ospizio e varie costruzioni di servizio in tutto simili a quelle di Santa Maria del Sasso (R.A. Goldthwaite, *The Building...*, cit., p. 109).

[41]ASF, *Debitori e Creditori 1472-1499*, c. 8s.

[42]*Ibidem*, c. 16s.

[43]F. Falletti, *Le origini...*, cit.

[44]C. Fischer, *Fra Bartolommeo's landscape drawings*, in "Mitteilungen des Kunsthistorischen Institutes in Florenz", XXXIII, 1989, 2-3, p. 314. Il disegno è conservato a Vienna, Graphische Sammlung Albertina, inv. 17.577. È da tener presente che il disegno del capitello è di incerta provenienza, in quanto ritagliato e aggiunto ad una composizione di fra Bartolomeo che presenta una serie di vedute di edifici rurali tra cui è possibile riconoscere, al centro, quello adiacente al complesso religioso di Bibbiena.

[45]ASF, *Campione*, Accordi o Comunicazioni, c. 4.

[46] Il riferimento a Francione, oltre ad essere plausibile dal punto di vista professionale, presenta alcuni riscontri di carattere personale. Il fatto ad esempio che nella casa di Firenze risieda la madre continuamente bisognosa di "visite" e attenzioni da parte del figlio, tanto da giustificare le assenze dal cantiere e costringere il figlio a inviare cibo e soldi. L'assistenza alla madre giustifica anche le assenze di Francione dal cantiere del Duomo di Pisa. La salute della madre sembra compromessa già dall'estate 1469. S. Borsi, *Francesco di Giovanni detto il Francione*, in *Maestri fiorentini nei cantieri romani del Quattrocento*, a cura di S. Danesi Squarzina, pp. 176-197.

[47]Archivio Episcopale di Arezzo, Conventi Soppressi, Flora e Lucilla, *Copia dello spoglio delle cartapecore...*, 60, IV, p. 1572.

[48]ASF, *Debitori e Creditori 1472-1499*, cc. 48s e 52d. Cfr. F. Buselli, *Fra Sarzana e Sarzanello: un episodio poco noto tra Giuliano da Sangallo e il suo maestro*, in "Necropoli", VII, 1969, 6-7, pp. 61-68. In particolare vedi documento a p. 67, n. 14.

[49]ASF, *Debitori e Creditori 1472-1499*, c. 48s.

[50]C. Elam, *Lorenzo de' Medici and the Urban Development of Renaissance Florence*, in "Art History", I, 1978, p. 62, n. 46.

[51]ASF, *Entrata e Uscita 1469-1498*, c. 59r e ASF, *Debitori e Creditori 1472-1499*, c. 68s.

[52] ACB, 1a, *Chronicae Conventus S. Mariae super Saxum* (d'ora in poi *Chronicae*), c. 4. Per il controllo delle traduzioni dalla lingua latina ed altri utili suggerimenti ringrazio la dottoressa Alessia Busi.

[53]Mariotto è figlio di Papo di Domenico di Benedetto e nel 1460 figura come persona con reddito fisso di anni diciassette. La sua iscrizione alla corporazione dei maestri di pietra e legname risale al 4 marzo 1466 (1465). F. Falletti, *Le origini...*, cit.; cfr. M. Ferrara F. Quinterio, *Michelozzo di Bartolomeo*, Firenze 1984, p. 391 sgg.

[54]Eccettuata la direzione artistica, la squadratura e la preparazione delle pietre e degli ornati lapidei, a Mariotto spetta la responsabilità della ristrutturazione delle fabbriche preesistenti, l'erezione di impalcature, la perizia tecnica sulle attrezzature e sulle macchine da costruzione, l'assunzione e la supervisione dei lavoratori, il controllo dei materiali e il coordinamento generale di tutte le attività del cantiere. R.A. Goldthwaite, *The Building...*, cit., p. 151n. Mariotto muore il 4 settembre 1512 folgorato da una saetta

mentre cerca di riparare alcune parti del tetto di Palazzo Strozzi durante un tremendo temporale (B. Masi, *Ricordanze di Bartolomeo Masi calderaio fiorentino, dal 1478 al 1526*, a cura di G. O. Corazzini, Firenze 1906, p. 100).

[55] GDSU, Antonio da Sangallo il Giovane, "Volte tonde di mezzane quali si voltano senza armadura a Firenze", dis. 900A. Per la preziosa collaborazione durante il rilievo della struttura della chiesa ringrazio Giovanni Lorenzini, Antongiulio Rosai e Roberto Tirranini.

[56] ACB, *Chronicae*, c. 4.

[57] A. Belluzzi, *Chiese a pianta centrale di Giuliano da Sangallo*, in *Lorenzo il Magnifico e il suo mondo* (Atti del Convegno di Firenze del 1992 a cura di G.C. Garfagnini), Firenze 1994, p. 386.

[58] ASF, *Debitori e Creditori 1472-1499*, cc. 76d e 77d. Le misure della cornice architravata, alta "7/8 e ad egetto (leggi aggetto) braccia 1/2", corrispondono. L'altezza è pari a 50 cm e al sommo presenta uno spessore di 29 cm. L'esistenza di decorazioni pittoriche, in pessimo stato di conservazione, è stata messa in luce dai recenti lavori di restauro della chiesa.

[59] Esemplificazioni del modo in cui questi problemi vengono affrontati da un autore contemporaneo sono contenute in alcune pagine del trattato di architettura scritto da Francesco di Giorgio Martini. Cfr. Francesco di Giorgio Martini, *Trattati di architettura ingegneria e arte militare*, a cura di C. Maltese, Milano 1967, vol. II, libro IV, cap. 2. Cfr. H. Burns, *San Bernardino a Urbino*, in *Francesco di Giorgio architetto*, catalogo della mostra, Siena, 1993, Milano 1993, II, pp. 230-243.

[60] Vedi W. Braghirolli, *Leon Battista Alberti a Mantova*, in "Archivio Storico Italiano", III, 1869, pp. 12-13.

[61] L' edificio riflette l'opera di un architetto che si muove sotto l'influenza di Leon Battista Alberti, "ma senza la sua rigorosa sistematicità" (A. Bruschi, *L'architettura religiosa del Rinascimento in Italia da Brunelleschi a Michelangelo*, in *Rinascimento da Brunelleschi a Michelangelo. La rappresentazione dell'architettura*, catalogo della mostra di Venezia, Milano 1994, p. 137). Per una completa analisi del centro religioso vedi F. Borsi, G. Morolli, G. Landucci, E. Balducci, *La Badia Fiesolana*, Firenze 1976.

[62] A. Belluzzi, *La Badia Fiesolana*, in *Filippo Brunelleschi la sua opera e il suo tempo* (Atti del Convegno Internazionale di Studi, Firenze, 1977), Firenze 1980, p. 500, n. 36. Dobbiamo considerare la presenza, nella Badia Fiesolana, delle cappelle sui fianchi dell'aula d'ingresso della chiesa, cosa che ha contribuito a far paragonare l'edificio ai templi teorizzati nel trattato di Alberti, cfr. G. Morolli, *Architetture laurenziane*, in *"Per bellezza, per studio, per piacere".*

Lorenzo il Magnifico e gli spazi dell'arte, a cura di F. Borsi, Firenze 1991, pp. 195-262.

[63] Cfr. le argomentazioni di Tafuri sulle idee espresse nel *Cortegiano* di Baldassarre Castiglione in M. Tafuri, *Ricerca del Rinascimento. Principi, città, architetti*, Torino 1992, pp. 5-15.

[64] La volta a botte è un elemento costruttivo utilizzato spesso da Giuliano da Sangallo: nel loggiato del palazzo di Bartolomeo Scala, nel chiostro di Santa Maria Maddalena dei Pazzi, nel vestibolo della sagrestia di Santo Spirito, fino a raggiungere esempi di straordinaria magnificenza e dimensione, in Santa Maria delle Carceri a Prato, nell'atrio d'ingresso della chiesa di Santa Maria dell'Umiltà a Pistoia e nella sala grande della villa di Poggio a Caiano.

[65] Un altro riferimento in territorio fiorentino è costituito dalla chiesa di Santa Maria delle Grazie a Pistoia, nella quale si lavora, negli ultimi decenni del Quattrocento, alla costruzione del presbiterio. In questo caso i bracci della croce, voltati a botte, convergono all'interno del corpo longitudinale verso quattro colonne libere su cui grava anche la cupola (G. Macconi, *La presenza dei cappuccini nell'ospedale di Pistoia*, Pistoia 1985, pp. 55-88 e G. Morolli, *La chiesa di Santa Maria delle Grazie*, in *Ventura Vitoni e il Rinascimento a Pistoia*, Pistoia 1977, pp. 19-26). Più tarda la chiesa di Sant'Anna presso Prato (1502-1504), edificio per il quale è stato fatto il nome di Giuliano da Sangallo come artefice dell'idea progettuale, anche se non esistono nella documentazione di cantiere riferimenti a questo riguardo (G. Marchini, *La chiesa di S. Anna presso Prato*, in "Palladio", II, 1938, pp. 215-221).

[66] M. Cruttwel, *Luca e Andrea della Robbia*, London 1902, p. 334. Vedi anche T. Bartolini, *I della Robbia in Casentino. Itinerari robbiani*, Cortona 1984, p. 8.

[67] M. Ridolfi, *Scritti d'arte e d'antichità*, Firenze 1879, p. 127, F. Negri Arnoldi, *Matteo Civitali scultore lucchese*, in *Egemonia fiorentina ed autonomie locali nella Toscana* (Atti del Convegno internazionale di studi), Pistoia 1975, pp. 255-267 e M. Paoli, *Arte e committenza privata a Lucca nel Trecento e Quattrocento*, Lucca 1986, p. 235, n. 23 e p. 161 sgg.

[68] E. Castaldi, G. Traversari, *Scritta per la costruzione della Cappella di S. Bartolo su disegno di Giuliano da Maiano*, Colle d'Elsa 1921, pp. 13-17.

[69] G. Marchini, *Il ballatoio della cupola di Santa Maria del Fiore*, in "Antichità Viva", XVI, 1977, pp. 36-48, cfr. Idem, *L'architettura nell'aretino: il primo Rinascimento*, in *L'architettura nell'aretino* (Atti del XII Congresso di Storia dell'Architettura, Arezzo, 1961), Roma 1969, p. 114.

[70] B. Giordano, *Cortona*, cit., pp. 51-52. Cfr. *Borgo 1972*, p.

448. L'attribuzione del progetto della chiesa alla mano di Giuliano da Maiano è stata avanzata senza riscontri documentari in C. von Stegmann, H. Von Geymuller, *op. cit.*, X, 2, p. 1 e XI, 1, p. 1. Salmi attribuisce l'opera al gusto di Giuliano da Sangallo: vedi M. Salmi, *Encyclopaedia of World Art*, New York 1966, XII, p. 25; Idem, *Civiltà artistica della terra aretina*, Novara 1971, pp. 99-100.

[71] Ringrazio Francesco Quinterio per avermi segnalato altri impegni simili condotti dal da Maiano per la famiglia Medici utilizzando le proprie conoscenze di statica e idraulica, e per avermi messo a disposizione il suo articolo: *Santa Maria del Sasso a Bibbiena: dalla chiesa medicea al convento osservante del Savonarola*, in "Opus", Pescara, in corso di pubblicazione.

[72] Mi riferisco alle 244 braccia di cornice per le quali in due note non viene raggiunto accordo e alla correzione di "soldi 2 danari 8 per lira" che interessa tutte le note registrate a nome di Bozzolini fino a quella in cui viene registrato il giudizio espresso da Giuliano da Maiano. Quest'ultimo intervento, si badi bene, interessa anche il saldo di spesa precedente, registrato sicuramente in sua assenza. ASF, *Debitori e Creditori 1472-1499*, cc. 76d., 77d. e 79d.

[73] Vedi M. Haines, *Giuliano da Maiano capofamiglia e imprenditore*, in *Giuliano e la bottega dei da Maiano*, cit., pp. 131-142. L'unico maestro presente al Sasso che ha contatti con l'attività di bottega dei da Maiano è il legnaiolo "Francesco di Vaino da Rovezzano" il cui primo saldo di pagamento risale al febbraio 1490 quando la chiesa è ormai da tempo ultimata. ASF, *Debitori e Creditori 1472-1499*, cc. 104s e 104d. Cfr. C. von Fabriczy, *Giuliano da Maiano*, in "Jahrbuch der Königlich Preussischen Kunstsammlungen", XXIV, 1903, pp. 137-176, in particolare pp. 167-170.

[74] F. Quinterio, *Firenze, i Manfredi e l'edificazione del Duomo di Faenza*, in *Giuliano da Maiano. Architetto della Cattedrale di Faenza. Nel 5° centenario della morte* (Atti della giornata di studio, Faenza, 14/12/1991), Faenza 1992, p. 92.

[75] AFLA, 184, *Libro delle deliberazioni e degli stanziamenti dei Rettori della Fraternità dei Laici tenuto dai provveditori: 1485-1491*, c. 39v. Riportato in G. Centauro, *Dipinti murali di Piero della Francesca. La basilica di S. Francesco ad Arezzo: indagini su sette secoli*, Milano 1990, p. 96 sgg. Non è stato possibile reperire la lettera oggetto della deliberazione. Ringrazio Riccardo Pacciani per avermi segnalato il documento e per altri utili suggerimenti.

[76] AFLA, 51, *Libro delle deliberazioni e degli stanziamenti dei Rettori della Fraternità dei Laici tenuto dai cancellieri: 1485-1491*, c. 127r. Il saldo di spesa nel quale è conteggiata la retribuzione di Giuliano da Maiano è registrato il giorno 28 del medesimo mese, *ibidem*, c. 128r.

1. Tiziano, Federico Gonzaga. Madrid, Museo del Prado.

Diane Bodart
Tiziano, Federico Gonzaga e l'affare delle terre del Trevigiano

Della prolifica vena di mecenatismo dei Gonzaga nella prima metà del Cinquecento, oggetto di particolare attenzione degli studiosi del Rinascimento[1], un episodio rilevante, sia a livello qualitativo che quantitativo, è finora rimasto nell'ombra. Si intende il rapporto di committenza tra Federico II (fig. 1) e Tiziano Vecellio, sviluppatosi dal 1522[2] e proseguito in modo ininterrotto quanto intenso fino alla morte del primo duca di Mantova nel 1540. In quegli anni, il pittore veneto dipinse non meno di una quarantina di quadri[3] su richiesta del Gonzaga, e la sua fu una delle rare presenze artistiche importanti a Mantova durante il periodo in cui vigeva il "monopolio" di Giulio Romano. Le sue opere rappresentavano quindi un nucleo di prim'ordine nelle ricche collezioni gonzaghesche, e si rivelarono presto anche un ottimo strumento per i giochi politici di Federico II, in veste di doni diplomatici, da presentare a Carlo V, o a qualche eminente personaggio della sua corte, ogni qualvolta si ricercava un particolare favore imperiale. E tale stratagemma ebbe delle fondamentali ripercussioni sulla carriera di Tiziano, aprendogli, tra il 1530 e il 1533[4], le porte della committenza cesarea e del successo internazionale. L'unico studio specifico dedicato a questa vicenda tutt'altro che marginale rimane ancora oggi il saggio di Willelmo Braghirolli del 1881[5]. Un simile silenzio può trovare una spiegazione, ma non una giustificazione, nelle difficoltà presentate dall'argomento. Infatti, dopo il susseguirsi di eventi nefasti, dalla vendita della collezione Gonzaga nel 1628, al sacco di Mantova nel 1630 e allo smembramento delle raccolte di Carlo I d'Inghilterra nel 1649, le tele di Tiziano per i Gonzaga andarono disperse o distrutte, con la conseguenza, piuttosto scomoda per gli studiosi, che quelle documentate nel Cinquecento non sono più rintracciabili e

quelle di supposta provenienza mantovana dall'attuale collocazione museale non trovano riscontri nei carteggi dell'epoca[6].

Da questa *impasse*, a prima vista insolubile, l'unica via d'uscita che si possa tentare di definire deve ripartire dai dati certi, ovvero dall'esame del consistente supporto documentario, conservato essenzialmente nell'Archivio di Stato di Mantova. Seppure avaro di risposte immediate in rapporto alle immagini, tale carteggio offre non di meno numerosi elementi per la ricostruzione storica di queste vicende artistiche, per la comprensione dei meccanismi del mecenatismo cinquecentesco e dell'eccezionalità della posizione che Tiziano riuscì a conquistare.

Dalla fine del 1529, Tiziano era chiaramente consapevole della grande considerazione in cui Federico II teneva la sua arte, sia in funzione del proprio diletto che per l'uso che intendeva farne nelle sue missioni diplomatiche dirette alla corte imperiale. Seguendo il concetto ben radicato nel Cinquecento che ad ogni servizio concesso, anche se definito "dono", andava corrisposto un compenso di eguale valore, concetto nella cui applicazione l'amico Aretino si era fatto maestro[7], Tiziano cominciò a pretendere delle retribuzioni di particolare rilievo. Infatti, conscio delle avversità della fortuna, durante la sua lunga carriera cercò sempre di consolidare la sua singolare condizione sociale, acquisita con il virtuosismo del suo pennello, procurando ai figli delle rendite sicure e costituendo un patrimonio familiare di beni immobili. Le richieste avanzate a Federico Gonzaga furono tra le prime di questa natura, forse per via di una serie di coincidenze che resero il principe atto a soddisfare le esigenze dell'artista, senz'altro rafforzate dal saldo punto di riferimento che costituiva, in quel periodo, per Tiziano la sua fervida committenza. Il più noto di questi

episodi, la domanda del beneficio ecclesiastico di Medole per il figlio Pomponio, con il conseguimento del possesso nel 1530, delle bolle l'anno successivo, e dello sgravio della pensione nel 1540, fu complessivamente ricostruito dal Braghirolli[8]. Quest'ultimo si interessò anche di un'ulteriore vicenda, relativa all'acquisto di terreni di proprietà dei benedettini nel Trevigiano, svoltasi dal 1529 al 1534, senza pervenire però ad un esito certo e rimanendo con il seguente interrogativo: "Poté il Vecelli raggiungere il suo scopo mediante le pratiche fatte personalmente presso il duca di Mantova?", al quale aggiunse: "A tale domanda i documenti dell'Archivio Gonzaga non rispondono. Forse negli Atti di Venezia si potranno scoprire ulteriori notizie"[9]. Ebbene, per un fortunato ritrovamento documentario, proprio nell'Archivio di Stato di Venezia, siamo oggi in grado di offrire una risposta alla secolare domanda. Ma sarà utile ripercorrere prima, passo per passo, le varie tappe dell'intricata questione.

Nel 1529, Tiziano decise di compiere un investimento nell'acquisto di una trentina di campi nella villa di Rovereto nel Trevigiano. Non sappiamo per quale motivo l'artista avesse preso di mira proprio quell'appezzamento, ma è certo che la conclusione di un tale affare non si presentava come un'impresa facile. Infatti, i suddetti terreni, oltre a non essere, a quanto pare, in vendita, appartenevano all'abbazia benedettina del Pero, posta sotto la giurisdizione del monastero di San Giorgio Maggiore di Venezia e, in quanto possesso ecclesiastico dei territori della Serenissima, la loro alienazione sottostava alla decisione del Consiglio dei Dieci. Le trattative da intraprendere erano al di sopra delle forze di un pittore, e Tiziano decise di ricorrere all'aiuto di un personaggio autorevole per convincere i benedettini non solo a vendere, ma anche ad accettare il suo prezzo. Nessuno meglio di Federico Gonzaga era adatto a svolgere una tale mediazione, non solo per la sua disponibilità nei confronti dell'artista, ma soprattutto perché aveva nel suo dominio un'altra importante abbazia dell'ordinanza cassinense, San Benedetto in Polirone, tramite la quale poteva agevolmente esercitare delle pressioni sui monaci di San Giorgio Maggiore.

Il primo documento noto al riguardo risale al 13 novembre 1529[10]. A quella data i rapporti tra Federico Gonzaga e Tiziano erano particolarmente stretti, perché il marchese nutriva l'intenzione di presentare l'artista a Carlo V, allora in Italia, per fargli eseguire un ritratto[11]. Proprio da lì a una settimana, il Gonzaga avrebbe raggiunto l'imperatore a Bologna[12], ed è plausibile pensare che il Vecellio facesse allora parte del suo seguito. Comunque il 13 novembre, dopo esser venuto a conoscenza dei desideri dell'artista, sia oralmente, sia tramite una missiva non più rintracciabile, Federico inviava al suo ambasciatore a Venezia Giacomo Malatesta un mandato di procura per avviare le trattative con i monaci di San Giorgio e l'abate allora in carica Giovanni da Crema; tali "manovre" andavano condotte insieme a "Don Vincenzo Cavriano Celerario di Santo Benedetto", mandato in laguna all'uopo. Il marchese era disposto ad offrire trecento ducati subito, impegnandosi a pagare il resto nel termine di un anno, e presentava l'affare come un dono che intendeva fare a Tiziano "per li piaceri ch'el ne ha fatto, o che l'è anche per farmi". Considerando che la lettera era stata scritta a ridosso della partenza di Federico per Bologna, è ragionevole pensare che i piaceri previsti siano identificabili con il viaggio del pittore verso la città felsinea e con la realizzazione del ritratto di Carlo V. In quanto al "dono", non bisogna lasciarsi ingannare dal termine: Tiziano non aveva preteso dal principe l'acquisto materiale delle terre, e doveva sborsare i denari di tasca sua. L'idea del "dono", frequentemente ribadita dal Gonzaga nel suo carteggio, costituiva forse un sotterfugio per istigare i monaci a concedere più facilmente i campi, ma l'atto stesso delle mediazioni intraprese dal principe rappresentava l'effettivo presente.

Dopo due mesi di silenzio documentario, tra l'11 ed il 18 gennaio 1530[13] Tiziano era di nuovo a Venezia e le trattative riprendevano serrate. Si apprende che il pittore era disposto a pagare non più di 25 ducati per campo, per una somma complessiva di 750 ducati. Il prezzo continuava ad essere tirato verso il basso ed i monaci si dimostravano abbastan-

za favorevoli alla vendita della loro possessione, anche se temporeggiavano. Tiziano d'altronde sapeva che la sua arma, per mantenere vivo l'interesse del marchese, era costituita dai quadri che doveva ancora eseguirgli. Il 5 febbraio[14] ne aveva ben quattro in corso d'opera nella sua bottega, e prometteva di ultimarli in breve tempo: una "Nostra Donna con Santa Catherina", da identificare probabilmente con la *Madonna del coniglio* del Louvre[15] (fig. 3), delle "Donne Nude", delle "Donne nil bagno" ed un ritratto di "Vostra Signoria armata" invece non più rintracciabili. Questa corrispondenza tra la consegna del dono e la realizzazione rapida dell'opera si percepisce molto chiaramente in una lettera del 3 marzo[16], in cui Tiziano ringraziava Federico del "dono e presente", e si profondeva subito in scuse per non avere terminato il giorno stesso il "quadro dalle donne nude", trovandosi praticamente immobilizzato dalla rogna. Detto dono viene specificato in un dispaccio di Giacomo Malatesta a Federico alla stessa data[17]: sono i 300 ducati già promessi nel novembre del 1529, inviati all'artista come contributo per l'acquisto delle terre, ma anche in pagamento dei quadri eseguiti[18]. In questi documenti interviene inoltre per la prima volta un personaggio importante della corte dei Gonzaga, successivamente implicato di frequente nelle varie vicende mantovane di Tiziano, ed in particolare nell'affare del trevigiano: il conte Nicola Maffei[19], agente prediletto del marchese. I suoi contatti con l'artista, oltre alle ovvie mediazioni per il suo signore, diedero luogo ad un epistolario diretto, di cui sfortunatamente non rimane traccia, non essendosi conservato un archivio dei Maffei di Mantova.

Nei mesi successivi, se i rapporti tra Tiziano e Federico Gonzaga proseguirono intensamente, le trattative per le terre del Trevigiano dovettero però subire un'interruzione, anche perché dal mese di giugno subentrò nell'attenzione dell'artista la questione del beneficio di Medole rimasto vacante[20]. Ne ottenne dal duca la concessione, in nome del figlio Pomponio, nell'autunno del 1530, e il 15 novembre si trovava a Mantova per riceverne formalmente il possesso e le rendite[21]. Fiducioso di questa nuova entrata finanziaria, Tiziano dovette in quei giorni riproporre a voce la questione dei campi benedettini a Federico. Infatti, il 19 novembre[22] il duca chiedeva all'abate di San Benedetto Po di comunicare ai monaci di San Giorgio Maggiore che, avendo riunito la somma necessaria, voleva avviare le pratiche per l'acquisto. Il giorno se-

guente[23] informava il suo nuovo ambasciatore a Venezia, Benedetto Agnello, della sua decisione e lo incaricava di seguire la vicenda. Il 1° dicembre[24] l'oratore faceva sapere che i benedettini si erano dimostrati disponibili alla vendita, ma che non potevano alienare le loro possessioni senza la licenza del Consiglio dei Dieci. Il 5[25] Federico autorizzava l'Agnello a presentare la pratica al detto collegio. Le trattative sembravano essersi finalmente avviate nel modo migliore e ad un ritmo sostenuto, lasciando prevedere una rapida soluzione. Ma, dopo quest'ultimo episodio, i documenti tacciono per oltre due anni. La pratica venne certamente bloccata, forse dallo stesso Tiziano, imbattutosi in qualche problema nel riunire la somma necessaria.

Infatti, il Vecellio decise di riprendere le trattative non prima della primavera del 1533, informandone Federico, con un "hora che me ritrovo li scuti che Vostra Excellentia m'ha fatto guadagnare con l'imperatore"[26]. Questa frase, alquanto significativa, dissipa definitivamente ogni dubbio sull'identità del personaggio che doveva sborsare i denari, ma offre soprattutto dei punti di riferimento alquanto precisi per collocare l'episodio.

Dalla metà di marzo del 1533 Tiziano era rientrato a Venezia, al termine di un secondo soggiorno bolognese presso Carlo V, mediato anche questa volta da Federico Gonzaga[27]. Quanto il primo incontro con l'imperatore rappresentò per l'artista uno scacco, il successivo fu fecondo e ricco di promesse. Tiziano ritrasse Carlo V in abiti cortesi con un cane (Madrid, Prado) (fig. 2), ispirandosi a un modello di Jacob Seisenegger (Vienna, Kunsthistorisches Museum), e probabilmente anche in armatura, in una versione nota solo da copie[28], suscitando nell'effigiato un profondo entusiasmo. Lasciando da parte le cause di tale reazione intensa quanto tardiva, va sottolineato come questo soggiorno bolognese sancì la committenza imperiale ed il successo internazionale di cui Tiziano godette per il resto della sua lunga carriera. Infatti, oltre ad offrirgli un compenso di 500 scudi[29] e ad affidargli ulteriori commissioni[30], Carlo V coprì l'artista di onori, concedendogli al suo ritorno in Spagna, il 10 maggio 1533, i titoli di Cavaliere dello Sperone d'Oro e di Conte Palatino, e la nomina a suo ritrattista ufficiale, a paragone – secondo il diffuso luogo comune – di Alessandro Magno e Apelle[31].

Dunque, forte del riconoscimento imperiale, Tiziano aveva acquisito, al suo ritorno a Venezia, la posizione sociale ed economica ideale per affrontare nuovamente l'ambito progetto delle terre del Trevigiano, accantonato da più di due anni ma non dimenticato. Valendosi dell'aiuto di Benedetto Agnello, ripresentò la sua offerta ai monaci di San Giorgio Maggiore, ma nel frattempo all'abate Giovanni da Crema era succeduto Gregorio Cortese ed il vecchio prezzo di 25 ducati a campo era salito a 33. Decise quindi il 30 aprile[32] di informarne personalmente Federico, per chiedergli di ricercare a San Benedetto Po i monaci con cui, a suo tempo, si era convenuta la somma di 25 ducati a campo, specificandogli chiaramente che "questi gaglioffi et poltroni frati" veneziani mancavano di rispetto proprio a lui, il duca di Mantova, non mantenendo la promessa che gli avevano fatta. Il 9 maggio[33] il Gonzaga mandava Giacomo Malatesta, che a suo tempo si era occupato dell'affare, all'abbazia polironiana per ritrovare il precedente abate di San Giorgio, Giovanni da Crema, ma l'oratore arrivò in piena seduta del Capitolo della congregazione e le trattative furono rimandate a dopo la nomina dei nuovi abati[34]. Il 27 maggio[35] Tiziano ringraziava Federico del suo appoggio e, avendo appreso dal Malatesta che i benedettini si dimostravano piuttosto favorevoli, cercava di tirare il prezzo a 23 ducati il campo. Il 31 maggio[36] Federico aveva inoltre ottenuto un primo accordo con Gregorio Cortese, a patto che i denari fossero consegnati direttamente a quest'ultimo senza passare per i procuratori di San Marco. Il 5 giugno[37], il Capitolo di San Benedetto aveva portato a termine il suo ruolo di intermediario e l'affare era rimesso direttamente nelle mani di Benedetto Agnello[38] e dell'abate di San Giorgio, con la conseguente interruzione del relativo fitto carteggio mantovano. Ad eccezione di una lettera del 22 luglio[39], circa l'incarico affidato dal duca a Nicola Maffei di parlare delle terre del Trevigiano a Don Basilio Leoni, presidente di San Benedetto, i documenti dell'Archivio Gonzaga tacciono per ben sei mesi, lasciando supporre che le trattative si svolgessero abbastanza tranquillamente a Venezia. Comunque, come si è visto, l'alienazione di beni ecclesiastici nello Stato Veneto implicava una licenza della Serenissima. La richiesta per la vendita "de le possessioni del Pero in Trivisana" fu quindi presentata al Consiglio dei Dieci ed approvata il 15 dicembre[40], con la sorprendente condizione che venisse eseguita per "incanto pubblico", per la somma di "ducati 2500 solamente", ovvero di circa 75 ducati per campo, ben tre volte il prezzo che Tiziano era disposto a pagare! Sicuramente il testo della delibera, con interessanti notizie

2. *Tiziano, Carlo V. Madrid, Museo del Prado.*

sui moventi dell'imbroglio, non fu reso integralmente pubblico, ma la storia dell'incanto giunse presto alle orecchie di Federico tramite Benedetto Agnello, che la riferì come una scelta dell'abate Gregorio Cortese. Il duca la prese come un oltraggio personale e il 25 dicembre[41], accecato dall'ira, scrisse un'avvelenata lettera di protesta a Don Basilio, lamentandosi che il suo onore a Venezia era ormai compromesso e sollecitandolo a porre presto rimedio a tale errore.

Da San Benedetto Po, il 9 gennaio 1534[42], Don Basilio dava a sua volta una risposta altrettanto corposa. Si mostrava afflitto per la notizia della delibera del Consiglio dei Dieci, specificava che questa andava contro la volontà dei benedettini e che aveva chiesto come provvedimento d'urgenza a Gregorio Cortese di bloccare l'incanto. Allegava poi alla sua missiva le copie di due documenti inviatigli da Venezia dal detto abate di San Giorgio Maggiore. Il primo[43] era una trascrizione, parziale come si vedrà, della delibera del 15 dicembre 1533 che autorizzava la vendita "al incanto publico delle possessione del Pero in Trivisana per la somma de ducati 2500 solamente", con la condizione che tali denari fossero consegnati alla Procuratia di San Marco per poi giungere nelle mani del patrizio Andrea Tiepolo. Tale atto era accompagnato da una lettera del 17 dicembre[44] dello stesso Gregorio Cortese, con la quale annunciava a Don Basilio, piuttosto freddamente, che, vista la decisione della Serenissima, i frati di San Giorgio non potevano più mantenere la loro promessa al Gonzaga, al cui ambasciatore si offriva comunque la possibilità di partecipare all'incanto insieme agli altri competitori. L'abate non mancava poi di sottolineare come, tramite tale procedimento, sarebbe stato raggiunto con ogni probabilità un "precio inaudito". L'evoluzione della vicenda si delineava decisamente a sfavore degli interessi di Tiziano, ma non di meno il presidente di San Benedetto rassicurava Federico, presentandogliela in veste non definitiva e promettendo di ridiscuterla a Parma, dove si sarebbe recato per la nomina del nuovo abate di un monastero pugliese, con gli altri padri che avevano promesso le famigerate terre.

L'originale di questa lettera venne successivamente mandato da Mantova a Tiziano[45] e, per qualche mese, la situazione acquisì una certa stabilità, nell'attesa di una nuova risoluzione. Il Gonzaga, da parte sua, seguiva l'affare tramite Giacomo Malatesta, inviato di proposito a San Benedetto Po, e proponeva, plausibil-

3. Tiziano, Madonna del coniglio. Parigi, Museo del Louvre.

mente su richiesta dell'artista, di rialzare l'offerta complessivamente da 840 a 1000 ducati, ossia a circa 29 ducati per campo contro i 25 precedenti, sperando in un ridimensionamento delle pretese dei monaci di San Giorgio. Intanto, prima a Parma e poi al Polirone, Don Basilio si era accordato con i "padri diffinitori" del Capitolo generale dell'Ordine per inviare a Venezia Stefano Cattaneo da Novara, "abbate di Chiaravalle in Parmesana"[46], a sostegno di Benedetto Agnello nella presentazione della nuova offerta di Federico e nella richiesta di revoca dell'incanto alla Serenissima. Detta missione fu accompagnata da un cospicuo numero di lettere: il 1° maggio[47] i Definitori del Capitolo ed il loro presi-

dente Leonardo Bevilacqua scrivevano al priore di San Giorgio di accettare i 1000 ducati del duca, ammonendolo a non cedere alla cupidigia di esigerne di più; il 4 maggio[48] gli stessi Definitori inviavano una copia della loro lettera a Federico, e Don Basilio[49] comunicava a Nicola Maffei la loro decisione; il 5 maggio[50] Giacomo Malatesta precisava inoltre al medesimo conte che padre Stefano da Novara aveva ricevuto 500 scudi per agevolare la sua opera di convinzione. Il Maffei e il castellano Gian Giacomo Calandra non mancarono di avvertire immediatamente degli ultimi risvolti della situazione l'Agnello, il quale li informava a sua volta, il 9 maggio[51], dell'arrivo dell'abate e dello svolgimento apparentemente positivo delle trattative, nonostante le voci sull'ostilità nutrita dai monaci di San Giorgio per il Gonzaga. Il 12 maggio[52], a missione a quanto sembra compiuta, padre Stefano aveva preso la via del ritorno, per rendere conto di quanto aveva conseguito.

In realtà, i monaci veneziani avevano dato una risposta dissimulata, tra il sì, il no e il forse, in modo da tutelare i propri interessi, lasciando a Federico e dunque a Tiziano un barlume di speranza[53]. In fondo potevano sentirsi sicuri del fatto loro, perché i giochi erano invero conclusi a loro favore da tempo, dal giorno in cui avevano ottenuto la licenza dal Consiglio dei Dieci. Toccò al doge Andrea Gritti l'ingrato compito di troncare nettamente ogni illusione. Il 19 maggio[54], alla richiesta dell'Agnello di una modifica del procedimento della vendita, rispose francamente che non era nelle abitudini della Serenissima di revocare le decisioni del Collegio tranne in casi di ragion di stato, e che comunque lo strumento corrispondeva esattamente ai termini voluti dai monaci: la pretesa dell'incanto era proprio loro! L'inganno che si sospettava da tempo venne così svelato, e i frati sembravano quindi meritarsi a pieno titolo le invettive di "gaglioffi", "poltroni" e "traditori". L'atto conclusivo della vicenda esplose allora in una sfuriata generale: Federico mandò Nicola Maffei a Venezia per minacciare Gregorio Cortese ed esprimergli la sua ira, l'abate in questione se la prese a morte con Benedetto Agnello per avere divulgato al Gonzaga la chiave dell'intrigo a suo discredito, ed infine Tiziano, in un ultimo e disperato tentativo, dimostrava l'intenzione di recarsi immediatamente a Mantova per imbastire col duca una nuova strategia per convincere i frati[55]. Quando le acque si furono calmate, subentrò la rassegnazione e, sul finire dell'estate, il Vecellio aveva già spostato i suoi interessi fondiari su alcuni appezzamenti di boschi nel Trentino[56]. L'interrogativo di fondo rimane in parte irrisolto: perché un semplice affare di acquisto di terreni, condotto da una figura di rilievo quale il duca di Mantova, dovette in tal modo complicarsi ed infine fallire? Cosa spinse i frati ad adoperarsi tanto freneticamente per non vendere all'offerente quelle possessioni e ad escogitare l'inganno dell'incanto? L'accusa di cupidigia sembrerebbe a prima vista giustificata, ma dalle lettere mantovane si percepisce qualche altro elemento. Da un lato emerge vagamente la figura del patrizio Andrea Tiepolo che, per qualche misteriosa ragione, doveva alla fine intascarsi i denari[57]; dall'altro, in una lettera dei Definitori del Ca-

pitolo all'abate di San Giorgio Maggiore[58], si evince che le possessioni dovevano essere vendute per il pagamento di una altrettanto enigmatica "casa". A tal punto, l'Archivio Gonzaga non offre ulteriori indizi, ma dall'Archivio di Venezia, grazie a due documenti inediti, giunge la chiave dell'imbroglio.

Il primo è la sopraccitata delibera del Consiglio dei Dieci, rogata il 15 dicembre 1533 e integralmente trascritta nei Registri di Parte Comune[59]. Come si è visto, Federico ne ricevette da Don Basilio una copia, volutamente parziale. Infatti, proprio nel paragrafo omesso veniva esplicitamente riportato che la richiesta della licenza di alienare terreni ecclesiastici, presentata dai monaci di San Giorgio, era legata al riscatto di una "casa de San Zorzi Maior", vinta al lotto da Andrea Tiepolo, che ne chiedeva 2500 ducati "solamente". Ora, Gregorio Cortese è ricordato nella storia manoscritta di San Giorgio Maggiore del padre Marco Valle[60], compilata alla fine del Seicento, proprio per aver risolto l'annosa questione "circa legitimam monasterii possessione supra questa edificia in angulo insule Venetias versus". Detto edificio, che sorgeva prima degli interventi palladiani sul "cantone" nordoccidentale dell'isola di San Giorgio, verso la Riva degli Schiavoni, era stato confiscato in seguito all'interdetto del 1509 dalla Serenissima ai benedettini, rifugiatisi allora a San Benedetto Po, e al loro ritorno a Venezia, nel 1516, ostentava sulla facciata il leone di San Marco[61]. Dal 1521 i monaci cominciarono a rivendicare i propri diritti sulla "casa del cantone", ma la Signoria rimaneva salda nel sostenere che non rientrava nella donazione del 982 dell'isola all'ordine cassinense, per essere appartenuta alla famiglia Ziani, ed in particolare al doge Pietro Ziani, nel XIII secolo[62]. Risultava dunque di proprietà ducale e il Consiglio dei Dieci rogò un decreto in proposito il 23 settembre 1523, decidendo poi nel maggio successivo di disfarsi del problema e l'edificio divenne il premio di una lotteria, vinta per l'appunto dal patrizio Andrea Tiepolo. Ma i benedettini non rinunciarono pertanto a riprenderne il possesso, perché costituiva un punto di fondamentale importanza sia per il loro dominio sull'isola, che per il loro programma di ricostruzione del complesso monastico. Infatti, la chiesa originaria (fig. 4) si sviluppava su una pianta di ascendenza paleocristiana, di grande fortuna nel Medioevo per la sua tipologia chiusa e dunque protetta, imperniata su un atrio antistante il corpo basilicale. La facciata, che dava sul lato occidentale dell'isola, non era visi-

bile dalla Piazzetta di San Marco perché nascosta dalla "casa del cantone". Ora, una delle più vistose conseguenze del rifacimento palladiano, che mantenne il primitivo orientamento della chiesa sviluppandone notevolmente le dimensioni con l'eliminazione dell'atrio, risiede nell'aver posto San Giorgio Maggiore come elemento preponderante nel paesaggio urbano di Venezia, con una facciata monumentale aperta su un ampio sagrato, pienamente percepibile da Palazzo Ducale, dal centro del potere civico. Negli anni Trenta del Cinquecento, se le innovazioni del Palladio erano lungi dall'essere ideate, il programma di ostentazione della propria presenza e, soprattutto, della propria indipendenza rispetto alla Serenissima doveva essere un'esigenza già fortemente sentita dai benedettini, la cui realizzazione dipendeva però dall'eliminazione dell'"ostacolo visuale" costituito dal complesso edilizio del "cantone"[63].

Gregorio Cortese dovette allora pensare di sfruttare la vendita delle terre del Pero per recuperare l'edificio e dare inizio alla sua distruzione. Tiziano e Federico vennero in qualche modo a conoscenza di questa vicenda, decidendo di conseguenza di rialzare la loro offerta a 1000 ducati, ma le aspirazioni del Vecellio erano del tutto secondarie, agli occhi dell'abate di San Giorgio, rispetto alla necessità di riunire la somma di 2500 ducati pretesa da Andrea Tiepolo e, a tale scopo, lo strumento di vendita più soddisfacente era indubbiamente l'incanto. La delibera del Consiglio dei Dieci del 15 dicembre 1533, oltre ad autorizzare l'alienazione delle terre del Trevigiano, sanciva, ignorando del tutto Tiziano, l'accordo tra i monaci di San Giorgio ed il patrizio Tiepolo per la cessione della "casa del cantone".

Il secondo documento[64] è invece l'atto di vendita, rinvenuto per un felice concorso di circostanze, in cui viene data una descrizione accurata del podere bramato dall'artista: "una possessione de campi 33.1/2 in circa un pezzo, con casa di muro, teza di paglia, pozzo et forno, chiamata el maxoto, posta in la villa de Rovere territorio trivisan", che si vendeva "come beni dell'abbatia del Pero, unita et spettante al ditto monasterio, con tutte le sue rason, habentie et pertinentie". Le aspettative dei frati però non si realizzarono, perché gli attesi "infiniti competitori dalla sete grande di comperare (...) beni stabili" non si presentarono, e l'agognato "precio inaudito" rimase un puro miraggio. Infatti, il primo incanto dato a Rialto il 16 luglio 1534 raggiunse appena i 25 ducati al campo, ovvero il prezzo proposto in origine da Tiziano. Si dovette ripetere la seduta il 18 luglio, senza sfondare però il tetto dei 30 ducati al campo, equivalente alla seconda offerta di Federico. Infine, al terzo tentativo, il podere fu aggiudicato ad un certo "Ser Marin de Venezia" per 37 ducati al campo, dunque complessivamente per circa 1240 ducati, neanche la metà della somma ricercata. I benedettini furono allora costretti ad alienare un'altra possessione, costituita da 41 campi della villa di Arquà, per ricavare gli ulteriori denari necessari al recupero del caseggiato del "cantone"[65].

La risposta alla secolare domanda del Braghirolli è quindi definitivamente negativa. Ma l'interesse di maggior rilievo della vicenda risiede, a mio parere, più nella sua costruzione che nella sua conclusione, ovvero più nel complesso meccanismo di appoggi che Tiziano riuscì a mettere in moto a suo favore. Già dal 1529, ma soprattutto negli anni 1533-1534, la corte mantovana spese considerevoli energie nel sostenere l'impresa del Trevigiano. La stima di Federico per il talento di Tiziano e l'interesse nutrito per il possesso delle sue opere furono ovviamente un forte movente per tale impegno, ma l'intenso coinvolgimento del duca per la vicenda, trasformata in una vera e propria questione personale, lascia trapelare il singolare aspetto confidenziale instaurato in questo rapporto di "committenza". Tiziano inoltre riuscì a crearsi una rete di relazioni con importanti membri della corte gonzaghesca, rivelatasi di particolare utilità all'occasione, se si pensa che vi intervennero personalmente Benedetto Agnello oratore presso la Serenissima, il suo predecessore Giacomo Malatesta, Nicola Maffei, Gian Giacomo Calandra, castellano e segretario di Federico, al vertice della cancelleria mantovana. Anzi, per sollecitare maggiormente l'attenzione degli agenti gonzagheschi, Tiziano replicò, per così dire, ad un livello inferiore il meccanismo del dono del quadro, offrendo loro l'occasione di emulare il "Signore". Infatti, se dai primi del 1534 dipingeva una *Maddalena* per il Calandra[66], in questo periodo va probabilmente anche collocata la realizzazione della *Cena in Emmaus* (Parigi, Louvre) destinata al Maffei[67]. Pur essendo cittadino della Serenissima Repubblica di Venezia e essenzialmente attivo in laguna, Tiziano si era quindi conquistato una posizione di primissimo ordine presso i Gonzaga, diventando un punto di riferimento imprescindibile nella cultura artistica mantovana del primo Cinquecento. Era ormai per quella corte "il nostro Titiano"[68].

4. Jacopo de' Barbari, Pianta di Venezia, particolare con l'isola di San Giorgio Maggiore.

Il presente articolo è estratto da un lavoro complessivo sul rapporto di committenza tra Federico II Gonzaga e Tiziano, di prossima pubblicazione nella collana degli studi dell'Accademia Nazionale Virgiliana. I documenti relativi all'argomento, in gran parte inediti, per motivi di spazio editoriale non sono riportati per intero. Per quelli già noti viene dato il riferimento bibliografico del primo luogo di pubblicazione, al quale si aggiunge la collocazione archivistica in presenza di rilevanti errori o omissioni di trascrizione, o se noti solo tramite citazione; gli inediti si distinguono dalla semplice segnalazione della collocazione archivistica, corredata dalle seguenti abbreviazioni: ASM per Archivio di Stato di Mantova, AG per Archivio Gonzaga, ASV per Archivio di Stato di Venezia. Tengo a ringraziare il dottor Ugo Bazzotti, il dottor Francesco Rozzelli e il dottor Leandro Ventura per la loro disponibilità.

[1] Basti citare gli studi e le mostre recentemente dedicati a Giulio Romano.

[2] Tiziano è documentato per la prima volta a Mantova nel novembre del 1519, in compagnia di Dosso Dossi, per una visita di studio, a quanto pare indipendente da commissioni gonzaghesche: A. Luzio, *La galleria dei Gonzaga venduta all'Inghilterra nel 1627-28*, Milano 1913, p. 218.

[3] Dai documenti dell'Archivio di Stato di Mantova (Archivio Gonzaga), negli anni della signoria di Federico risultano quarantadue opere richieste a Tiziano.

[4] Non ci addentreremo in questa sede nella "disputa" della data del primo incontro tra Carlo V e Tiziano, per la quale rimandiamo a C. Hope, *Titian's early meetings with Charles V*, in "Art Bulletin", 59, 1977, pp. 551-552; H. E. Wethey, *Tiziano e i ritratti di Carlo V*, in *Tiziano e Venezia* (Atti del Convegno), Vicenza 1980, pp. 287-291; A. Sunderland Wethey e H. E. Wethey, *Titian: two portraits of noblemen and their heraldry*, in "Art Bulletin", 62, 1980, pp. 76-96, in particolare p. 79, n. 10; C. Hope, *Titian*, London 1980, pp. 64-68, 73-74; H. E. Wethey, *Titian and his Drawings*, Princeton 1987, pp. 3, 13-14, 71-73, 76, 79-80; C. Hope, *La produzione pittorica di Tiziano per gli Asburgo*, in *Venezia e la Spagna*, Milano 1988, pp. 49-78.

[5] W. Braghirolli, *Tiziano alla corte dei Gonzaga di Mantova*, in "Atti e Memorie della Reale Accademia Virgiliana di Mantova", 1881, pp. 59-144.

[6] L'unica opera che si può seguire con certezza nei documenti, dalla realizzazione a tutti i passaggi di proprietà, è il ciclo degli *Imperatori*, che andò però distrutto nell'incendio dell'Alcazar di Madrid nel 1734. Vedi H. E. Wethey, *The Paintings of Titian. III. The Mythological and Historical Paintings*, London 1975, pp. 235-240. Tra i numerosi tentativi di identificazione dei quadri citati nel carteggio mantovano, solo quello della "Nostra Donna con Santa Catherina" con la *Madonna del Coniglio* del Louvre è di qualche spessore. Per gli interventi più recenti sull'argomento, vedi *Le siècle de Titien*, catalogo della mostra, Paris 1993, in particolare pp. 514-515.

[7] Sull'uso del "dono" da parte dell'Aretino, in particolare nei confronti di Federico Gonzaga, vedi A. Luzio, *Pietro Aretino nei suoi primi anni a Venezia e la corte dei Gonzaga*, Torino 1888.

[8] W. Braghirolli, *Tiziano alla corte dei Gonzaga...*, cit., pp. 66-67, che riprende in parte G. Cadorin, *Dello amore ai Veneziani di Tiziano Vecellio*, Venezia 1883, p. 36. Sempre per il figlio Pomponio, Tiziano otterrà dall'imperatore Carlo V il canonicato di Santa Maria della Scala a Milano nel 1540 (L. Ferrarino, *Tiziano e la corte di Spagna nei documenti dell'Archivio Generale di Simancas*, Madrid 1975, p. 17); richiederà invano al papa Paolo III il beneficio dell'abbazia di San Pietro in Colle nel 1545 (C. Fabbro, *Tiziano, i Farnese e l'abbazia di San Pietro in Colle nel Cenedese*, in "Archivio di Belluno, Feltre e Cadore", XXXVIII, 1967, p. 3 sgg.; R. Zapperi, *Tiziano e i Farnese. Aspetti economici del rapporto di committenza*, in "Bollettino d'Arte", 66, 1991, pp. 39-48), al posto del quale riceverà l'anno successivo, come magra consolazione, il beneficio parrocchiale di Sant'Andrea di Favaro Veneto (A. Niero, *Tiziano Vecellio e il figlio Pomponio parroci di Favaro Veneto*, in "Studi Veneziani", n. s., VI, 1982, p. 292 sgg.).

[9] W. Braghirolli, *Tiziano alla corte dei Gonzaga...*, cit., p. 71.

[10] Lettera da Mantova, del 13 novembre 1529, di Federico Gonzaga a Giacomo Malatesta (ASM, AG, Cop. b. 2932, l. 299, c. 91v), citata in C. Hope, *Titian's early meetings...*, cit., pp. 551-552.

[11] Già in una lettera del 10 ottobre 1529, Federico Gonzaga dimostrava l'intenzione di fare ritrarre Carlo V da Tiziano: C. Hope, *Titian's early meetings...*, cit., pp. 551-552.

[12] Proprio il 13 novembre Carlo V chiamava Federico Gonzaga a Bologna, il quale lo raggiunse il 20, ripartendo per Mantova però già il 29.

[13] Lettere da Venezia, di Giacomo Malatesta a Federico Gonzaga dell'11 gennaio 1530 (ASM, AG, b. 1464, c. 301v) e del 15 gennaio 1530 (W. Braghirolli, *Tiziano alla corte dei Gonzaga...*, cit., p. 103); da Mantova, di Federico Gonzaga a Giacomo Malatesta, del 15 gennaio e del 18 gennaio 1530 (ASM, AG, Cop. ns. b. 2969, l. 44, cc. 104r e 106v); alle quali va aggiunta una lettera da Venezia, di Tiziano a Federico Gonzaga, del 17 gennaio 1530, conservata però nel British Museum di Londra (citata in C. Hope, *Titian's early meetings...*, cit., pp. 551-552).

[14] Lettera da Venezia, del 5 febbraio 1530, di Giacomo Malatesta a Federico Gonzaga (W. Braghirolli, *Tiziano alla corte dei Gonzaga...*, cit., p. 65).

[15] Vedi la nota 6.

[16] Lettera da Venezia, del 3 marzo 1530, di Tiziano a Federico Gonzaga (W. Braghirolli, *Tiziano alla corte dei Gonzaga...*, cit., pp. 103-104).

[17] Lettera da Venezia, del 3 marzo 1530, di Giacomo Malatesta a Federico Gonzaga (ASM, AG, b. 1464, c. 387v), citata in *Splendours of the Gonzaga*, catalogo della mostra di Londra, Cinisello Balsamo 1981, p. 186.

[18] C. Hope (*Splendours of the Gonzaga*, cit., pp. 186-187) vede in questi 300 ducati il pagamento per la "Nostra Donna con Santa Catherina". Questi denari andrebbero piuttosto visti in funzione di un generale compenso per le diverse opere che Tiziano stava eseguendo per il marchese in quel periodo; ma non v'è dubbio che corrispondano puntualmente a quelli che Federico aveva già proposto di anticipare per l'affare delle terre del Trevigiano il 13 novembre 1529.

[19] Nei due documenti del 3 marzo 1530 sopraccitati, e anche in una lettera da Venezia, sempre del 3 marzo, di Giacomo Malatesta a Gian Giacomo Calandra (ASM, AG, b. 1464, c. 383r).

[20] W. Braghirolli, *Tiziano alla corte dei Gonzaga...*, cit., pp. 66-67.

[21] Lettera da Mantova, del 15 novembre 1530, di Federico Gonzaga al Vicario di Medole (ASM, AG, Cop. b. 2933, l. 300, c. 186r).

[22] Lettera da Mantova, del 19 novembre 1530, di Federico Gonzaga all'abate di San Benedetto Po (ASM, AG, Cop. b. 2933, l. 302, c. 3r).

[23] Lettera da Mantova, del 20 novembre 1530, di Federico Gonzaga a Benedetto Agnello (ASM, AG, Cop. b. 2933, l. 302, c. 4r); parzialmente in W. Braghirolli, *Tiziano alla corte dei Gonzaga...*, cit., p. 107).

[24] Lettera da Venezia, del 1° dicembre 1530, di Benedetto Agnello a Federico Gonzaga (W. Braghirolli, *Tiziano alla corte dei Gonzaga...*, cit., p. 108). In una lettera del 29 novembre 1530, l'Agnello annunciava a Federico il suo prossimo incontro con l'abate di San Giorgio Maggiore (W. Braghirolli, *Tiziano alla corte dei Gonzaga...*, cit., p. 108).

[25] Lettera da Mantova, del 5 dicembre 1530, di Federico Gonzaga a Benedetto Agnello (ASM, AG, Cop. ris. b. 2969, l. 45, c. 12v).

[26] Lettera da Venezia, del 30 aprile 1533, di Tiziano a Federico Gonzaga (A. Luzio, *Altre spigolature tizianesche*, in "Archivio Storico dell'Arte", 1890, pp. 209-210).

[27] Già l'indomani dell'arrivo di Carlo V a Mantova, il 7 novembre 1532, Federico chiedeva a Tiziano di raggiungerlo (G. Gaye, *Carteggio inedito di artisti*, Firenze 1840, II, p. 249).

[28] Esiste una copia di Rubens a Nidd Hall, Yorkshire, collezione Lord Mountgarret. Per questo secondo incontro tra Carlo V e Tiziano, vedi la nota 4.

[29] Dato riportato da G. Vasari (*Le vite dei più eccellenti scultori, pittori e architetti*, ed. Milanesi, Firenze 1881, VII, p. 440), il quale però confonde il primo ed il secondo soggiorno imperiale a Venezia, e confermato da una lettera da Bologna del 28 febbraio 1533, di Girolamo Negrino a Federico Gonzaga (W. Braghirolli, *Tiziano alla corte dei Gonzaga...*, cit., p. 81).

[30] Vedi le due lettere da Venezia, di Rodrigo Niño a Francisco de los Cobos, del 17 e 19 marzo 1533, in L. Ferrarino, *Tiziano e la corte di Spagna...*, cit., p. 9.

[31] C. Ridolfi, *Le Maraviglie dell'arte, ovvero le vite degli illustri pittori veneti e dello Stato*, Venezia 1648, I, pp. 180-182.

[32] Vedi la nota 26.

[33] Lettera da Mantova, del 9 maggio 1533, di Federico Gonzaga a Tiziano (G. Gaye, *Carteggio inedito...*, cit., II, p. 249).

[34] Lettera da Mantova, del 19 maggio 1533, di Federico Gonzaga a Tiziano (ASM, AG, Cop. b. 2934, l. 306, c. 53v; L. Pungileoni, *Notizie spettanti a Tiziano Vecelli di Cadore*, in "Giornale Arcadico", 51, 1831, pp. 354-355, la pubblica senza data; C. Fabbro, *Tiziano. Le lettere*, Roma 1989, p. 43, con una data ipotizzata tra il 9 ed il 27 maggio 1533).

[35] Lettera da Venezia, del 27 maggio 1533, di Tiziano a Federico Gonzaga (W. Braghirolli, *Tiziano alla corte dei Gonzaga...*, cit., p. 69).

[36] Lettera da Mantova, del 31 maggio 1533, di Federico Gonzaga a Benedetto Agnello (ASM, AG, Cop. b. 2934, l. 306, c. 68v).

[37] Lettera da Mantova, del 5 giugno 1533, di Federico Gonzaga a Tiziano (L. Pungileoni, *Notizie spettanti...*, cit., p. 355, con la data errata il 1522; C. Fabbro, *Tiziano...*, cit., p. 45, con la data corretta).

[38] Lettera da Venezia, del 6 giugno 1533, di Benedetto Agnello a Federico Gonzaga (W. Braghirolli, *Tiziano alla corte dei Gonzaga...*, cit., p. 114), e risposta da Mantova, di Federico all'Agnello del 9 giugno 1533 (ASM, AG, Cop. b. 2934, l. 306, c. 80v).

[39] Lettera da Mantova, del 22 luglio 1533, di Federico Gonzaga a Benedetto Agnello (ASM, AG, Cop. ris. b. 2971, l. 50, c. 4v).

[40] Delibera del Consiglio dei Dieci del 15 dicembre 1533 (ASV. Consiglio dei Dieci, Parte Comune, R. 9. 1533, p. 136; la cui "brutta copia" si conserva in ASV, Consiglio dei Dieci, Parte Comune, f. 17, 1533, 2° semestre, c. 144r).

[41] Lettera da Mantova, del 25 dicembre 1533, di Federico Gonzaga a Basilio Leoni (ASM, AG, Cop. b. 2935, l. 308, cc. 123v-124r). L'11 gennaio 1534, Tiziano ringraziava Federico Gonzaga, tramite Benedetto Agnello e Gian Giacomo Calandra, per le lettere scritte in suo favore (W. Braghirolli, *Tiziano alla corte dei Gonzaga...*, cit., p. 115).

[42] Lettera da San Benedetto Po, del 9 gennaio 1534, di Basilio Leoni a Federico Gonzaga (copia conservata in ASM, AG, b. 1467, c. 285rv, con l'indicazione "L'originale è stata mandata a Messer Titiano").

[43] Copia della delibera del 15 dicembre 1533 del Consiglio dei Dieci, mandata da Gian Giacomo Caroldo, segretario del Consiglio, a Gregorio Cortese (ASM, AG, b. 1467, c. 287r).

[44] Copia della lettera da Venezia, del 17 dicembre 1533, di Gregorio Cortese a Basilio Leoni (ASM, AG, b. 1467, c. 286r).

[45] Vedi la nota 42.

[46] Il quale era entrato nell'ordine benedettino proprio a San Giorgio Maggiore, nel 1507 (A. Bossi da Modena, *Matricula Monachorum Congregationis Casinensis Ordinis S. Benedicti. I. 1409-1699*, Cesena 1983, p. 190).

[47] Copia della lettera da San Benedetto Po, del 1° maggio 1534, di Leonardo Bevilacqua e dei Padri Definitori del Capitolo Generale di San Benedetto al Priore di San Giorgio Maggiore (ASM, AG, b. 2521, c. 626r).

[48] Lettera da San Benedetto Po, del 4 maggio 1534, di Leonardo Bevilacqua e i Padri Definitori del Capitolo Generale di San Benedetto a Federico Gonzaga (ASM, AG, b. 2521, c. 625r).

[49] Lettera da San Benedetto Po, del 4 maggio 1534, di Basilio Leoni a Nicola Maffei (ASM, AG, b. 2521, c. 628rv).

[50] Lettera da Mantova, del 5 maggio 1534, di Giacomo Malatesta a Nicola Maffei (ASM, AG, b. 2521. c. 181r).

[51] Lettere da Venezia, del 9 maggio 1534, di Benedetto Agnello a Gian Giacomo Calandra e a Federico Gonzaga (W. Braghirolli, *Tiziano alla corte dei Gonzaga...*, cit., pp. 117-118).

[52] Lettera da San Benedetto Po, del 12 maggio 1534, di Leonardo Bevilacqua e dei Padri Definitori del Capitolo Generale di San Benedetto a Federico Gonzaga (ASM, AG, b. 2521, c. 632r).

[53] Lettera da Mantova, del 16 maggio 1534, di Federico Gonzaga a Benedetto Agnello (ASM, AG, Cop. b. 2935, l. 309, c. 72r; pubblicata parzialmente in W. Braghirolli, *Tiziano alla corte dei Gonzaga...*, cit., p. 118).

[54] Lettera da Venezia, del 19 maggio 1534, di Benedetto Agnello a Gian Giacomo Calandra (ASM, AG, b. 1468, cc. 183v-184r; pubblicata parzialmente in W. Braghirolli, *Tiziano alla corte dei Gonzaga...*, cit., p. 118).

[55] Lettera da Venezia, del 28 maggio 1534, di Benedetto Agnello a Gian Giacomo Calandra (ASM, AG, b. 1468, c. 217r; pubblicata parzialmente in W. Braghirolli, *Tiziano alla corte dei Gonzaga...*, cit., p. 71).

[56] H. von Voltelini, *Urkunden und Regesten aus dem K. u. K Haus-, Hof- und Staats-Archiv in Wien*, in "Jahrbuch der Kunsthistorischen Sammlungen des Allerhöchsten Kaiserhauses", Vienna 1890, pp. I-LXXXIII, nn. 6310-6313.

[57] Vedi la nota 43.

[58] Vedi la nota 47.

[59] Vedi la nota 40.

[60] M. Valle, *De Monasterio et Abbatia S. Georgii Maioris Venetiarum clara et brevis notitia ex pluribus m. s. praecipue Fortunati Ulmi abbatis titulus cassinensi excerpta a P. D. Marco Valle Venetiarum eiusdem coenobii alumno. MDCXCIII*, Venezia, Biblioteca del Museo Civico Correr, Cod. Cicogna n. 953 (2131), cc. 110r, 111r.

[61] G. Domarini, *L'Isola e il Cenobio di San Giorgio Maggiore*, Venezia 1969, pp. 69-70.

[62] F. Sansovino, *Venetia città nobilissima e singolare*, Venezia 1581, cc. 81v-82r.

[63] M. Valle, *De Monasterio et Abbatia S. Georgii...*, cit., cc. 193v-194r. I monaci progettavano di ingrandire la chiesa già nel 1516, quando il chiostro venne spostato sulla parte laterale, e l'idea di ostentazione visiva della facciata era insita nei progetti di ricostruzione del 1521-1522 attribuiti a Giovanni Buora. Vedi B. Boudier, *Palladio. De Venise à la Vénétie*, Paris 1993 (ed. inglese Abbeville 1993), pp. 182-194.

[64] Atto di vendita, senza data, da collocare tra marzo e luglio del 1534 (ASV, S. Giorgio Maggiore, b. 73, Processo 190).

[65] M. Valle, *De Monasterio et Abbatia S. Georgii...*, cit., c. 235r. Dalla vendita vennero ricavati 1273 ducati, dunque circa 31 ducati a campo. Il manoscritto riferisce anche che i campi della villa di Rovereto vennero venduti per 1224 ducati, che corrispondono all'incirca ai 37 ducati per campo riportati sull'atto di vendita.

[66] Lettera dell'11 gennaio 1534, citata alla nota 41, in cui Benedetto Agnello informa Gian Giacomo Calandra che riceverà presto "il suo quadro". In una lettera del 9 maggio 1534 dell'Agnello al Calandra (citata alla nota 51), l'opera viene definita "la vostra Santa Magdalena", di cui l'ultima notizia certa è data in una lettera, sempre dell'Agnello al Calandra, del 13 giugno 1534 (ASM, AG, b. 1468, c. 232r).

[67] Per l'identificazione del destinatario della *Cena in Emmaus* del Louvre con Nicola Maffei, rimando a G. Rebecchini, *Tiziano e Mantova. La "Cena in Emmaus" per Nicola Maffei*, tesi di laurea, Università degli Studi di Roma "La Sapienza", a.a. 1993-1994, di cui un estratto è in corso di pubblicazione in *Venezia Cinquecento*.

[68] Espressione ricorrente sia nel carteggio di Federico Gonzaga che in quello degli inviati mantovani.

1. *Giovanni Battista Trotti, Arco della Città di Cremona,
prospetto principale: in alto "Cremona tra la Fedeltà e
l'Affetione"; in basso Ercole e Marte; alla finestra
impresa del Leone in riverenza; sopra l'arco, Arma
della Regina. Milano, Civico Gabinetto dei Disegni
del Castello Sforzesco, Raccolta Beltrami (n. 2046).*

Arnalda Dallaj
Gli "Heroi austriaci", Cremona e il Malosso: i disegni per gli apparati del 1598

Non eran trascorsi tre lustri dalla pubblicazione di *Cremona fedelissima*, dedicata da Antonio Campi a re Filippo II, che la città si trovava ad avere, prima tra i domini lombardi del sovrano, l'onore di accogliere Margherita d'Austria in viaggio verso la Spagna per raggiungere il figlio del re, suo sposo.

In altre occasioni la città aveva dovuto predisporsi a ricevere degnamente illustri personaggi e non era nuova alla realizzazione di effimere scenografie[1]. Ora però l'opera del Campi, nella sua documentata trattazione della storia cremonese[2], offriva nuovi spunti e copiosi elementi al comitato di nobili cittadini investiti della responsabilità dell'ideazione degli apparati.

La descrizione minuta di quanto Cremona si era affrettata a progettare ci è tramandata da Giuseppe Bresciani che, nato l'anno successivo all'ingresso di Margherita, divenne in seguito pubblico storiografo e, grazie al diritto di accesso agli archivi, ebbe modo di raccogliere e riassumere quanto i documenti dell'epoca avevano riportato[3].

Nei luoghi ove più alta era l'esigenza di autorappresentazione della città, la piazza centrale e l'arco di entrata, i temi guida delle decorazioni si erano riallacciati ai contenuti iniziali della *Cremona fedelissima*. Infatti alla piazza maggiore erano destinate le statue di stucco del *Re*, di *Cremona* e di *Ercole*, esattamente le figure sulle quali, nell'opera del Campi, si era polarizzata l'attenzione con le incisioni delle tavole introduttive e la dedica ai Consiglieri cittadini. Le une consacrate al ritratto di Filippo II e alla personificazione della città, la seconda composta nell'intento di ricordare, con eleganza, il progetto accantonato dello stesso Campi: la statua colossale del semidio, leggendario fondatore della città, da erigersi nella piazza maggiore[4]. Mentre i preparativi per accogliere la principessa erano in corso,

sopraggiunse la notizia della morte di Filippo II. Ne conseguì qualche lieve correzione e lo schema, presumibilmente immaginato per tre statue, risultò ampliato da una quarta raffigurante il nuovo re e sposo Filippo III, da affiancare a quella del padre.

Anche il primo arco ideato per accogliere Margherita si incentrava su tre gruppi scultorei: sulla sommità *Cremona*, secondo la consueta iconografia di giovane armata, al cui fianco erano le allegorie della *Fedeltà* e dell'"*Affetione*"; nelle nicchie poste ai lati dell'arco campeggiavano le figure di *Ercole* e di *Marte*, ciascuna sormontata da un "quadro dipinto" il cui soggetto era tratto dagli episodi maggiormente sottolineati dal Campi nel Libro primo della sua storia: da un lato la fondazione di Cremona, dall'altro la trasformazione in colonia romana.

Rispetto alla triade progettata per la piazza, nell'arco Marte prende il posto del Re. La raffigurazione del dio, che nella tradizione encomiastica di Cremona non annovera gli stessi precedenti delle altre[5], si giustifica col desiderio di ribadire l'importanza delle origini e la rilevanza del ruolo – fondamentale se pur subordinato – di Cremona nel quadro dei territori lombardi soggetti al re di Castiglia[6]. Ma forse, nello stesso tempo, può essere un indizio di quanto fosse viva l'attenzione nei confronti delle tendenze della cultura milanese che, più vicina alle sollecitazioni del governatore spagnolo, era impegnata nell'elaborazione di un codice celebrativo teso a conferire all'immagine del sovrano un'aura di divinità. Milano, che già aveva accolto negli apparati in onore di Carlo V la trasposizione simbolica dell'eroe romanizzato, associava di buon grado le virtù di Marte al nome del figlio, Filippo, idealizzandone la fama conquistata nelle imprese militari. Si deve soprattutto a Giovanni Alberto Albicante, lo stesso autore del-

le relazioni sugli ingressi trionfali dell'Imperatore e di Filippo a Milano, l'accostamento di quest'ultimo ai Numi dell'Olimpo. Infatti alcuni suoi versi, composti nel 1555, lodavano le statue del Principe e dell'augusto padre realizzate dal Leoni e, celebrando la prima, recitavano:

"Questa Imago, che sol somiglia a Marte, / Ove stupir fà l'arte, et la natura, / Mira se puoi tirarla, in vive carte, / Che par che parli, et spiri la Figura, / Quanto si mostra, in atto pronto, e sacro, / Del gran Philippo il divo Simulacro"[7].

Al momento della morte del re di Spagna e dell'allestimento degli apparati dedicati da Milano a Margherita, tale immagine trovò l'ultima concreta espressione. Mentre una canzone letta nella chiesa della Scala per la celebrazione della scomparsa del re, esprimendo il lamento dei milanesi, dichiarava: "Poi che morte del mondo il Re ci ha tolto, e di Marte il valor con lui sepolto"[8], era già stata progettata la sua statua colossale "armata all'antica" da affiancare a quella di Carlo V in uno degli archi preparati per la visita della principessa[9]. Allo stesso clima e modello si può ricondurre l'idea del colosso di Filippo II per la torre del Palazzo dei Giureconsulti, così come ci è stata tramandata da un disegno della fine del Cinquecento[10]. A questo proposito va ricordato inoltre che già nel 1574 Luca Contile, nell'indirizzare a Filippo il suo *Ragionamento sopra la proprietà delle imprese*, assegnò al re quella del globo terrestre perché "diviso il mondo con Giove Cesar' have", dopo aver richiamato, nel corso della trattazione sulle "Armi di famiglia", l'antico costume di celebrare le virtù militari erigendo statue: "simiglianti imagini, o, di marmo, o, di metallo furono dedicate a huomini valorosi nella militia, e non ad altri professori come Filosofi Poeti, et oratori famosi"[11].

Non si può escludere perciò che nella statua di Marte, dal quale i romani si narrava discendessero, potesse essere celata una raffinata evocazione di Filippo II, celebrato dalla *Cremona fedelissima* come l'eroe artefice del rinnovato splendore cittadino. Il cerimoniale della visita cremonese prevedeva un omaggio più personale alla festeggiata. Il ricco "donativo" fu accolto con favore e Margherita non mancò, attraverso l'interprete, di esprimere i propri ringraziamenti nella forma certo più gradita agli ospiti, cioè assicurando che "mai si sarebbe scordata di questa sua fedelissima città"[12].

Se non ci sono prove che all'individuazione delle tematiche sviluppate negli apparati di Cremona abbia partecipato l'inventore delle decorazioni, il pittore Giovanni Battista Trotti detto il Malosso, è tuttavia verosimile credere che l'artista abbia potuto contribuire, dati i suoi contatti con Milano, all'inserimento di Marte in un contesto di rimandi complessivamente connessi a *Cremona fedelissima*.

2, 3. Giovanni Battista Trotti, Arco della Città di Cremona, prospetto ala laterale: da destra a sinistra, personificazioni di Milano, Cremona, Alessandria (?), Pavia (?) alternate a quattro aquile imperiali e bottega di Giovanni Battista Trotti, pianta. Milano, Civico Gabinetto dei Disegni del Castello Sforzesco, Raccolta Beltrami (nn. 2058 e 2059).

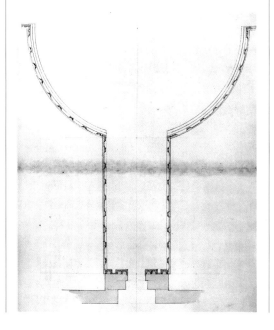

Una conferma all'ipotesi viene dall'analisi di un gruppo di disegni che è ora possibile mettere in relazione con gli apparati cremonesi. Si tratta di un nucleo di venti fogli facenti parte della Raccolta Beltrami conservata al Civico Gabinetto dei Disegni del Castello Sforzesco di Milano[13]. L'indicazione inventariale rimanda al Ricchini ma le legende scritte in inchiostro sotto ciascun disegno si riallacciano puntualmente all'articolazione dei sette archi trionfali ricordati dal Bresciani: le facciate principali, e in certi casi laterali, i "rovesci", le piante (figg. 1-11).

Il nome del Ricchini può essere stato avanzato in ragione dei particolari decorativi che connotano un po' tutti i progetti della serie e forse per l'affiorare di talune suggestioni dal repertorio alessiano, minimo comun denominatore tra l'architetto milanese e il Malosso[14]. Questi tuttavia frantuma la fonte e ne estrapola singoli morfemi per poi rielaborarli e reimpiegarli con finalità ben lontane dalle originarie. È questo il caso degli ornati della facciata di San Celso riutilizzati per risolvere

Arco in facia della casa d'Austria,

4. *Giovanni Battista Trotti, Arco della Casa d'Austria,*
prospetto principale: figure di Rodolfo I, Alberto I,
Federico III, Alberto II, Massimiliano I, Carlo V,
Ferdinando, Massimiliano II, Rodolfo II, Filippo I,
Filippo II, Carlo arciduca d'Austria; alla sommità, aquila
imperiale "con artigli sopra due mondi". Milano, Civico
Gabinetto dei Disegni del Castello Sforzesco, Raccolta
Beltrami (n. 2052).

il coronamento nastriforme delle ali laterali dell'arco di ingresso (fig. 12). L'attenzione del Trotti è volta ad afferrare, dalle fabbriche che studia, non tanto gli snodi strutturali quanto gli elementi scenografici di immediato impatto visivo, elementi che poi, nei suoi disegni, riemergono diffusamente e interagiscono in una dinamica combinatoria sganciata da sinceri interessi costruttivi. Lo rivelano le volute mistilinee dei raccordi di quasi tutti gli archi, vicine ad esempio a quelle immaginate dal Bassi per Santa Maria della Passione (fig. 14). Come altri architetti lombardi, anche il Malosso si dimostra incline "a cogliere il fascino di alcune staccate soluzioni formali"[15] quando inventa la finestra dell'arco di ingresso, dove il frontone arcuato e spezzato che poggia su una centina dalla geometria capricciosa sembra scaturire da qualche appunto fugace, preso davanti alla facciata di San Raffaele o, più probabilmente, di fronte alla reinterpretazione tramandataci da un fantasioso illustratore (fig. 13). A Milano esisteva un ricco *corpus* di immagini degli edifici cittadini esistenti o in corso d'opera realizzato da più disegnatori con scopo didattico o divulgativo che forse il Malosso ebbe modo di conoscere quando, alla fine del 1593, venne inviato nel capoluogo lombardo in concomitanza con la predisposizione di un progetto per certi capitelli della Cattedrale cremonese[16].

Secondo diversi raggruppamenti, i fogli riguardano: l'arco della Città di Cremona, l'arco della Casa d'Austria, l'arco del Re, l'arco dell'Arciduca Alberto, l'arco della Regina, l'arco di Sua Eccellenza, l'ornamento della Porta di San Luca all'uscita della città[17]. Le strutture architettoniche sono accuratamente costruite a matita e successivamente completate a penna con chiaroscuri a *lavis* di bistro. La concezione dell'insieme è indubbiamente unitaria e coerente con lo stile del Malosso[18] cui si possono confermare tutte le invenzioni architettoniche e, per intero, i disegni principali degli archi della prima parte del percorso fino alla Cattedrale e dell'arco della Regina. Viceversa ad un intervento della bottega mi sembra sia da ricondurre un certo grado di incertezza riscontrabile negli ulteriori elaborati[19].

A confronto si possono citare da un lato, per la concisione non disgiunta dalla tipica costruttiva fluidità del segno, alcuni disegni in rapporto con l'*Immacolata Concezione*, ora in Santa Maria della Steccata a Parma: gli *Angeli* dell'Accademia di Venezia e lo studio preparatorio della Galleria Nazionale di Parma[20]. Dall'altro lato si può far riferimento alle

5. *Giovanni Battista Trotti, Arco della Casa d'Austria, "rovescio" dell'arco laterale sinistro: alla sommità, personificazione della Perpetuità, donna con capo velato che tiene nelle mani il sole e la luna. Milano, Civico Gabinetto dei Disegni del Castello Sforzesco, Raccolta Beltrami (n. 2053).*

6. *Giovanni Battista Trotti e bottega, Arco del Re, prospetto principale: sugli scalini Filippo III in trono attorniato dalle quattro parti del mondo in atto riverente; nelle nicchie, Oceano e Mediterraneo; in basso, Carlo V e Filippo II con le rispettive imprese; alla sommità, aquila con fulmine di Giove. Milano, Civico Gabinetto dei Disegni del Castello Sforzesco, Raccolta Beltrami (n. 2042).*

7. *Giovanni Battista Trotti e bottega, Arco dell'arciduca Alberto, prospetto principale: nel registro superiore Prudenza politica e Virtù militare; nel registro inferiore Portogallo e Fiandra; alla sommità aquila che ghermisce l'idra tra Chiesa santa e Matrimonio. Milano, Civico Gabinetto dei Disegni del Castello Sforzesco, Raccolta Beltrami (n. 2048).*

8. *Giovanni Battista Trotti e bottega, Arco di Sua Eccellenza, prospetto principale: nel registro inferiore Giustizia e Abbondanza; nel registro mediano Borgogna e Milano; alla sommità Pallade; al centro impresa del Girasole rivolto al sole nascente. Milano, Civico Gabinetto dei Disegni del Castello Sforzesco, Raccolta Beltrami (n. 2050).*

9. *Giovanni Battista Trotti e bottega, Ornamento della Porta all'uscita (Porta di San Luca): ai lati dell'arco, Serio e Oglio; alla sommità Po e Adda. Milano, Civico Gabinetto dei Disegni del Castello Sforzesco, Raccolta Beltrami (n. 2056).*

inclinazioni dei suoi allievi: le *silhouettes* dalla "eccessiva esilità" dei collaboratori per le *Storie di Cristo* nel tempietto di Cristo risorto a Cremona, o i modi "impacciati e analiticamente decorativi" di Ermenegildo Lodi[21] il quale, in occasioni successive, sembra conservare più di un ricordo di quest'esperienza. In aggiunta si può sottolineare come la debole sensibilità per i risalti e la preparazione un po' insistita di certe figure, quali quelle dell'arco del Re o, infine, le cadenze fragili e disarticolate delle personificazioni nell'arco dell'Arciduca, contrastino con il metodo disegnativo dell'autore principale, i cui delicati abbozzi a matita, debolmente tradotti dai collaboratori, svaporano invece nelle figure saldamente riplasmate dal Malosso con efficaci tratti a penna e con sicure ombreggiature a *lavis* di bistro[22].

Come in altre sue opere mature i soggetti femminili degli archi disegnati dal Trotti riprendono quella grazia parmigianinesca instillatagli dal maestro Bernardino Campi. Anche le figure guizzanti ed "elegantemente assottigliate" disegnate da Bernardino per il palazzo del Giardino a Sabbioneta[23] si direbbe abbiano suggerito qualche spunto, soprattutto per le personificazioni delle città della Lombardia spagnola che dovevano arricchire le ali laterali del primo arco.

Nel prospetto principale dello stesso le figure di *Ercole* e *Marte* sono minutamente descritte, nelle loro forme, con linee dall'impronta vibrante e precisa, quasi nell'intento di accentuarne la robustezza plastica. Forse in questo caso, e solo in questo, Malosso ha voluto far riferimento ad un precedente scultoreo degno di stima. Il pensiero va al modello del colosso di Ercole invano sottoposto da Antonio Campi all'attenzione del Consiglio cittadino. Se per il semidio l'esempio poteva essere diretto, per Marte il Malosso avrebbe potuto attingere da qualche profilo di armato certamente presente nei quattro bassorilievi "pertinenti a fatti illustri di molti antichi Heroi cremonesi"[24] immaginati dal Campi per istoriare il basamento del colosso. Le pose, per la loro misurata torsione ed elegante cadenza serpentinata, non sono lontane da quelle adottate dallo stesso Antonio Campi nel delineare le figure su piedistalli della decorazione di una sala della propria casa[25].

Anche le strutture architettoniche denunciano il debito di Malosso verso gli orientamenti della cultura cremonese. Non solo per alcuni elementi marginali, come le balaustre vicine a quella del *Giudizio di Sant'Agata* di Giulio Campi, ma soprattutto per l'articolazione

Arco del Ill.mo H.S.

Arco de S. C.e

Arco dell'Arcidua Alberto

Ornamento della Porta all'uscita

10. *Giovanni Battista Trotti, Arco della Regina, prospetto
principale: in basso Austria e Baviera; ai lati dell'arco
Modestia e Benignità; sul frontone Bellezza con giglio in
mano e lepre ai piedi; entro l'arco superiore Religione tra
Pudicizia e Prudenza; alla sommità aquila e impresa della
Bianca perla. Milano, Civico Gabinetto dei Disegni del
Castello Sforzesco, Raccolta Beltrami (n. 2044).*

11. Giovanni Battista Trotti, Arco della Regina,
"rovescio": ai lati dell'arco Fecondità e Amore
vicendevole; sul frontone scudo sorretto da putti con
albero genealogico; entro l'arco superiore Himeneo tra
Giunone e Venere; alla sommità Arma della Regina.
Milano, Civico Gabinetto dei Disegni del Castello
Sforzesco, Raccolta Beltrami (n. 2045)

dell'arco più importante per la città, il primo, la cui scansione ripropone quella della facciata di San Pietro al Po[26], contraendola tuttavia e sostituendo alle coppie di lesene, che si sovrappongono nella successione dei due ordini, coppie di semicolonne di più accentuato rilievo ma ugualmente scanalate. Nell'arco la "serliana" nel registro superiore traduce, attraverso gli elementi decorativi di suggestione milanese, la linea ricercata di quella della chiesa creando nel contempo un modulo di qualificazione spaziale che ritornerà nella produzione pittorica legata alle invenzioni del Malosso[27].

Dal Bresciani sappiamo che in questo caso si trattava della vera porta della città – cui apparteneva certo il paramento di bugnato – "abbellita et ridotta a guisa di arco trionfale doppio di ordine il primo a basso era dorico ed il secondo di sopra era ionico". Dalla stessa relazione si percepisce una costante attenzione al significato simbolico degli ordini. I precetti della trattatistica di Sebastiano Serlio avevano certo fornito le idee guida al comitato di nobili e, nella realizzazione, il Malosso segue volentieri il medesimo indirizzo, traendo anzi dal *Libro estraordinario* di Serlio[28] l'ispirazione per la struttura dell'arco dell'Arciduca (fig. 15). L'interesse per le opere del bolognese non era nuovo in Malosso che, già per la definizione degli elementi architettonici dall'antico del suo dipinto *Sant'Antonio incontra Ezzelino da Romano*, aveva congiunto l'osservazione diretta alla conoscenza delle incisioni di Serlio[29].

In alcuni disegni tuttavia il Malosso si sente libero di trasgredire alle prescrizioni simboliche e si discosta da quanto la fonte scritta ci fa sapere[30], lasciando supporre un contenzioso tra aspettative di una committenza un po' retorica e schemi più innovativi dell'artista. Non solo si allontana dall'ordine composito, previsto per l'arco della Casa d'Austria e per quello del Re, rispondendo con una soluzione più vicina al corinzio, ma soprattutto rinuncia all'accento marziale previsto per l'arco dorico di Sua Eccellenza trasformandolo parimenti in corinzio. In questo caso la sicurezza e disinvoltura del Malosso dipendono forse dall'autorità del modello dal quale aveva potuto trarre la struttura dell'insieme: una serliana poggiata a terra incastonata tra semicolonne elevate su piedestalli che, in omaggio all'invenzione di Giulio Romano per l'interno dell'abbaziale di San Benedetto Po, ne riprendeva il ritmo binario negato invece dall'interpretazione monocorde proposta in Sant'Abbondio a Cremona.

12. Galeazzo Alessi e aiuti, particolare degli ornati per la facciata di Santa Maria presso San Celso in Milano. Milano, Biblioteca Ambrosiana, S 149 B Sup., f. 20.

13. Anonimo, Disegno della facciata di San Raffaele in Milano, particolare. Novara, Archivio di Stato, Raccolta De Pagave.

Alle sperimentazioni mantovane sembra riferirsi anche il rivestimento studiato per la porta di San Luca: non tanto il bugnato, forse pertinente al vero paramento murario, quanto le colonne "doriche" di quinta. Il loro slancio infatti è accentuato da un alto collarino e ribadito dai parallelepipedi di coronamento che poggiano sull'aggettante trabeazione, secondo una formulazione affine a quanto suggerito da Giovan Battista Bertani nella facciata della chiesa palatina di Santa Barbara a Mantova (fig. 16).

Un certo aggiornamento nei confronti delle realizzazioni mantovane era già giunto a Cremona dai Campi e da Giuseppe Dattaro[31]. Il successo di quest'ultimo al rientro nella città natale registrò un lento avvio poiché al suo progetto per l'altare del Santissimo Sacramento in Duomo venne preferito, nel 1597, quello del Malosso[32].

Le esperienze maturate presso la corte dei Gonzaga ispirarono all'architetto "sistematici tentativi di emulazione" di Giulio Romano[33] piuttosto che indurlo ad esplorare dialetticamente altri orizzonti verso prospettive più contemporanee. Al suo fianco infatti, nelle imprese ganzaghesche, era stato nominato il pittore Antonio Maria Viani, da poco approdato a Mantova dopo un fecondo soggiorno di lavoro a Monaco, nel "fervido ambiente bavarese"[34] stimolato dal duca Guglielmo V e dall'arte di Peter Candid e Friedrich Sustris. L'esplicito omaggio reso dal Malosso all'architettura della chiesa di Santa Barbara può invece considerarsi testimonianza di un diretto interesse per la Mantova post-giuliesca e, forse, indizio di un possibile contatto con la poliedricità dello stesso Viani, indiscusso protagonista anche in ambito architettonico dopo la sfortuna del Dattaro.

I preparativi per ricevere Margherita d'Austria avevano riguardato anche Mantova dove la sposa, con l'augusto seguito della madre Maria di Baviera, sorella di Guglielmo V, e del principe Alberto, figlio dell'Imperatore, aveva in programma una sosta di riposo prima di entrare nei territori soggetti al dominio spagnolo. Per l'occasione venne progettata la rappresentazione – "con intermedij, et scena superbissimi" – del *Pastor Fido* di Guarino che rimase nel ricordo degli ospiti per lo sfarzo e lo splendore[35]. Viani, allora prefetto delle fabbriche gonzaghesche, non fu certo estraneo alla realizzazione dei corredi scenografici. Nella ricerca degli elementi adatti a suscitare lo stupore e l'ammirazione di Maria di Baviera e della nuova regina Viani poteva rappresentare il punto di forza. Egli infatti

14. Martino Bassi, Progetto per la facciata di Santa Maria della Passione in Milano. Milano, Biblioteca Ambrosiana, S 150 Sup., f. 80.

conosceva bene la residenza dove la sorella del suo precedente illustre committente aveva vissuto mentre l'*Antiquarium*, voluto dal padre per le proprie collezioni, prendeva forma. Queste, per altro, erano sempre state molto a cuore a Maria che ne seguì ancora le vicende da Graz, dopo il matrimonio con Carlo di Steiermark[36].

Anche nei confronti del Malosso nessuno, meglio del Viani, avrebbe potuto trasmettere il gusto per la ricercatezza ostensiva che si poteva percepire alla corte bavarese nel fermento culturale alimentato dagli interessi collezionistici della famiglia e accresciuto dall'amore del duca per il sorprendente e la spettacolarità. Era questa un'impronta che caratterizzava le recenti realizzazioni architettoniche di Monaco delle quali il Viani fu testimone o protagonista, dalla parata onoraria delle statue dei predecessori di Guglielmo sulla facciata della chiesa di San Michele (fig. 17), agli ambienti della residenza destinati a rappresentare gli orientamenti del duca: il *Grottenhof* e l'*Antiquarium* trasformato in ambiente per feste (fig. 18)[37].

Forse fu il Viani stesso a richiamare l'attenzione del Malosso sul tempio palatino di Santa Barbara, il cui lustro si era rafforzato dopo

il giudizio di Jacopo Strada, l'architetto e antiquario responsabile del primo assetto dell'*Antiquarium* monacense, che, nel rivolgersi alla corte dei Gonzaga, definì la chiesa "la più bella che io abbia mai visto in tutta Italia"[38]. Il Viani, che aveva accettato volentieri dal canonico del tempio palatino una delle sue prime committenze mantovane[39], era certo al corrente di tale significativo apprezzamento.

Con questi presupposti, se si analizza l'arco che a Cremona doveva celebrare la Casa d'Austria ricorrendo, secondo le intenzioni del comitato di nobili, all'iconografia sancita dalle *Imagines* di Francesco Terzi[40], ci si rende conto di come il Malosso, per il suo disegno, abbia pensato anche ad un altro modello. L'accentuazione dell'impianto ostensivo, dove le tredici statue degli "Heroi austriaci" e l'aquila dell'"Imperial famiglia" sono immancabilmente sottolineate da un piedestallo da "galleria" o da una nicchia, fa pensare ad una conoscenza, seppure indiretta, del rinnovarsi delle forme di glorificazione dinastica che, dalla *Ehrenpforte* di Massimiliano[41], si esplicitavano nella più recente declinazione offerta dalla facciata di San Michele a Monaco.

L'alta trabeazione a specchiature che poggia

sul colonnato corinzio, l'ampio zoccolo che chiude il primo registro e l'elevato basamento sul quale si ergono le tre arcate terminali sono stati concepiti per potervi inserire le "imprese" peculiari dei diversi personaggi, come richiesto dal comitato per gli apparati. Nella successione dei diversi piani, elegantemente raccordati dalle sinuose volute, l'ambientazione delle figure si alterna e, per due volte, a statue incastonate nella scansione architettonica ne succedono altre libere, nel registro superiore, che fungono da coronamento della cornice. L'idea del colonnato arricchito da statue a figura intera, in parte negli intercolunni e, soprattutto, a coronamento della trabeazione aveva già guidato Vincenzo Scamozzi nel corso della progettazione del teatro di Sabbioneta voluto da Vespasiano Gonzaga: e il Malosso, per contatti avuti in precedenza col duca, avrebbe potuto facilmente esserne a conoscenza[42].

L'importanza attribuita a quest'arco è anche confermata dalle dimensioni del disegno che si dispiega su un foglio doppio rispetto agli altri. È interessante notare l'incertezza del Malosso di fronte alla necessità di rappresentare il digradare delle colonne nell'esedra. Il pittore infatti, favorito dalle sue autonome esperienze come quadraturista, aveva sviluppato maggiore consuetudine con le fughe ortogonali. Così era stato nell'affresco per la cappella del Santissimo Sacramento del Duomo di Salò dove, sulla strada tracciata da Antonio e Giulio Campi, sembra ricongiungersi alle regole prospettiche di Cristoforo Sorte[43], o nella *Cena in casa del Fariseo* dipinta per la chiesa di Santa Maria Maddalena a Milano nel 1597.

La fabbrica, al sommo, è conclusa da un equilibrato gioco di contrapposti tra le volute dell'attico e il frontone arcuato spezzato che in esso si insinua. Il timpano aperto ad invitare lo sguardo verso lo snodarsi della struttura più elevata è un elemento ricorrente nelle realizzazioni milanesi di quei decenni: dalla facciata del santuario di San Celso alla fronte della Certosa di Garegnano.

Il motivo, che nel "monumento" alla Casa d'Austria caratterizza l'apice del complesso, si amplifica nella reinterpretazione per l'arco della Regina, assumendo in questa più articolata architettura la funzione di cardine. La costruzione, corinzia in omaggio alla sposa, si innalzava dietro la chiesa di San Leonardo, vicino al celebre palazzo Affaitati, scelto per ospitare Margherita. Dalle finestre Sua Maestà poteva ammirare anche il prospetto posteriore dell'arco "sotto il quale e nel avenir e nel

15. *Sebastiano Serlio, Libro estraordinario, Venezia 1584, p. 25.*

partirse doveva passare che perciò si fece doppio"[44]. E di nuovo quel fluido serpeggiare delle linee tra frontoni spezzati e volute di raccordo, in questo caso per chiudere la composizione, torna a qualificare l'invenzione del Malosso, che si direbbe finalmente avviato verso più personali soluzioni del rapporto tra ornato e struttura.

In precedenza la componente esornativa era un accessorio solamente giustapposto che mirava ad arricchire la solennità dell'impianto, spesso ispirato all'arte dei Campi. Ora invece tende a farsi elemento attivo che contribuisce a definire il ritmo dell'ordito, conferendo una diversa e più movimentata impronta. È questo l'orientamento che coincide con il consolidarsi della fama del Trotti come architetto e con l'intensificarsi delle richieste di suoi progetti[45]. Da qui la sua arte troverà il naturale sbocco negli incarichi per Ranuccio I Farnese. Le forme e le invenzioni che Malosso proporrà negli anni futuri si trovano già nei disegni del 1598, lasciando loro assumere la valenza di compendio delle esperienze fino ad allora maturate. Da tale repertorio consolidato l'artista attingerà liberamente nel corso dell'attività di pittore e "architetto-allestitore" presso la corte di Parma, attività che può essere ben esemplificata dal *Progetto per una decorazione con dività fluviali* conservato al Teylers Museum di Haarlem e convincentemente messo in relazione al cantiere farnesiano per il palazzo del Giardino (fig. 19)[46].

[1]Cfr. L. Maggi, *Tra effimero e realtà. Impianto urbano e percorsi di parata a Cremona nel Cinquecento*, in *I Campi e la cultura artistica cremonese del Cinquecento*, catalogo della mostra di Cremona, Milano 1985, pp. 386-391 cui si rimanda anche per la puntuale ricostruzione dell'itinerario previsto per l'ingresso in Cremona di Margherita d'Austria.

[2]A. Campi, *Cremona fedelissima città et nobilissima colonia de' Romani rappresentata in disegno col suo contado, et illustrata d'una breve historia delle cose più notabili appartenenti ad essa*, Cremona 1585.

[3]G. Bresciani, *Apparati trionfali fatti nella città di Cremona per l'ingresso in essa di diversi illustrissimi personaggi* (cc. 1-39: *Entrata in Cremona della Ser.ma Regina di Spagna l'anno MDLXXXXVIII*), Biblioteca Statale di Cremona, *ms. Bresciani 30*. Sul Bresciani cfr. V. Lancetti, *Biografia cremonese*, II, Milano 1820, pp. 543-552.

[4]Sulle tavole introduttive cfr. F. Buonincontri, *Incisioni*, in *I Campi...*, cit., pp. 317-332, in particolare pp. 317-320; sul colosso di Ercole cfr. A. Nova, *Dall'arca alle esequie. Aspetti della scultura a Cremona nel XVI secolo, ibidem*, pp. 409-430, in particolare p. 422.

[5]La personificazione di Cremona, prima dell'incisione della *Cremona fedelissima*, aveva consolidato la sua iconografia attraverso le formulazioni ideate da Giulio Campi nel 1541 per l'ingresso di Carlo V, e in seguito per l'incisione del 1550 (Cfr. G. Bora, *Note cremonesi*, II: *l'eredità di Camillo e i Campi*, in "Paragone", 311, 1976, pp. 49-74, in particolare p. 68, n. 16 e F. Buonincontri, scheda in *Grafica del '500. 2°. Milano e Cremona*, catalogo della mostra al-

l'Accademia Carrara, Bergamo 1982, pp. 40-43). Alle stesse fonti è possibile far riferimento per le assonanze tematiche di altri contenuti allegorici come l'Ercole fondatore della città o come la raffigurazione del leone in riverenza presente nell'impresa della serliana o, in ultimo, come la sfilata delle città della Lombardia spagnola che, tuttavia, si riallaccia alle invenzioni di Giulio Romano per l'ingresso di Carlo V a Milano (cfr. G. Bora, *Note cremonesi...*, cit., p. 50). Di nuovo da quest'ultimo esempio può dipendere l'idea dell'aquila asburgica che stringe, con i suoi artigli, i due mondi, posta come coronamento dell'arco della Casa d'Austria per il suo palese significato.

[6]Cfr. G. Vigo, *Cremona nel Cinquecento*, in *I Campi...*, cit., pp. 13-18.

[7]G.A. Albicante, *Il sacro et divino Sponsalitio del Gran Philippo d'Austria et della Sacra Maria Regina d'Inghilterra*, Milano 1555, p. 43. Sui programmi iconografici degli ingressi di Carlo V e Filippo II a Milano cfr. G. Bora, *Note cremonesi...*, cit., pp. 50-52; Idem, *La cultura figurativa a Milano 1535-1565*, in *Omaggio a Tiziano*, catalogo della mostra a Palazzo Reale, Milano 1977, pp. 45-54; A. Chastel, *Les entrées de Charles Quint en Italie*, in *Les Fêtes de la Renaissance*, II - *Fêtes et cérémonies du temps de Charles Quint*, Parigi 1960, pp. 197-206.

[8]*Canzone nel funerale della maestà catholica di don Filippo secondo re di Spagna, et dell'Indie etc. Celebrato in Milano nella Chiesa della Scala adi 26 di Novembre 1598*, Milano 1598.

[9]Cfr. G. Mazenta, *Apparato fatto dalla città di Milano per ricevere la Serenissima regina D. Margarita d'Austria*, Milano 1598 (terzo arco). Sull'entrata di Margherita a Milano cfr. F. Checa, R.D. Del Corral, *Arquitectura, iconologia y simbolismo politico: la entrada de Margarita de Austria, mujer de Felipe III de España, en Milan el año 1598*, in *La scenografia barocca*, a cura di A. Schnapper, Bologna 1982, pp. 73-83.

[10]Archivio Storico Civico di Milano, *Raccolta Bianconi*, t. I, fol. 12 recto A. Per la data di dedicazione della statua sono utili gli elementi forniti da C. Torre, *Ritratto di Milano*, Milano 1714 (ed. Agnelli), p. 240, da P. Puccinelli, *Chronicon insignis abbatiae SS. Petri et Pauli de Glaxiate Mediolani*, Milano 1655, pp. 293-295 e da C. Parona, *Feste di Milano nel felicissimo nascimento del Serenissimo Principe di Spagna don Filippo Dominico Vittorio*, Milano 1607, che a p. 9, narrando degli avvenimenti del 1605, riporta: "...col far illuminar anco la Torre dell'Horologio; al piè della quale pochi anni prima havevano essi fatto porre Statua marmorea dell'Invittissimo Rè Filippo secondo". Sul disegno cfr. A. Scotti, *I disegni alessiani nelle collezioni milanesi*, in *Galeazzo Alessi e l'architettura del Cinquecento* (Atti del Convegno internazionale di studi 1974), Genova 1975, pp. 467-478, in particolare p. 473 e N.A. Houghton Brown, *The Milanese Architecture of Galeazzo Alessi*, Ph. Diss. Columbia University 1978, New York-London 1982, pp. 377-379.

[11]L. Contile, *Ragionamento sopra la proprietà delle imprese con le particolari de gli academici affidati et con le interpretationi et croniche*, Pavia 1574, cc. 15 v. e 43 v. Sull'autore cfr. C. Muttini, *Contile Luca*, in *Dizionario Biografico degli Italiani*, 28, Roma 1983, pp. 495-502.

[12]G. Bresciani, *Apparati trionfali...*, cit., c. 35.

[13]Alla Direzione delle Civiche Raccolte d'Arte del Castello va il merito di aver progettato, in previsione di un'inventariazione scientifica della Raccolta Beltrami, l'ampia campagna fotografica realizzatasi grazie ad un finanziamento della Regione Lombardia. Desidero dunque qui esprimere la mia gratitudine alla direttrice Maria Teresa Fiorio che, affidandomi l'organizzazione del progetto, ha reso possibile questa ricerca.

[14]Cfr. N.A. Houghton Brown, *The Milanese Architecture....*, cit., pp. 187-188.

[15]Cfr. A. Scotti, *Architettura e spazio urbano nell'opera di Pellegrino Pellegrini*, in *Atti del Convegno internazionale Pellegrino Tibaldi. Nuove proposte di studio* (Porlezza-Valsolda 1987), in "Arte Lombarda", 3-4, 1990, pp. 65-75, in particolare p. 73 e inoltre cfr. Idem, *Appunti sulla chiesa di Santa Maria della Passione. Un disegno di Dionigi Cam-*

16. *Giovan Battista Bertani, Facciata della chiesa palatina di Santa Barbara in Mantova.*

17. *Johann Matthias Kager, Disegno di una porzione di parete dell'Antiquarium della Residenz di Monaco. Wolfenbüttel, Herzog August Bibliothek, 23.3 Aug. 2°, f. 131r.*

pazzo per la facciata, in "Rassegna di Studi e di Notizie", VIII, 1980, pp. 373-388, in particolare p. 380; Idem, *I disegni alessiani...*, cit.; N.A. Houghton Brown, *The Milanese Architecture...*, cit., pp. 197-203 e 539.

[16]Cfr. C. Vanzetto, *Giovanni Battista Trotti detto il Malosso*, in *I Campi...*, cit., pp. 238-248 e *Regesto dei documenti*, a cura di R.S. Miller, *ibidem*, pp. 478-481.

[17]Tutti i disegni, su carta bianca di tipo omogeneo (filigrana guanto con fiore), misurano 417 x 270 mm; quelli nn. 2052, 2057, 2058, 2059 sono su foglio doppio (545 x 417 mm). Sono così raggruppabili: Arco della città di Cremona (2046 prospetto principale, 2047 "rovescio", 2057 e 2058 prospetti ali laterali, 2059 pianta); Arco della Casa d'Austria (2052 prospetto principale; 2055 prospetto arco laterale destro, 2054 e 2053 prospetto e rovescio dell'arco laterale sinistro); Arco del Re (2042 e 2043 prospetto e "rovescio", 2060 [disegno in alto] pianta); Arco dell'Arciduca Alberto (2048 e 2049 prospetto e "rovescio", 2061 [disegno in basso] pianta); Arco della Regina (2044 e 2045 prospetto e "rovescio", 2060 [disegno in basso] pianta); Arco di Sua Eccellenza (2050 e 2051 prospetto e "rovescio", 2061 [disegno in alto] pianta); Ornamento della porta all'uscita (2056 prospetto).

[18]Per la minuziosità del segno con cui Malosso affronta la composizione architettonica – dove il gusto combinatorio sembra prevalere su una corretta sintassi – è interessante il confronto con il disegno degli Uffizi 1794 orn., di recente restituito al Trotti da M. Tanzi (*Malosso e "dintorni": dipinti e disegni*, in "Prospettiva", 61, 1991, pp. 67-73, n. 13).

[19]Le piante talora presentano alcune incongruenze rispetto agli alzati, come ad esempio nel primo arco o in quello di Sua Eccellenza.

[20]Cfr. M. Di Giampaolo, *Per il Malosso disegnatore*, in "Arte illustrata", 57, 1974, pp. 18-35, in particolare p. 19; Idem, *A Drawing by Malosso at Oxford and Some Additions to his Oeuvre*, in "Master Drawings", XV, 1, 1977, pp. 28-31, tav. 26; U. Ruggeri, *Disegni lombardi. Gallerie dell'Accademia di Venezia*, Milano 1982, p. 77; G. Bora, *Nota sui disegni lombardi del Cinque e Seicento (a proposito di una mostra)*, in "Paragone", 413, 1984, pp. 3-35, in particolare p. 34 (n. 75); Idem, *Disegni*, in *I Campi...*, cit., p. 311.

[21]Cfr. G. Bora, *I Campi...*, cit., p. 314 e Idem, *Nota sui disegni...*, cit., p. 21. Gli stessi testi e i contributi di M.C. Rodeschini Galati (schede in *Grafica del '500...*, cit., pp. 57-62), di G. Bora, *Maniera, "idea" e natura nel disegno cremonese: novità e precisazioni*, in "Paragone", 459-461-463, 1988, pp. 13-38, in particolare pp. 29-32, e di M. Tanzi, *Malosso e "dintorni"...*, cit., e *Qualche aggiunta al Malosso e alla sua cerchia*, in "Prospettiva", 1985, pp. 82-85, costituiscono il fondamentale punto di riferimento per l'analisi dei disegni del Malosso in rapporto con quelli dei suoi allievi e collaboratori. In questo contesto si inserisce anche la figura femminile allegorica di Brera (inv. dis. 253) (cfr. S. Bandera, scheda in *Disegni lombardi del Cinque e Seicento della Pinacoteca di Brera e dell'Arcivescovado di Milano*, catalogo della mostra di Milano, Firenze 1986, p. 112) che tuttavia non si ricollega alle personificazioni ideate per gli archi del 1598.

[22]Dopo la progettazione dell'insieme e prima della realizzazione degli apparati il Malosso avvertì la necessità di ridisegnare alcuni brani che, nella prima presentazione, qualche collaboratore aveva definito con scarsa vivezza. Lo attesta un foglio degli Uffizi (1574 E: penna e acquerello grigio, con sottotratti a matita, su carta bianca, 41 x 82 mm; controfondato) dove le personificazioni del Po e dell'Adda per l'ornamento della Porta di San Luca, pur mantenendosi congiunte per le spalle, avvicinano ai vasi anche le altre due mani, rinserrando la gestualità dell'abbraccio dei fiumi "come se di nozze essempio dar volessero" (G. Bresciani, *Apparati trionfali...*, cit., c. 24) al fine di tradurre più efficacemente il significato dell'arco.

[23]Cfr. G. Bora, *Disegni*, in *I Campi...*, cit., p. 298. L'ultima attività di Bernardino Campi, che nel 1574 aveva donato il suo studio e i disegni in esso contenuti al Trotti, si svolge tra Sabbioneta, Guastalla e Reggio Emilia, ma alcuni documenti attestano una sua fugace sosta in Cremona nel

18. Johann Smissek, Chiesa di San Michele e del Collegio
dei Gesuiti in Monaco tra il 1597 e il 1644, particolare.
Monaco, Münchner Stadtmuseum, ms. I/24.

19. Giovanni Battista Trotti, Progetto per una
decorazione con divinità fluviali. Haarlem, Teylers
Museum (K 81).

1587 (cfr. *Regesto*, in *I Campi...*, cit., pp. 473-474), forse anche occasione di incontro con il suo allievo prediletto.

[24]A. Campi, *Cremona fedelissima...*, cit., dedica ai Consiglieri.

[25]Cfr. G. Bora, *I disegni lombardi e genovesi del Cinquecento*, Treviso 1980, p. 49.

[26]Cfr. A. Scotti, *Architetti e cantieri: una traccia per l'architettura cremonese del Cinquecento*, in *I Campi...*, cit., pp. 371-380, in particolare p. 380 e C. Bellotti, *I rifacimenti cinquecenteschi di San Pietro al Po e l'intervento di Francesco Dattaro*, ibidem, pp. 404-408.

[27]Cfr. M. Marubbi, *Monumenti e opere d'arte nel basso lodigiano*, Soresina 1987, pp. 76 e 211.

[28]S. Serlio, *Libro estraordinario*, Venezia 1584; per l'influenza del Serlio sugli architetti lombardi cfr. A. Scotti, *Palladio e la Lombardia tra Cinque e Seicento: il ruolo della trattatistica*, in *Atti del Convegno internazionale Palladio e il Palladianesimo* (Vicenza), in "Bollettino del CISA", XXII/II 1980, pp. 63-77.

[29]C. Vanzetto, *Giovanni Battista Trotti...*, cit., p. 245.

[30]Non solo per quanto riguarda l'osservanza degli ordini ma talvolta anche nella disposizione delle figure i disegni non ricalcano esattamente la relazione del Bresciani. Ad esempio delle otto personificazioni delle città descritte con i loro attributi ne sono state disegnate solo quattro. Si possono riconoscere esattamente Milano e Cremona (da destra a sinistra) mentre per le altre (Pavia e Alessandria) le corrispondenze sono meno precise. Anche per l'arco del Re, inizialmente progettato con riferimento a Filippo II, esiste qualche difficoltà, sulla base degli attributi descritti, ad individuare con esattezza le personificazioni delle quattro parti del mondo in atto riverente verso il sovrano sul trono. Inoltre nella descrizione dell'arco di San Luca si accenna a "Nettuni" dipinti nelle nicchie, purtroppo non restituiti dal disegno.

[31]Cfr. A. Scotti, *Architetti e cantieri...*, cit., pp. 378-380. Sul Dattaro cfr. inoltre G. Rodella, *Dattaro Francesco*, in *Dizionario Biografico degli Italiani*, 33, Roma 1987, pp. 67-69.

[32]Cfr. L. Lucchini, *Il Duomo di Cremona. Annali della sua fabbrica*, I, Mantova 1894, p. 142.

[33]H. Burns, M. Tafuri, *Da Serlio all'Escorial*, in AA.VV., *Giulio Romano*, Milano 1989, pp. 575-581, in particolare p. 577.

[34]Cfr. C. Tellini Perina, *Antonio Maria Viani*, in *I Campi...*, cit., pp. 264-266, in particolare p. 264 e Idem, *Committenze mantovane di Antonio Maria Viani*, in "Quaderni di Palazzo del Te", 2, 1985, pp. 68-71.

[35]La citazione è tratta da *Relatione dello sposalizio della Serenissima D. Margherita d'Austria con il cattolico re Filippo III... seguiti nella città di Ferrara, a dì 15. di Novembre 1598...*, Milano (per Pandolfo Malatesta), 1598. Cfr. inoltre F. von Hurter, *Bild einer christlichen Fürstin. Maria, Erzherzogin zu Österreich, Herzogin von Bayern*, Schaffhausen 1860, pp. 208-209.

[36]*Ibidem*, p. 24.

[37]Cfr. H. Thoma, H. Brunner, *Residenzmuseum München*, München 1966; per la fig. 17 cfr. S. Netzer, scheda in *Welt im Umbruch. Augsburg zwischen Renaissance und Barock*, catalogo della mostra, I, Augsburg 1980, p. 295.

[38]Cfr. T. Gozzi, *La basilica palatina di S. Barbara in Mantova*, in "Accademia Virgiliana di Mantova. Atti e Memorie", 42, 1974, pp. 3-51, in particolare p. 33 e P. Carpeggiani, *Il libro di pietra. Giovan Battista Bertani architetto del Cinquecento*, Milano 1992, pp. 40-46, 82-87.

[39]Cfr. R. Berzaghi, *Committenze del Cinquecento: la pittura*, in *I secoli di Polirone*, catalogo della mostra di San Benedetto Po, I, Quistello 1981, pp. 295-311, n. 122.

[40]Sulla fortunata opera disegnata da F. Terzi (*Austriacae Gentis Imagines*, Innsbruck 1558) cfr. L. Menta, schede in *I Madruzzo e l'Europa; 1539-1658*, catalogo della mostra, Castello del Buon Consiglio (Trento), Milano 1993, pp. 336-343. Anche Antonio Campi, per un ritratto inserito nella *Cremona fedelissima*, aveva utilizzato questa stessa fonte (cfr. F. Rossi, *Medaglie*, in *I Campi...*, cit., pp. 347-368, in particolare p. 349). E ancora emulando la metodologia del Campi gli estensori del programma iconografico degli apparati ricorsero frequentemente ad immagini tratte da rovesci di antiche medaglie: da quella di Vespasiano la *Giustizia* e la *Pace* del "rovescio" del primo arco; da al-

tre di Gordiano, Antonino Pio e Traiano la *Virtù eroica*, la *Fortuna* e la *Perpetuità* dei laterali dell'arco della Casa d'Austria; da una medaglia di Faustina la *Giunone* del "rovescio" dell'arco della Regina; da una medaglia di Vitellio la *Virtù* e l'*Onore* del "rovescio" dell'arco dell'Arciduca. Quest'ultima coppia come pure, nello stesso arco, la *Prudenza politica* o altre allegorie, per esempio la *Vittoria* senza ali del secondo arco (diversa nel disegno), possono derivare da V. Cartari, *Imagini delli dei de gl'antichi*, Venezia 1556, consultato nell'edizione del 1647 (ristampa anastatica, Graz 1963), pp. 194, 195, 212.

[41]Cfr. E. Pokorny, *Ehrenpforte*, in *Hispania Austria*, catalogo della mostra al Castello di Ambras (Innsbruck), Milano 1992, pp. 320-327.

[42]Per la dedica a Vespasiano Gonzaga del *Discorso* di Alessandro Lamo cfr. C. Vanzetto, *Giovanni Battista Trotti...*, cit., p. 238.

[43]Cfr. A. Nova, *La pittura nei territori di Bergamo e Brescia nel Cinquecento*, in *La pittura in Italia. Il Cinquecento*, I, Milano 1988, pp. 105-123 in particolare pp. 114-115, 121.

[44]G. Bresciani, *Apparati trionfali...*, cit., c. 18.

[45]Cfr. *Regesto*, in *I Campi...*, cit., pp. 478-479, nn. 38, 42-45.

[46]Cfr. B.W. Meijer, C. van Tuyll, *Disegni italiani del Teylers Museum Haarlem provenienti dalle collezioni di Cristina di Svezia e dei principi Odescalchi*, catalogo della mostra, Firenze e Roma, Firenze 1993, pp. 82-83. Alla committenza farnesiana sono stati associati alcuni disegni di Parma (cfr. G. Cirillo, G. Godi, *Il mobile a Parma fra Barocco e Romanticismo. 1600-1860*, Parma 1983, pp. 19-20) e un disegno delle Gallerie dell'Accademia di Venezia (cfr. U. Ruggeri, *Disegni lombardi...*, cit., p. 76), peraltro appesantito da qualche intervento di bottega. Non ho avuto occasione di vedere direttamente il disegno pubblicato da L.C.J. Frerichs (*Italiaanse Tekeningen II. De 15. en 16. Eeuw*, Amsterdam 1981, n. 151) che tuttavia, a giudicare dalla riproduzione fotografica, mi sembra possa riferirsi ad un artista cremonese non ancora toccato dalla esuberante creatività dell'arte del Malosso al servizio dei Farnese.

1. Mantova, Palazzo Ducale, Galleria degli Specchi,
veduta d'insieme.

Renato Berzaghi
La Galleria degli Specchi del Palazzo Ducale di Mantova.
Storia, iconografia, collezioni

La Galleria degli Specchi del Palazzo Ducale di Mantova non riceve oggi che poche e superficiali attenzioni, volte più che altro alla curiosità dei giochi ottici offerti dalle giunoniche figure affrescate nelle lunette o dalle immagini dei cavalli scalpitanti che trainano sul soffitto il carro della Notte[1]; ben più celebrata era nel Settecento dai viaggiatori che visitavano Mantova, ai quali veniva indicata come opera di Giulio Romano.

L'incisore francese Charles Nicolas Cochin che visitò l'Italia tra il 1749 e il 1751 in compagnia del direttore delle regie gallerie, il marchese di Marigny, fratello di Madame Pompadour e consigliere del re, nonché di due altri conoscitori d'arte, l'abate Le Blanc e l'architetto Soufflot, si accorse che alcuni dipinti erano di maniera più minuta e moderna[2], mentre altri viaggiatori stranieri, come il presidente De Brosses, Volkmann, De la Roque e Thonin[3], si limitarono ad annotare che gli affreschi erano considerati lavoro di Giulio Romano, o tutt'al più, come De la Roque, che vennero eseguiti "sotto i suoi occhi dagli allievi migliori". Nel 1763 Cadioli rivendicava al pittore-architetto cremonese Antonio Maria Viani l'esecuzione del fregio della galleria "tutto intrecciato di scherzosi, e trastullanti bambini, e festoni"[4], e in ciò era seguito da Zaist (1774) che aggiungeva anzi, sulla base del manoscritto Arisi della Libreria Civica di Cremona, che a Viani si doveva anche l'affresco, da lui creduto distrutto, raffigurante il "Riseggio delle nove Muse sul Monte Parnaso, col cavallo Pegaso, in figure che sorpassano il naturale"[5]. La cronologia degli affreschi era pertanto implicitamente spostata dalla prima metà del Cinquecento – Giulio Romano visse a Mantova dal 1524 al 1546 – alla fine del secolo, se non al primo Seicento, tenendo conto che Viani fu al servizio dei Gonzaga dal 1592 alla morte, avvenuta nel 1630.

Nel 1831 Gaetano Susani ritenne di indicare quali autori della decorazione pittorica due allievi bolognesi di Guido Reni, Francesco Gessi e Giangiacomo Sementi, che secondo Cesare Malvasia avevano dipinto una non meglio specificata galleria per il duca Ferdinando Gonzaga (1613-1626)[6]; nel 1889 l'archivista Stefano Davari tornava ad anticipare la cronologia degli affreschi, datandoli 1580, interpretando documenti dell'epoca che riferivano di una "sala Nuova", costruita dal duca Guglielmo e decorata dai suoi pittori Lorenzo Costa il Giovane, Ippolito Andreasi, Giulio Rubone, Teodoro Ghisi e Sebastiano Vini[7]. L'identificazione della sala Nuova con la Galleria degli Specchi si è rivelata errata: la sala Nuova è senza dubbio quella detta ora "dei Fiumi"[8] e conviene aggiungere che la Galleria degli Specchi, il cui nome è tratto dalle grandi specchiere neoclassiche che ne arredano le pareti in seguito a una ristrutturazione settecentesca, non può nemmeno corrispondere a una "sala degli Specchi" menzionata da fonti del tardo Cinquecento e del primo Seicento, quest'ultima localizzata da Paolo Carpeggiani in un ambiente, ora suddiviso da tramezzi, posto tra il corridoio di Santa Barbara e il giardino delle Otto Facce[9].

La critica recente è tornata a proporre il nome di Viani, sia per quanto riguarda la realizzazione della fabbrica, il cui inizio è stato fissato da Ercolano Marani all'anno 1602 (durante il ducato di Vincenzo Gonzaga, 1587-1612), sulla base di un progetto iniziale limitato alla costruzione di un semplice loggiato, sia per gli affreschi, significativamente avvicinati da Chiara Perina alla cultura pittorica del manierismo bavarese, che fu appunto determinante per la formazione di Antonio Maria Viani[10]. Solo da poco sono state scoperte una firma e una data nella grande lunetta della parete di testa verso il corridoio dei Mori. Vi sono affrescate allegorie delle Arti Liberali: la figura della Retorica, all'estrema destra, reca ai propri piedi due libri aperti sovrapposti. Su una pagina di quello visibile è la scritta "Karlo Sant/ner fecit/...1618"[11]. Altre parole purtroppo indecifrabili sembrano essere comprese tra la firma e la data e pure prive di senso appaiono le iniziali dei capoversi sulla pagina del libro inferiore, forse deliberatamente scoperte per proporre un acrostico. L'acquisizione di questi elementi suggerisce nuove interpretazioni di documenti in parte già noti, ora comprensibili alla luce delle vicende della galleria, con conclusioni di diverso tipo, estese a svariati problemi relativi alle fabbriche e al collezionismo artistico gonzaghesco.

La fabbrica di Vincenzo Gonzaga. Il "logion serato"

Nelle sue cronache mantovane Battista Vigilio annota che l'ultimo di aprile 1602 alcuni muratori rinvennero un'urna di terracotta contenente varie monete d'oro mentre lavoravano nel fondamento di un muro demolito "in capo al giardino di Corte Vecchia per edificarvi una loggia che caminarà dal camerone nuovamente fabricato sopra le colonne di marmo, et nel luogo dove solevano fare le cucine del Serenissimo duca nostro signore ... verso la chiesa di Santa Barbara"[12]. La notizia, non priva di curiosità, è addotta da Marani per sostenere la sua tesi sull'origine della Galleria degli Specchi. Nella loggia in via di esecuzione nel 1602 si riconosce il loggiato a colonne, poi murato a galleria, sostenuto da un portico su grossi pilastri che chiude a meridione il giardino di Corte Vecchia detto oggi d'Onore: esso si orienta verso la chiesa di corte di Santa Barbara; la sua parete lunga si addossa alla mole quattrocentesca della Domus Nova nella quale, al medesimo piano superiore, Vincenzo Gonzaga stava adattando l'appartamento Ducale; la testata occidentale è contigua al salone di nuova costruzione chiamato, almeno dal Settecento, degli Arcieri: il grande ambiente corrisponde a piano terreno a una vano di analoghe dimensioni con un volto retto da quattro colonne (il "camerone nuovamente fabbricato sopra le colonne di marmo").

La nuova loggia di Vincenzo sostituì un precedente portico a colonne, forse a un solo piano coperto a terrazza, come sembra di capire da alcune piante del Palazzo Ducale recentemente scoperte e attribuite all'architetto cinquecentesco Bernardino Facciotto[13]. Si trattava probabilmente di parte della loggia delle Città dipinta per Isabella d'Este nel 1522-1523, che si estendeva, se non su tre lati del giardino, almeno con un secondo braccio perpendicolare adiacente alle stanze della Grotta, mentre quello interessato dalle demolizioni doveva essere separato dalla Domus Nova da uno stretto passaggio: il portico contiguo alla Grotta sopravvisse più a lungo ed è citato ancora nelle didascalie della seconda carta di Mantova di Gabriele Bertazzolo del 1628[14].

Per la nuova costruzione vennero riutilizzate colonne corinzie rinascimentali – quasi certamente quelle della fabbrica distrutta – secondo una prassi frequente all'epoca di Vincenzo che prevedeva il recupero di elementi decorativi, non solo per ragioni economiche, ma anche per il loro consolidato valore simbolico. Non è noto con precisione quando il nuovo loggiato venne trasformato in galleria, riducendo con muri di tamponamento le aperture delle arcate a semplici finestre rettangolari: le carte d'archivio non sono chiare a sufficienza e, sebbene in documenti del 1604-1608 si trovino accenni a una "galleria" o a un "corridore" in via di ultimazione e non a una loggia[15], sembra che in essi si voglia alludere alla Galleria della Mostra. Questa venne probabilmente terminata per le feste del 1608, in tempo per celebrare con sontuosi apparati e fastose cerimonie culminate nell'istituzione dell'ordine dei Cavalieri del Redentore le nozze fra il principe Francesco e Margherita di Savoia; in ogni caso rifiniture e lavori di poco conto si trascinarono fino all'anno seguente, quando il pittore Ludovico Dondi si offriva per "il governo di detto errario di Pittura, senza spesa né salario alcuno da Sua Altezza"[16]. Sembra lecito ritenere che i documenti che accennano all'allestimento di una galleria datati dopo la conclusione dei lavori nella Galleria della Mostra debbano riferirsi a

2. Mantova, Palazzo Ducale, Galleria degli Specchi, Retorica.

3. Mantova, Palazzo Ducale, Galleria degli Specchi, Eloquenza.

4. Mantova, Palazzo Ducale, Galleria degli Specchi, Benignità.

quella degli Specchi. Nel settembre 1611 in due lettere al segretario Annibale Iberti il pittore Francesco Borgani dichiarava di essere occupato a restaurare "molti quadri de Tiziano e d'altri pittori" per "dar fine alla Gallaria"[17]: quasi sicuramente si trattava della Galleria degli Specchi, come indirettamente conferma l'inventario del 1626-1627 che, mentre registra un solo dipinto di Tiziano nella Galleria della Mostra[18], ne elenca diversi nel "logion serato che guarda nel giardino altre volte de' Bussi", i Cesari, una Madonna col Bambino e vari ritratti, una Lucrezia e una Deposizione[19]; col termine "logion serato" si indicava chiaramente la Galleria degli Specchi richiamando all'evidenza il primitivo organismo di fabbrica poi trasformato in galleria[20]. La trasformazione avvenne quindi entro il 1611; nel 1614, in un inventario di tappezzerie del Palazzo Ducale compilato per ordine del duca Ferdinando, compare una nuova e sicura menzione della Galleria degli Specchi colla denominazione "Galleria grande nova"[21]. Questa identificazione non lascia dubbi poiché l'inventario prosegue elencando i locali che costituiscono l'adiacente appartamento Ducale, il "salon grande dell'appartamento novo", cioè il salone degli Arcieri, la "camera delle Province", ora di Giuditta, la "camera del Laberinto", tuttora così chiamata, la "camera del marchese Francesco", corrispondente alla stanza del Crogiolo. Un'ulteriore coincidenza risulta dalla seconda pianta di Mantova di Gabriele Bertazzolo che indica il luogo dove è ubicata la Galleria degli Specchi con la didascalia "Galleria Nova"[22].

Ferdinando Gonzaga e la decorazione della Galleria

Dopo la morte di Vincenzo Gonzaga e il breve ducato di Francesco IV (1612), il potere passò nelle mani di Ferdinando, che trovò in eredità una galleria "nuova", forse ancora in via di ordinamento e certamente priva – ne fa fede la data 1618 apposta da Carlo Santner – di decorazione pittorica.

Le complesse relazioni artistiche di questo duca sono state dettagliatamente ricostruite da Pamela Askew, secondo la quale egli fu ossessionato dalla necessità di abbellire con dipinti la villa della Favorita da lui edificata fuori di Mantova[23].

Pur senza dar eccessivo credito alle parole di Luigi Scaramuccia che scrisse invece della Favorita "esser stata fabbricata dal cenno di Carlo secondo per sua delitia e vezzo"[24], è da tener presente che almeno la galleria di pittura della villa, così come è stata tramandata dagli inventari del 1665 e 1706[25], si doveva effettivamente a Carlo II di Nevers e non appariva ancora completata nel 1664 durante la visita del principe Cosimo de' Medici[26]. Parecchi dipinti commissionati da Ferdinando erano in realtà destinati all'arredo del Palazzo Ducale. Eduard Safarik cita le *Parabole*, i *Poeti* e i *Ritratti gonzagheschi* di Domenico Fetti, le *Ninfe* di Ottavio Leoni, le *Muse* di Giovanni Baglioni, i *Paesaggi* di Paolo Brill[27]. E anche le *Storie di Ercole* di Guido Reni (Louvre), la *Parabola della veste nuziale* di Fra Semplice (Mantova, collezione Lubiam), l'*Erminia e i pastori* di Guercino (Birmingham, City Art Museum), dipinti di solito messi in relazione con la Favorita, si trovano documentati nel 1626-1627 in Palazzo Ducale[28]. Limitare gli interessi di Ferdinando alla sola villa della Favorita appare quanto meno riduttivo.

Su questa base sembra ingiustificato riferire alla Galleria della Favorita una lettera del 2 gennaio 1615 del pittore Carlo Saraceni[29]; si consideri inoltre che all'epoca la costruzione del grande edificio suburbano non doveva essere molto avanzata, giacché alla fine di novembre dell'anno seguente – quasi due anni dopo – l'architetto Nicolò Sebregondi comunicava che la fabbrica era coperta e contava di terminare a Natale "il volto della sala da basso"[30]. Saraceni quindi alludeva certamente alla galleria di Palazzo Ducale quando pregava monsignor Soardi, residente mantovano a Roma, dove egli si trovava, di scrivere a Mantova poiché desiderava sapere "la grandezza, larghezza, et altezza della sala o galleria che sia, se la volta è liscia o no, se gli compartimenti d'essa s'hanno da fare di pittura o di stucco, s'è solo la volta che va dipinta, o pure tutta da capo a piedi, overo se vi va fregio, se vi sono pillastri o altri vanni dove vadano dipinti grotteschi...". Scopo di tali richieste era il "poter attender intanto alli pensieri e alli huomini idonei et proporzionati a detta opera".

Come suggerisce Pamela Askew la decorazione dell'ambiente nominato da Saraceni poteva anche aver costituito il motivo di un previsto passaggio di Guido Reni per Mantova agli inizi del 1614. Il pittore bolognese non poté partire per la città dei Gonzaga perché richiamato a Roma dal papa "per poter fornir certa opera già principiata a Monte Cavallo". Quando alla fine dello stesso anno la corte mantovana fu informata del suo ritorno a Bologna, erano senz'altro già state impostate le trattative con Saraceni e forse per questo motivo l'invito a Reni venne lasciato cadere. Mentre però i rapporti con Saraceni non eb-

5. *Mantova, Palazzo Ducale, Galleria degli Specchi, Concordia.*

bero seguito, Reni rimase in contatto coi Gonzaga e nel giugno 1617 fu interpellato da Ferdinando, questa volta per dipingere ad affresco gli "sfondati" delle sale della Favorita. Egli rifiutò accampando motivi di salute, ma quasi sicuramente venne a Mantova nel luglio dello stesso anno per esaminare la situazione; probabilmente in questa occasione gli furono commissionate le *Storie di Ercole*, che eseguì a Bologna a olio su tela, e un primo dipinto della serie fu inviato a Mantova nel novembre 1617[31].

L'anno seguente, alla fine dell'estate, Ferdinando ebbe di nuovo bisogno di Guido Reni e questi richiese svariate informazioni per inviare alcuni suoi giovani allievi: l'8 settembre 1618 il duca incaricò Ercole Marliani di pagare "Messer Alesandro Peri per condurre da Bologna quattro pittori che Sua Altezza manda a posta a levare di detta città"[32]. Doveva trattarsi di una commissione diversa da quella del giugno 1617 e a questa circostanza si adattano le parole di Cesare Malvasia: "[Guido Reni] più volte inutilmente invitato, anzi pregato dal Serenissimo di Mantova a dipingergli una galleria, ed in fine a fargli almeno il disegno, a mandargli due de' più bravi suoi giovani ad eseguirlo, gl'inviò i due compagni, scrivendo a S.A. mandarle due maestri, non due scolari, a' quali però senza tanto suo disegno ben avria dato l'animo di contentar pienamente S.A."[33]. I due compagni erano Francesco Gessi e Giangiacomo Sementi: a loro si potrebbe tentare di attribuire l'ideazione delle complesse figurazioni della volta della Galleria degli Specchi, che sembrano riproporre l'impianto degli affreschi reniani col celebre *Carro dell'Aurora* del Casino Rospigliosi; in ogni caso, secondo questa ricostruzione dei fatti, la galleria citata dallo storico bolognese dovrebbe essere quella di Palazzo Ducale, non un ambiente della Favorita.

Diversi artisti si erano ritrovati nell'autunno 1618 al servizio del duca: quattro pittori "per pingere a fresco" erano stati ricercati a Milano tramite il Cerano, che aveva deciso di inviarne quattro di "qualità diverse, sperando che tra tutti serviranno per qualsivogli lavoro e con ogni cellerità desiderata"[34]. Il 26 settembre 1618 venne emesso un mandato di pagamento in favore di alcuni osti della città per l'alloggio di pittori milanesi (all'oste del Pavone), bolognesi e un romano (all'oste del Sole) e doratori bresciani (all'oste del Bissone)[35]. Per i "bresciani" non sono emerse migliori indicazioni, ma si sa per sua ammissione che il romano Simone Basio qualificato come "pittore" o "indoratore" aveva provveduto alla doratura della Galleria di Ferdinando[36]. Basio tuttavia non era presente a Mantova in quei mesi del 1618: vi era stato l'anno precedente, approssimativamente tra gennaio e settembre; nel gennaio 1619 si trovava a Roma e si lamentava che il duca gli aveva preferito il doratore del cardinal Borghese; desiderava tornare nella città dei Gonzaga assieme a "doi giovani eccellenti, uno de' quali lavora di grottesche, et animali, e l'altro di paesi" che avrebbero soddisfatto Sua Altezza non meno di un pittore inviato in precedenza[37].

Nonostante il considerevole numero di artisti coinvolti nei lavori di decorazione della Galleria degli Specchi, che costituisce il più vasto ambiente ricoperto di affreschi di tutto il Palazzo Ducale, la firma di Carlo Santner sembra attribuire a questo pittore un ruolo non subalterno: forse a lui toccò organizzare il lavoro e il risultato finale, tutto sommato unitario, dovrebbe lasciar trasparire la sua diretta e preponderante partecipazione. Definire ulteriormente le varie collaborazioni non sembra allo stato attuale possibile, tanto meno procedere alla distinzione di mani; l'intervento settecentesco ha uniformato l'aspetto degli affreschi: se ai suoi tempi Cochin poteva affermare che non tutti i dipinti erano della medesima mano[38], poco più di cinquant'anni dopo Thonin osservava: "les peintres on eté reutochee et ont perdu beaucoup de leur valeur"[39].

Carlo Santner pittore di Monaco di Baviera e di Mantova

Carlo Santner è responsabile del carattere "vianesco" degli affreschi della galleria. Documenti d'archivio, seppur non abbondantissimi, consentono la ricostruzione della sua identità. Il suo testamento, datato 26 settembre 1627, costituisce senz'altro la più importante fonte di notizie[40]. Egli si dichiara cittadino di Monaco di Baviera e di Mantova "per decreto della felice memoria del Serenissimo Signor Duca Ferdinando", abita nella contrada del Corno ed è sposato con Anna Maria Mazzoni, ma più rivelatrice è la sua parentela tedesca. Suo padre Jacob era un ebanista, sua madre Margherita era figlia di Friedrich Sustris, uno dei più importanti pittori della Monaco di Guglielmo V, e sorella di Livia, sposa di Antonio Maria Viani. Margherita in seconde nozze aveva sposato Hans Krumper, lo scultore che eseguì i grandi gruppi bronzei per la Residenz dei Wittelsbach.

Il mondo degli artisti di Monaco era familiare a Carlo Santner che difatti possedeva numerosi disegni del nonno Friedrich Sustris; nel testamento ne lasciava ben cento in eredità al-

6. *Mantova, Palazzo Ducale, Galleria degli Specchi, Affabilità.*

7. *Mantova, Palazzo Ducale, Galleria degli Specchi, Liberalità.*

8. *Mantova, Palazzo Ducale, Galleria degli Specchi, Immortalità.*

9. *Mantova, Palazzo Ducale, Galleria degli Specchi, Intelletto (?).*

10. *Mantova, Palazzo Ducale, Galleria degli Specchi, Magnanimità.*

lo zio di acquisto Antonio Maria Viani, cui era destinata anche una "testa" di Pier Paolo Rubens. Diversi disegni erano ancora lasciati ai suoi garzoni di bottega, mentre si ha notizia di altri oggetti d'arte di sua proprietà, due piccoli dipinti raffiguranti un "Orfeo con animali" e una "Iudith" da consegnare dopo la sua morte al duca di Mantova, un quadro di "Nostro Signore con la Samaritana" di Giovanni d'Olanda da donare al figlio del notaio che stese il documento, una Madonna con angeli "de riglievo di marmore di mano del Corriggio" da destinare alla chiesa dei Cappuccini presso la sua chiesa parrocchiale di San Leonardo nella quale invece desiderava essere sepolto.

Altre carte recano traccia del soggiorno di Santner a Mantova a partire dal secondo decennio del Seicento: nel 1619 egli riceve un acconto dai canonici della chiesa di corte di Santa Barbara per dipingere otto paliotti per gli altari[41]; nello stesso anno i Cappuccini chiedono che venga liberata la casa assegnata a "messer Carlo pittore todesco"[42]; nel 1623 Santner accoglie un ignoto giovane "creato del Malombra" inviato in cerca di fortuna alla corte di Mantova[43]; nel 1624 è registrata la sua appartenenza alla parrocchia di San Leonardo[44].

L'epilogo della sua vicenda umana sembra adombrato in un secondo testamento datato 11 luglio 1630[45], durante l'assedio di Mantova da parte dell'esercito imperiale conclusosi una settimana dopo col sacco della città. Il documento è sottoscritto dal parroco di San Leonardo e non regolarmente redatto, per l'impossibilità del momento, da un pubblico notaio. Il pittore vi compare col nome italianizzato di Carlo Santinari; è ora sposato a Isabella Moroni, nominata tutrice della sua figlia Maria Margherita battezzata nel 1628[46]. Completamente dimenticati sono nel testamento i parenti tedeschi. Di Santner non si hanno poi più notizie dirette, ma sicuramente non sopravvisse a lungo: la sua seconda moglie, cui colle ultime volontà aveva destinato la "Madonna di rilievo di marmore" già promessa alla chiesa dei Cappuccini, si risposò nel 1631 col pittore Pietro Martire Neri[47].

Il catalogo di Carlo Santner può essere ricomposto a partire dagli affreschi della Galleria degli Specchi con l'avvertenza che essi costituiscono attualmente l'unica opera certa e non tutti sono di sua mano[48]. In Palazzo Ducale si segnalano per analogie stilistiche gli affreschi del corridoio dei Mori, i soffitti con la *Croce* e l'*Angelo* delle stanze delle Città, lo stanzino dei Quattro Elementi al Paradiso[49],

11. *Mantova, Palazzo Ducale, Galleria degli Specchi, Arti Liberali.*

in ambienti topograficamente vicinissimi alla Galleria degli Specchi. Ancora ai piani superiori dell'appartamento del Paradiso in due stanze ora adibite a laboratorio fotografico compaiono nei soffitti figure allegoriche non diverse da quelle della Galleria degli Specchi: in un ambiente, incorniciato a stucco, è un ovale con lo stemma Medici-Gonzaga sorretto da putti e sormontato dall'impresa di Ferdinando del sole col motto "Non mutuata luce"; nella stanza adiacente in due riquadri sono figure allegoriche, la *Fama* e la *Gloria dei Principi*. Altri affreschi attribuibili a Santner denunciano nel palazzo i luoghi dell'intervento di Ferdinando, le allegorie delle *Stagioni* nella cosiddetta loggia di Eleonora, le *Divinità olimpiche* e alcuni *Putti* e *Vittorie* nella Galleria dei Marmi[50], varie figure a monocromo in quella della Mostra. A Palazzo Te sembrano riferibili a Carlo Santner tre piccoli ottagoni di soggetto ignoto situati nella grotta del giardino Segreto[51].

Fuori dalla corte l'intervento del pittore tedesco è da riconoscere in Palazzo Arrigoni dove un ambiente è affrescato col motivo delle *Virtù*[52] come nella Galleria di Ferdinando. Anche quadri di carattere religioso sono da attribuire a lui, il *Martirio di Santa Caterina* della Biblioteca Comunale e la pala della cappella Strozzi nella chiesa delle Grazie accompa-

gnata da affreschi nel soffitto dalla inconfondibile atmosfera bavarese.

Tutta questa produzione è accomunata da omogenei caratteri: colori vistosi, forme magniloquenti, tratti a volte grossolani o viceversa modi e atteggiamenti eccessivamente affettati. I temi rappresentati rispecchiano la cultura dell'epoca con predilezione per allegorie e immagini simboliche che visualizzano concettosi argomenti filosofici e morali, analoghi a quelli divulgati con apparati effimeri messi in opera in svariate occasioni.

I modelli di questo tipo di decorazioni si ritrovano nella Germania meridionale, nel palazzo dei Fugger ad Augusta, nella Residenz di Monaco, nel castello di Trausnitz. Non meraviglia che il duca Ferdinando si sia servito di un pittore tedesco. Egli stesso aveva studiato per un anno presso l'università di Ingolstadt in Baviera e aveva visitato Augusta e Monaco, dove era rimasto ammirato dalla bellezza della chiesa gesuitica di San Michele[53], che contiene importanti dipinti del manierismo bavarese, le pale d'altare di Christoph Schwartz, di Ulrich Loth, di Hans van Aachen, di Alessandro Paduano, di Peter Candid e di Antonio Maria Viani. Ancora dopo il sacco di Mantova un viaggiatore, Martin Zeiller, ricordava che Ferdinando aveva particolarmente favorito la nazione tedesca isti-

12. Mantova, Palazzo Ducale, Galleria degli Specchi,
Innocenza.

13. Mantova, Palazzo Ducale, Galleria degli Specchi,
Filosofia (?).

tuendo nel 1625 nella sua città un'"università" dotata di speciali autonomie[54].

D'altra parte legami dinastici e politici avevano da sempre orientato i Gonzaga verso l'Impero. Sono state riscontrate analogie tra la cultura della corte di Vespasiano Gonzaga e quella imperiale[55]; ma se il duca di Sabbioneta aveva arredato il Corridor Grande con corni di selvaggina come aveva visto a Praga presso Rodolfo II, a Mantova Vincenzo Gonzaga in occasione della visita di alcuni ospiti aveva chiesto al padre Guglielmo di trasformare la sala di Troia in una "stufa alla tedesca"[56] e più tardi riorganizzò le sue gallerie ispirandosi ai modelli del Grottenhof e dell'Antiquarium di Monaco. Dal giardino del Padiglione, attraverso un portico imitante una grotta, si accedeva salendo pochi gradini alle Gallerie di Passerino, della Mostra con l'annessa "Zoiolera"[57] e quindi alla Galleria dei Marmi e alla sala di Troia dove erano ospitate eterogenee collezioni: una serie di ambienti che i viaggiatori tedeschi nelle loro ammirate descrizioni definivano coi termini familiari di *Kunstkammer, Wunderkammer* o *Schatzkammer*[58]. Tutto il Palazzo Ducale coi suoi cortili a logge o le facciate dipinte ad architetture illusionistiche, come a Monaco o Ambras, si presentava agli occhi dei contemporanei più vicino al gusto nordico di quanto ora non sembri, e alabardieri tedeschi montavano la guardia nella sala dell'appartamento di Castello – la sala di Manto – detta appunto dei Tedeschi[59]. In questo contesto gli affreschi di Santner non dovevano essere fuori luogo, anche tenendo conto della sicurezza di

gusto di Ferdinando che incrementava le sue raccolte con le opere dei maggiori pittori moderni di Roma: come Fetti, suo pittore di corte, Baglione, Brill, Gramatica; di Bologna: come Albani, Guercino, Reni, Tiarini.

L'iconografia della galleria. Le "virtù" di Ferdinando

Ferdinando era orgoglioso della sua galleria. Lo scrittore d'arte Cesare Malvasia riporta il racconto del pittore bolognese Alessandro Tiarini: invitatolo a Mantova, il Gonzaga lo accolse nella galleria e, tenendolo con una mano, con l'altra gli mostrava i quadri della sua collezione ancora staccati dalle pareti, chiedendogli dei giudizi e al momento della partenza, ricevendo il saluto del pittore, "balzato giù dal letto e postosi attorno una giubba felpata, e così a gambe nude uscito nella galleria contigua, discorresse una buona hora intera (facendolo con lui passeggiare) d'infinite invenzioni, che voleva far dipingere in quel suo palazzo"[60].

Le "invenzioni" di Ferdinando per la galleria si dispiegano nella volta, nelle lunette su cui essa è impostata e nei due grandi lunettoni di testa. Cornici di stucco dorato disegnano una semplice trama simulando aperture sul cielo, dove si stagliano imponenti figure dipinte. Grottesche, geni e vittorie a monocromo si alternano nelle unghie e nelle vele delle lunette, che sulla lunga parete esterna sono occupate da finestre rettangolari incorniciate da putti affrescati. Putti che reggono festoni, a monocromo su fondo oro, sono anche nel fregio che corre intorno alla galleria, interrotto da

16. Mantova, Palazzo Ducale, Galleria degli Specchi, Umiltà.

mensole con aquile in corrispondenza dei peducci delle lunette; stemmi purtroppo privi di connotazione – forse scialbati – si distribuiscono nelle varie campiture del fregio.

Non è intuibile una logica particolare che governi le immagini figurate e conviene pertanto ricavare un ordine di lettura dal probabile percorso originario della galleria. All'adiacente appartamento Ducale si accede salendo lo scalone che immette nella sala degli Arcieri; da qui si può raggiungere immediatamente la galleria nel lato corto ovest; presso le testate precedono e seguono le lunette brevi tratti di volta affrescati con figure allegoriche che continuano poi nelle lunette. Quasi tutte queste figure sono interpretabili per mezzo dell'*Iconologia* dell'erudito perugino Cesare Ripa, la cui prima edizione apparve nel 1593[61]. Per più di due secoli questo testo conobbe largo successo presso gli artisti, che lo impiegarono per tradurre in immagini le allegorie descritte con abbondanza di simboli e attributi.

Entrando e seguendo a destra la parete interna si incontra nello spazio inferiore del tratto di volta a botte la personificazione della *Concordia*, dipinta seduta su nubi, con un melograno nella destra e nella sinistra uno scettro di fiori e frutti; in testa ha una ghirlanda, forse di mortella che, come la cornacchia che spiega le ali in cielo, è attributo che le compete[62]; in basso emergono dalla cornice putti che mostrano vegetali simbolici, un ramo di fico, un carciofo, un mazzetto di fiori, un melone. La lunetta vicina raffigura l'*Eloquenza* che corrisponde alla descrizione di Ripa: "Giova-

17. Mantova, Palazzo Ducale, Galleria degli Specchi, Carro del Sole.

ne bella, col petto armato e colle braccia ignude. In capo avrà un elmo circondato di corona d'oro. Al fianco avrà lo stocco. Nella mano destra una verga. Nella sinistra un fulmine. Sarà vestita di porpora..."[63].

Segue la *Benignità* con un ramo che reca una pigna e un elefante: il pino, spiega Ripa, è simbolo di benignità, perché, per quanto si estendano i suoi rami, consente la crescita anche delle piante del sottobosco; l'elefante è tradizionalmente associato alla mansuetudine[64].

Nella lunetta successiva è raffigurata una donna alata che tende il braccio mostrando un cerchio d'oro: le guide di palazzo si compiacciono di rilevare l'illusorio effetto prospettico del braccio che sembra rivolto all'osservatore in qualunque posto egli si trovi. La figura rappresenta l'*Immortalità*: l'anello infatti, per la forma circolare, "non ha termine dove finisca"; l'oro è il meno corruttibile dei metalli e le ali alludono alla "sollevatione da terra, la quale non sostiene se non cose mortali"[65].

Meno chiaro appare il significato della personificazione della lunetta vicina; i suoi attributi, la corona d'oro, i capelli biondi, lo scettro nella destra e l'aquila nella sinistra, corrispondono a quelli dell'*Intelletto* (corona e scettro sono segni di dominio delle passioni; i capelli indicano la "vaghezza delle sue operationi", l'aquila la sua superiorità); tuttavia Ripa descrive l'allegoria come un "giovanetto ardito"[66] e forse qui è stato trasformato in figura femminile per uniformità con le altre immagini simboliche.

Nessun dubbio presenta invece l'identificazione della successiva allegoria, la *Magnanimità*: le si addicono il vestito d'oro, la corona imperiale, lo scettro, il leone e la cornucopia da cui scorrono monete d'oro[67].

L'*Affabilità* nella prossima lunetta corrisponde alla "giovane vestita d'un velo bianco e sottile" di Ripa, con la faccia allegra, una rosa nella destra e una ghirlanda di fiori in capo[68].

Nell'ultima lunetta è affrescata la *Liberalità*, vestita di bianco come prescrive l'*Iconologia*, perché il colore "è semplice e netto, senza alcun artificio", così la liberalità "è senza speranza di vile interesse", con l'aquila sul capo perché Plinio afferma che l'aquila divide la propria preda con gli altri uccelli, con un compasso nella mano perché dovrà misurare i meriti e i bisogni di ogni beneficiato, con due cornucopie, una di ori e preziosi, l'altra di frutti e fiori a significare che "l'abbondanza delle ricchezze è convenevole mezzo di far venire in luce la liberalità"[69].

Segue nel breve spazio di volta a botte l'*Innocenza*, apprezzata da Antoldi "per la vaga morbidezza e perfezione nel disegno"[70] e descritta da Ripa come "Giovanetta coronata di palma. Starà in atto di lavarsi ambo le mani in un bacile posto sopra un piedestallo, vicino al quale sia un Agnello o una Pecora"[71].

A parte il piedestallo del bacile, sostituito da un putto alato – un altro versa l'acqua – la corrispondenza è perfetta.

Nel grande lunettone della testata orientale sono raffigurate le *Arti Liberali*. Sono facilmente riconoscibili, da sinistra, la Grammatica con una tavola che reca inciso l'alfabeto; l'Aritmetica con una tabella di numeri; la Dialettica con un elmo adorno di due pennacchi e uno stiletto a due punte a significare le antitetiche possibilità di argomentare. Al centro è la Musica che suona la viola a mano, seguita dall'Astronomia col compasso e il globo celeste, la Geometria con un foglio su cui sono disegnate figure e infine la già citata Retorica coi suoi libri ai piedi. Ignota è la personificazione che sovrintende, forse un'Abbondanza con scettro (?) e cornucopia[72].

La parete esterna aperta da due ordini di finestre, quelle nei muri di tamponamento delle arcate e quelle più piccole nelle lunette, reca solo due figure allegoriche nei tratti estremi voltati a botte, entrambe di difficile interpretazione e non reperibili nell'*Iconologia* di Ripa. Verso il lunettone delle *Arti Liberali* una figura in ampie ma non lussuose vesti, con gli occhi volti al cielo e una mano sul petto, mostra di salire su un più alto gradino di nubi; ai piedi putti alati reggono o consultano libri. Si

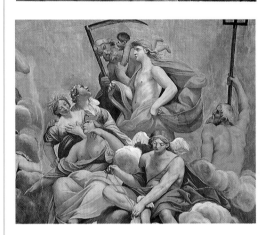

18-20. *Mantova, Palazzo Ducale, Galleria degli Specchi, Concilio degli dei.*

potrebbe interpretare come la *Filosofia* che la lettura di Ripa solo in parte può accreditare: "Donna giovane, e bella, in atto di avere gravi pensieri. Ricoperta con un vestimento stracciato in diverse parti, talché ne apparisce la carne ignuda... Mostri salire una Montagna molto malagevole, e sassosa, tenendo un libro serrato sotto il braccio..."[73].

Simmetricamente all'estremità opposta, una figura femminile seminuda, seduta su nubi, alza la destra su cui arde una fiamma; nella sinistra tiene uno scettro e un ramo di palma; in capo una corona (di alloro?) e una di perle; in basso putti esibiscono monete d'oro e collane che debordano anche da un bacile. Si direbbe, stando ai tradizionali significati dei simboli, un'allegoria non molto diversa dalla già presente Liberalità, che secondo Ripa può essere rappresentata in diversi modi, uno dei quali prevede anche "un bacile pieno di gemme, e di monete d'oro" distribuite a "Puttini ridenti ed allegri, che da sé stessi se ne adornino, e le portano in mostra, per la gratitudine"[74]; il fuoco potrebbe significare carità o benevolenza, la corona e lo scettro lasciare intendere che l'esercizio della virtù rappresentata è prerogativa di principe: si potrebbe pertanto concludere ritenendola la *Munificenza*.

Nel lunettone della testata ovest è rappresentato il *Parnaso*, sebbene manchi il cavallo Pegaso che Zaist erroneamente asseriva presente. Al centro in posizione elevata è Apollo con la lira, seduto tra due alberi e davanti a lui le Muse[75]. Si identificano da sinistra Erato con la viola e i lunghi capelli, Tersicore con la tromba, Clio con la corona di alloro e un libro con la scritta "TVCIDIDES", come prescrive Ripa; seguono Urania con una sfera armillare, Melpomene con scettri e corone e un pugnale nella destra, Talia con una maschera ai piedi, Polinnia con un libro che reca scritto "SVADERE", Euterpe individuata dal flauto che tiene in mano e infine Calliope che appoggia il piede su libri ammonticchiati. Agli angoli, in due gruppi, poeti o uomini illustri entrano nella composizione con le sole teste coronate di alloro. Controverse sono le identificazioni proposte: di solito sono ritenuti ritratti di poeti e artisti mantovani[76], ma nel gruppo di sinistra sono ravvisabili con maggior credibilità Dante, Petrarca, Ariosto e Boccaccio; a destra sembra possibile riconoscere Torquato Tasso nella figura barbuta pressoché calva.

La parte centrale del soffitto è divisa in comparti di diversa superficie. Ripercorrendo la galleria dalla sala degli Arcieri si trova dap-

21. *Mantova, Palazzo Ducale, Galleria degli Specchi,*
Carro della Notte.

22. *Mantova, Palazzo Ducale, Galleria degli Specchi,*
Felicità eterna.

prima l'*Umiltà*, che somma gli attributi di due differenti descrizioni di Ripa. Corrisponde cioè alla "Donna vestita di color berrettino, colle braccia in croce sul petto. Terrà con una mano una palla ed una cinta al collo. La testa china, e sotto il pié destro avrà una corona d'oro…", ma si distingue anche la "vipera morta, avvitticchiata intorno ad uno specchio tutto rotto", attributo che si legge in altra redazione dell'allegoria[77]. La palla è simbolo di umiltà perché rimbalza se gettata a terra e si presta a illustrare il motto evangelico che vuole l'esaltazione degli umili, la vipera attorcigliata indica l'odio e l'invidia vinti; lo specchio rotto, il superamento dell'amor proprio; la corona ai piedi il disprezzo delle cose umane.

Nel più ampio riquadro adiacente è il *Carro del Giorno* trainato da una quadriga presso la fascia dello Zodiaco (si intravedono i segni della Bilancia, dello Scorpione e del Sagittario); la figura raggiante del Sole accende il cielo di una diffusa luce dorata.

Ancor più esteso è lo spazio centrale dove su nubi è il *Concilio degli dei* rappresentati secondo le tradizionali iconografie e quasi tutti riconoscibili senza difficoltà.

Più oltre corrisponde al *Carro del Giorno* quello *della Notte*, che i viaggiatori settecenteschi ritenevano l'*Aurora*. Sul fondo stellato in cui volano pipistrelli e uccelli notturni, due pariglie di cavalli bai – "neri macchiati di bianco", scrive inspiegabilmente Antoldi[78] – trascinano il cocchio alato su cui siede la Notte che stende sopra di sé un velo nero.

Presso la testata orientale infine, la "figura d'uomo" che Cochin annoverava "tra le pitture più belle e più degne" di "Giulio Romano"[79] è in realtà l'allegoria della *Felicità Eterna*, indubbiamente rispondente alla "Giovane ignuda colle trecce d'oro e coronata di lauro" dell'*Iconologia*, "bella risplendente e seduta sopra il cielo stellato con una palma nella sinistra, una fiamma nella destra e gli occhi volti in alto in segno di allegrezza"[80].

Il repertorio figurativo scelto da Ferdinando per la galleria può sembrare comune e convenzionale. Le pareti e i soffitti delle sale di rappresentanza dell'epoca erano inflazionate di allegorie. Per limitare gli esempi alla sola Mantova si ricordano le virtù e i simboli che accompagnano le scene di mitologia o di storia antica affrescate da Giulio Romano in Palazzo Te; in Palazzo Ducale statue allegoriche di stucco inquadravano i *Fasti gonzagheschi* di Tintoretto (Monaco, Alte Pinakothek), a esaltazione del valore dei Gonzaga che furono marchesi di Mantova[81]; una camera "delle

23. *Domenico Fetti, Domiziano. Pommersfelden, Castello Weissenstein, Gemäldegalerie.*

24. *Tiziano, Deposizione. Parigi, Museo del Louvre.*

Virtù" tuttora esistente era compresa nell'appartamento Grande di Castello del duca Guglielmo[82], mentre, se non proprio a Mantova, decorata con figure allegoriche era la galleria annessa dal duca Vespasiano Gonzaga al palazzo del Giardino di Sabbioneta[83].

Meno frequente è trovare nel tardo Cinquecento o nel primo Seicento rappresentazioni delle Arti Liberali, almeno così riunite, ma il Parnaso con le Muse aveva a Mantova un illustre precedente nel quadro di Mantegna per lo Studiolo di Isabella d'Este, dove anche Virtù e Vizi partecipavano al programma iconografico. Un'incisione del *Parnaso* di Raffaello, che l'affresco della sala degli Specchi ricorda vagamente nell'impostazione, venne poi inviata nel 1608 a Ferdinando allora cardinale[84] ed è molto probabile che quando rivestiva la porpora egli avesse avuto diretta conoscenza delle Stanze vaticane; divenuto duca ordinò ben due serie di Apollo e le Muse in quadri separati al pittore Giovanni Baglione. Quanto ai *Carri del Giorno* e *della Notte* basterà avvicinarli alla raffigurazione del *Sole* e della *Luna* di Giulio Romano a Palazzo Te, che ebbe ininterrotta fortuna fino a costituire un genere a sé[85] e la stessa cosa vale per il *Concilio degli dei* rappresentato innumerevoli volte nelle sale dei palazzi italiani dal Cinquecento fino al secolo scorso.

Non diversamente dai suoi contemporanei Ferdinando annetteva particolare importanza a simboli e allegorie e ne conosceva i significati. Nel 1617 commissionò, forse a Guido Reni, un dipinto non identificato rappresentante *La Giustizia e la Pace che si abbracciano*[86], e indice di come i simboli entrassero nella sua vita può essere un brano di lettera che egli inviò nel 1616 a Camilla Faà, la sua prima moglie sposata segretamente e poi respinta: "pere e fagiani. L'uno fruto d'un arbore stabile anzi immobile, l'altro uccel velloce che presto s'invola agl'occhi altrui col volo. L'uno et l'altro vi mando, non senza misterio. Significa il primo che la stabilità immobile dal arbore del mio amore ha in voi fisso le raddici et consecrato a voi tutti i frutti suoi, quanti e quali egli se ne produce. Significa il secondo la mobilità et velocità del mio pensiero… Godete adunque il simbolo dell'uno e dell'altro"[87].

La lettera suggerisce anche di mantenere un'opportuna distanza tra l'immagine che Ferdinando presentava di sé e l'effettiva realtà delle cose.

Sembra quindi credibile che le Virtù della Galleria degli Specchi alludano alla persona del duca, anche se alcune di esse non possono trovare riscontri che nell'adulazione dei cortigiani. Risulta oggettivamente difficile, per quanto si conosce, ascrivere a Ferdinando virtù come l'umiltà o l'innocenza, mentre sembra quasi ovvio riconoscergli tutte le prerogative dei principi, come la magnanimità o la liberalità. Le virtù necessarie al principe erano in ogni modo specificate in un panegirico a lui dedicato da Vito Ordelaffi, dottore dell'Almo Collegio di Mantova[88].

L'interesse di Ferdinando per le lettere e le scienze, culminato con l'istituzione a Mantova nel 1624 di uno studio pubblico (chiamato anche Accademia o Università o Ginnasio) affidato ai gesuiti, dove si svolgevano corsi di teologia, filosofia, lettere, diritto civile e canonico, può essere il motivo determinante la scelta del tema delle Arti Liberali e anche il Parnaso può esser stato dettato dalle particolari attitudini di Ferdinando, autore di testi per spettacoli teatrali e di composizioni musicali e letterarie[89]. Non meno che con uomini di scienza, come gli accademici dei Lincei, tra i quali Galileo e il matematico e cartografo Giovanni Antonio Magini, il "bellissimo ingegno" del Gonzaga intratteneva fitte relazioni con musici, compositori e cantanti, come Claudio Monteverdi, Iacopo Peri, Tristano Martinelli, Adriana Basile[90]. Nel suo rapporto al senato della repubblica, l'ambasciatore veneto Giovanni da Mulla così sintetizzava le straordinarie capacità del duca di Mantova: "È questo principe di vivissimo ed acutissimo ingegno, di bel spirito e di grandissima attitudine a tutte le cose. Ma nei studi particolarmente ha fatto gran progresso, essendo stato tenuto dal duca Vincenzo suo padre gran parte della sua gioventù in Germania ed in Pisa in studio, avendo avuto sempre concetto di applicarlo alla corte di Roma e che fosse cardinale. Ha una memoria stupenda, e professa di non si scordar mai quello che una volta abbia veduto o letto; il che gli riesce anco molto felicemente. Possiede francamente, oltre l'ordinaria nostra volgar lingua, la latina, la todesca, la francese e la spagnola, e legge ancor bene l'ebrea e la greca... Ha scritto molto in filosofia ed in teologia, ma soprattutto fa professione delle materie legali... Della poesia si diletta estraordinariamente: ha sempre come si suol dire per le mani tutti li buoni poeti antichi e moderni, così volgari come greci e latini e compone leggiadramente e gode di raccontar quello che ha composto e che siano commendate le sue composizioni. Ha gusto grandissimo della musica ed è in essa molto versato, mettendo egli stesso con molta facilità diverse delle sue composizioni in musica, che le fa poi cantare, e riescono stupendamente... e m'affermò più volte di non aver avuto altro reffrigerio o sollievo in quest'ultimi importantissimi travagli che quello della musica... E veramente l'inclinazion della natura lo porta incredibilmente al gusto della musica e della poesia"[91].

Una diretta allusione a Ferdinando sembra ravvisabile nel riquadro col *Carro del Giorno*. Il sole col motto "Non mutuata luce" era il suo emblema e lo fece riprodurre sul verso dei ducatoni d'argento, col proprio ritratto sull'altra faccia sia da cardinale, sia da duca[92]. Benché fosse frequente paragonare i principi al sole e all'aurora[93], le circostanze storiche che videro la decorazione pittorica della galleria inducono a ritenere che la splendente raffigurazione del carro solare debba in questo caso riferirsi solo a Ferdinando; si può aggiungere che i pochi segni dello Zodiaco che si indovinano illuminati dall'aureola raggiante potrebbero avere qualche significato astrologico.

Parallelamente non si esclude che la raffigurazione simmetrica del *Carro della Notte* possa alludere alla duchessa Caterina de' Medici, sebbene siano da tenere presenti diverse alternative, come Vincenzo II, il cui carattere venne accostato nell'elogio funebre alla luna in contrapposizione al sole del fratello Ferdinando[94].

L'ampia illustrazione dell'Olimpo al centro del soffitto può accordarsi alla generale glorificazione di Ferdinando, forse pure con significato astrologico, del tipo di altre simili raffigurazioni nei palazzi gonzagheschi; l'esempio più vicino, anche cronologicamente, può essere indicato nella tela di Rubens rappresentante un'*Assemblea degli dei*, ora nella galleria del Castello di Praga, ma presumibilmente sottratta durante il sacco del Palazzo Ducale di Mantova, in cui si ravvisa l'oroscopo di Vincenzo Gonzaga, padre di Ferdinando[95].

Le collezioni nella galleria al tempo di Ferdinando Gonzaga

Mentre non si conoscono le opere d'arte conservate nella Galleria degli Specchi negli anni di Vincenzo Gonzaga, l'inventario del 1626-1627 fornisce l'elenco di quanto vi si trovava in seguito a un ordinamento dovuto con ogni probabilità al duca Ferdinando[96].

Appesi alle pareti del "logion serato" erano quarantasei quadri, alcuni superstiti e rintracciabili in vari musei e collezioni; copie o disegni preparatori tramandano la memoria di opere perdute, integrando in parte le nostre conoscenze. Gli undici *Cesari* di Tiziano – al primo punto dell'inventario – distrutti nell'incendio dell'Alcazar di Madrid nel 1734, sono noti solo da copie[97]: tra le più antiche che si segnalano quelle del museo di Capodimonte a Napoli eseguite da Bernardino Campi nel 1561-1562 per Ferdinando Francesco d'Avalos giunto a Mantova in occasione del matrimonio di Guglielmo Gonzaga[98]; il pittore cremonese completò la serie canonica dei dodici Cesari di Svetonio con un ritratto di Domiziano[99], tuttavia il *Domiziano* d'Avalos si differenzia da quello che integrò la serie mantovana – nell'inventario attribuito a Giulio Romano – così come è presumibilmente ricostruibile dall'incisione di Aegidius Sadeler (1593-1594 circa)[100] o con minore probabilità dal dipinto di Domenico Fetti di Pommersfelden (1616-1617 circa)[101]. Tra gli altri dipinti di Tiziano che si trovavano nella galleria sono identificabili la "Lucrezia", quasi sicuramente *Tarquinio e Lucrezia* del Kunsthistorisches Museum di Vienna[102], e la *Deposizione* (Louvre); rimane senza riscontro la "Madonna col Bambino e vari ritratti". Correggio era presente con due dipinti, l'*Educazione di Amore* della National Gallery di Londra e *Giove e Antiope* del Louvre; Andrea del Sarto con la *Madonna col Bambino e San Matteo* del Prado detta tradizionalmente la "Madonna della scala"[103]; Paolo Veronese con un *Mosè salvato dalle acque* non individuabile tra le varie versioni giunte fino a noi.

Un numero maggiore di dipinti spettavano a Giulio Romano. Oltre alla *Sacra Famiglia* detta "la Perla" (Madrid, Prado) in passato attribuita a Raffaello e a un perduto *San Girolamo*, l'inventario registrava dieci dipinti con un "Imperador per quadro a cavallo" e dodici quadri con "favole". Della prima serie, forse in origine di dodici pezzi come ritiene Shearman, rimangono sette dipinti (tre a Marsiglia, due ad Hampton Court, uno a Oxford e uno a Nardford Hall)[104], dell'altra, troppo genericamente indicata, si recuperano i soggetti di sei quadri per mezzo di una lista di dipinti della "sala del Lozone" – evidentemente ancora la galleria – interessati dalle trattative di vendita col mercante Daniele Nys qualche anno dopo la morte di Ferdinando: l'elenco pubblicato da Alessandro Luzio nel 1913 comprende: "Un Ercole fanziullo che doma i serpenti / Un Giove nutrito dalla Capra Amaltea / Un quadro della Psiche / Il rogo di Ottone imperatore / Nettuno sopra una conchilia tirato da Cavalli / Perseo che taglia la testa a Gorgone"[105]. Di questi è giunto fino a noi solo il *Giove nutrito dalla capra Amaltea* (Hampton Court), ma la "Psi-

*25. Correggio, Giove e Antiope. Parigi, Museo
del Louvre.*

che" potrebbe identificarsi con la *Pandora* della Galleria d'Arte Antica di Roma[106]; il "rogo di Ottone" è delineato nei rilievi di Ippolito Andreasi del Gabinetto dei Cesari di Palazzo Ducale (Düsseldorf, Kunstmuseum)[107]; "Nettuno" è noto dai disegni preparatori di Digione (Musée des Beaux-Arts) e già collezione Ellesmere, nonché dall'incisione di Giulio Bonasone[108]; "Perseo" è forse riportato in un'incisione anonima di ambiente veneto della seconda metà del Cinquecento[109] e una stampa di Agostino Veneziano, *Ercole strangola i serpenti nella culla*, ritenuta di invenzione di Giulio Romano o un più semplice disegno del Victoria and Albert Museum potrebbero essere in relazione col quadro della "sala del Lozone"[110].

Gli ultimi due numeri della lista di Nys appartennero a Carlo I d'Inghilterra che entrò in possesso di gran parte della raccolta mantovana. Si potrebbe congetturare che altri dipinti di Giulio Romano della sua collezione non menzionati negli elenchi mantovani, come la *Nascita di Apollo e Diana*, il *Sacrificio della capra a Giove* di Hampton Court e il *Trionfo di Vespasiano e Tito* del Louvre, rientrassero tra le favole di soggetto ignoto della Galleria degli Specchi.

L'inventario del 1626-1627 nomina inoltre nel "lozone dei quadri" un numero considerevole di sculture[111], purtroppo di non facile identificazione: dodici ritratti di imperatori, dodici altre teste, un bronzo con "Ercole che porta una donna e un vecchio seduto tra i piedi", nove altre teste di marmo, "Tre teste di bronzo con li busti cioè un Ercole con una pelle di leone, una dona con due corone in capo, et un'altra con una girlanda de vigne": le ultime due si ritiene corrispondano a due busti dell'Antico, la *Cleopatra* del Museum of Fine Arts di Boston e l'*Arianna* del Kunsthistorisches Museum di Vienna[112].

Altre sculture presenti nel corridoio di Santa Barbara nel 1627 vennero portate in galleria qualche tempo dopo, come si deduce confrontando l'inventario con la lista di Nys[113]; così altri busti (di cui uno di pietra rossa), venti statue di diverse dimensioni, "quattro puttini che dormono" (tra questi erano certamente compresi l'*Amore dormiente* di Michelangelo e quello fantasiosamente attribuito a Prassitele, provenienti dalla Grotta di Isabella)[114], "un bassorilievo antico di un morto con altre figure", identificato col frammento sinistro del rilievo del sarcofago col *Mito di Medea*, tuttora in Palazzo Ducale[115] e ancora, una testa in "medaglia grande" e un'altra di "pietra negra".

26. *Giulio Romano, Madonna detta "la Perla". Madrid, Museo del Prado.*

Alcune sculture seguirono la sorte dei dipinti e figurarono nella collezione di Carlo I d'Inghilterra, ma altre, incastrate nelle pareti, rimasero più o meno a lungo *in situ*. Nel 1714, dopo la caduta della dinastia gonzaghesca, il soprintendente ai palazzi Giosafat Barlaam Bianchi lamentava la scomparsa di "due soprausci, cioè due pietre intagliate d'allabastro, una di forma rotonda e l'altra quadra di non modico valore"[116], mentre nel 1739 il presidente De Brosses segnalava "due bassorilievi sulle porte"[117]. Cadioli nel 1763 notava "tre sopruscj... di basso rilievo, due di stucco, ed uno di pietra viva, lavorati sul gusto greco" e ne ammirava "il buon disegno, e la viva, e felice esecuzione d'ognun di loro"[118]; nel 1775 il soprintendente alla Scalcheria Antonio Maria Romenati per ordine del conte di Firmian, ministro plenipotenziario, consegnava all'abate Carli, segretario della Reale Accademia, il "Bassirilievo grande levato sopra la Porta della Galleria nell'appartamento Ducale, rappresentante il pianto di un Morto, di otto figure"[119], cioè il frammento del rilievo del sarcofago di Medea. Nel 1779 infine, durante i lavori di risistemazione della galleria, Paolo Pozzo recuperò per il Museo dell'Accademia due pannelli che vennero consegnati a Leopoldo Camillo Volta, il quale li descrisse come "il Dio Fauno sopra un carro tirato da due capri in atto di essere trattenuto dalla Ninfa Ciparisso" e "Bacco che in compagnia di Sileno dispensa da un otre il vino ai fauni e alle Ninfe che gli stanno attorno"[120]. I rilievi di marmo greco, già ritenuti imitazioni dall'antico del Rinascimento, ma ora riconosciuti di epoca augustea, appartengono attualmente alle raccolte del palazzo[121].

Sculture e dipinti collocati nella Galleria degli Specchi denunciano il sacrificio di arredi e allestimenti precedenti, soprattutto dell'appartamento di Troia. I *Cesari* di Tiziano, gli *Imperatori a cavallo*, il *Rogo di Ottone* di Giulio Romano si trovavano nel Gabinetto dei Cesari; la "Psiche" e i due dipinti di Correggio nel camerino dei Falconi[122], il "Nettuno", da leggere come *Nettuno prende possesso del mare*, faceva parte di una serie di quattro quadri, *Gli dei si spartiscono il mondo*, forse collocati nella camera delle Teste[123]; *Giove nutrito dalla capra Amaltea* apparteneva a un diverso ciclo di dipinti, benché non si conosca il luogo che li ospitava in origine[124].

Quanto alle sculture è noto che i due pannelli augustei e forse anche il rilievo di Medea decoravano precedentemente la Galleria dei Marmi[125]. L'appartamento di Isabella d'Este della Grotta subì analoghe manomissioni:

28. Giulio Romano e scuola, Tre imperatori romani. Marsiglia, Musée des Beaux-Arts.

27. Andrea del Sarto, Madonna col Bambino e San Matteo. Madrid, Museo del Prado.

dalla corrispondenza di Nys si apprende che, oltre agli *Amorini dormienti* di Michelangelo e Prassitele, figuravano saltuariamente nella galleria anche le due *Allegorie dei Vizi* e *delle Virtù* di Correggio dello Studiolo[126].

La spoliazione dei più celebri ambienti della residenza gonzaghesca era forse resa necessaria da motivi contingenti. Fin dal 1604 il duca Vincenzo era a conoscenza che i dipinti collocati nella "sala di Troia e nella Galarietta... [erano] mal andati et guasti" e la duchessa prese i più urgenti provvedimenti[127]; nel 1611 poi, Borgani restaurava quadri di Tiziano e non si può escludere che vi fossero compresi i *Cesari* dell'appartamento di Troia. Ferdinando riordinò sicuramente la Galleria dei Marmi dove Santner completò la decorazione della volta e delle lunette; forse a quell'epoca il rilievo di Medea venne diviso in due pezzi che trovarono posto nella Galleria degli Specchi e nella nuova villa della Favorita, dove finì pure la fronte di sarcofago con la *Battaglia tra Greci e Amazzoni* che dai tempi di Federico II si trovava sulla porta d'accesso alla sala di Troia[128].

Se non un preciso disegno unitario, almeno un costante criterio di omogeneità sembra al-

la base del riordinamento delle gallerie mantovane tra la fine del Cinquecento e i primi decenni del Seicento, dal ducato di Vincenzo a quello di Ferdinando. La Galleria degli Specchi pertinente all'appartamento Ducale, il più importante del palazzo, venne adibita a contenere, pur in numero relativamente limitato, solo dipinti della prima metà del Cinquecento, che godevano all'epoca di altissima e consolidata fama, nonché di adeguata stima commerciale, chiaramente espressa nelle valutazioni dell'inventario e nelle note di vendita al mercante Nys. Si potrà tutt'al più escludere da queste considerazioni gli *Imperatori a cavallo* di Giulio Romano (o meglio della bottega), la cui presenza si giustificava tuttavia come contorno ai più preziosi *Cesari* tizianeschi. Nessun dipinto era comunque frutto di acquisti di Ferdinando Gonzaga. La Madonna detta "la Perla" e la "Madonna della scala" vennero comprate da Vincenzo rispettivamente dai Canossa di Verona e dalla famiglia Iacopi di Firenze[129]; il dipinto di Paolo Veronese era appartenuto a Guglielmo[130]; a Federico II risalivano i quadri di Tiziano, Correggio e Giulio Romano.

Viceversa la Galleria della Mostra assieme a

opere di antichi maestri, e celebratissime, come i *Trionfi* di Mantegna, ospitava anche dipinti "moderni", di Porbous, Rubens, Caravaggio, Baglione, Fetti, Guercino; il corridoio di Santa Barbara, altrimenti detto "Bottega della Mostra"[131], sembra venisse utilizzato come magazzino e vi erano collocati moltissimi quadri, ma solo a pochi di loro era attribuito alto valore d'inventario. La sala di Troia e forse anche altre stanze vicine dovevano contenere principalmente oggetti d'arte. Appare quindi evidente lo scopo celebrativo e di rappresentanza al più alto livello riservato alla Galleria degli Specchi, sia per l'ampia superficie affrescata, sia per i dipinti accuratamente selezionati tra lo sterminato numero di proprietà dei Gonzaga.

Quanto alle sculture, in parte antiche e in parte rinascimentali, sembra sia da attribuire lo stesso significato, anche se le informazioni in nostro possesso sono meno dettagliate; certamente alcune dovevano la loro presenza esclusivamente al loro interesse decorativo o iconografico, ma altre, come i bronzi dell'Antico, oltre ad accordarsi per gusto classicheggiante ai rilievi antichi, potevano ben essere giustificate dal loro intrinseco valore artistico.

La galleria dopo la vendita e il sacco

La Galleria degli Specchi subì le più pesanti perdite colla vendita di Vincenzo II: la quadreria gonzaghesca, tramite Daniele Nys, fu acquistata dal re d'Inghilterra Carlo I. La stessa collezione di scultura venne alienata poco dopo da Carlo I di Nevers[132] e i pezzi recuperati a Mantova nel Settecento sono quelli non mobili perché infissi alle pareti.

Dopo la vendita, al posto dei *Cesari* di Tiziano furono collocate delle copie giunte da Venezia nel maggio 1629. Si sparse la voce che il duca Carlo I di Nevers aveva ricomprato i dipinti originali, come da Cremona scriveva il cardinale Pietro Campori all'abate Fontana a Milano: "Una persona che viene da Mantova mi ha detto questa mattina ... che il Signor Duca ha recuperati da Venetia quei ritratti dei XII Imperatori di mano di Titiano, che erano stati venduti dall'ultimo Duca Vincenzo..."[133].

È possibile che le copie fossero quelle ritenute di Alessandro Varotari detto il Padovanino comprese tra i quadri posseduti dall'ultimo duca di Mantova Ferdinando Carlo e da questi trasferite a Padova e quindi messe in vendita a Venezia: l'attribuzione compare in una nota inviata in patria dal console inglese Christian Cole[134], ma è in ogni caso certo che al

29. *Giulio Romano, Pandora. Roma, Galleria Nazionale d'Arte Antica.*

tempo della vendita di Vincenzo II vennero eseguite copie per sostituire gli originali venduti[135].

La situazione della galleria dopo il sacco è documentata dall'inventario dei beni del duca Carlo II (1665)[136]. Oltre alle citate copie dei Cesari tizianeschi vi compaiono una quarantina di dipinti, alcune sculture e qualche altro oggetto d'arte. Nulla è stato identificato, ma a leggere l'elenco si ricava la convinzione che la galleria si presentasse in modo ben diverso rispetto all'ordinamento precedente. Alla sceltissima raccolta di opere di celebri pittori si sostituiscono anonimi dipinti – di uno solo è indicato l'autore (Fetti) – raffiguranti per lo più ritratti, qualche soggetto religioso, uno solo profano (una "fortuna di mare"). E anche i ritratti non sembrano appartenere a serie omogenee: assieme ai duchi di casa Gonzaga, con frequenti ripetizioni – per esempio sono notati ben tre ritratti di Guglielmo – compaiono altri personaggi variamente legati alla famiglia, dall'"Imperatore" al "Re di Polonia" alla "Contessa di Sala". Si direbbe che il duca Carlo II, che pure aveva dedicato energie ad arricchire di dipinti la Favorita e la "bellissima galleria dei Libri", non abbia avuto il tempo o la possibilità di ricomporre "l'antica superbissima Galeria di Mantova"[137].

Col successore Ferdinando Carlo si conclude squallidamente nel 1707 il dominio gonzaghesco su Mantova. Le opere d'arte dei Gonzaga-Nevers lasciarono il Palazzo Ducale, trasportate dal duca in esilio prima a Padova e, dopo la sua morte, messe in vendita e disperse a Venezia[138].

Nella Galleria degli Specchi rimasta vuota vengono collocati in un primo momento pochi dipinti e oggetti vari radunati da altri luoghi del palazzo: un elenco del 1714 vi ricorda dodici dipinti, otto rappresentanti diverse "virtù" e quattro "diversi accampamenti militari della scuola del Mantegna" dimenticati, a quanto sembra, negli appartamenti di Castello, nonché sei mappamondi e due "aquile" su piedistalli non dorati[139].

Nel 1716 l'amministrazione austriaca provvederà a trasferire a Mantova dalla corte dei Pico della Mirandola, privati nel 1707 dei loro domini dall'imperatore Giuseppe I d'Austria, un considerevole numero di dipinti coi quali arredare l'ex residenza gonzaghesca[140]. Le ambizioni della nuova amministrazione non andavano oltre l'esigenza di dare un minimo di decoro agli ambienti della "corte arciducale" e prescindevano ovviamente da qualsiasi considerazione di carattere estetico o storico; era anzi prassi normale procurare dipinti, mobili o tappezzerie in affitto solo per il tempo necessario per le scarse occasioni politico-mondane che la corte di Mantova ancora offriva.

Nell'inventario del 1752 del "Regio Ducal Palazzo" si annotavano nella galleria alcuni oggetti preziosi[141]; tra l'altro vi erano "Una Mostra d'orologio fissa nel muro con cristallo davanti e cornice dorata con oro zecchino" ricordo forse dei tempi del duca Ferdinando[142]; "Una figura di un Moro, con faccia di pietra del paragone a mezzo busto di alabastro intresciato di diverse pietre, con piedestalo di pietra tinto di nero", attualmente posto sopra una porta della sala dei Fiumi[143]; "Nove figure di alabastro, sette delle quali in piedi, tutte con suoi piedestali di piela tinti di nero in diverse azioni", di cui sei identificabili in pezzi ancora in palazzo[144]; "Una tavola quadrata intresciata di varie pietre preziose, con telaro di legno dorato e piedi simili" del tipo di altre ancora superstiti[145]. Quanto ai dipinti vi erano "Dodici quadri rappresentanti Ritratti in piedi di Principi, Principesse e Cardinali, tutti con cornice dorata" e ventuno di "Personaggi" a mezza figura. Si trattava però di ritratti di casa Pico e d'Este prelevati a Mirandola[146], cosa che nel 1729 aveva provocato l'indignazione del barone di Montesquieu: "I Tedeschi hanno arredato il Palazzo con tutti gli antenati dei duchi di Mirandola, formando così una galleria; e io non conosco niente di più volgare che l'aver usato quadri di famiglia a scopo di decorazione"[147].

A ben vedere questa non poteva più dirsi una collezione d'arte e la stessa osservazione vale per quella collocatavi dai Gonzaga-Nevers che l'aveva preceduta. Di pinacoteche in palazzo non si potrà più parlare almeno fino al recupero dei dipinti delle soppresse corporazioni religiose, sebbene una "galleria" fosse stata ordinata nel 1769, non nell'ambiente in questione, ma nell'ultima stanza dell'appartamento Guastalla. Vi vennero trasferiti anche oggetti d'arte e sculture e i pittori Giacomo Gatti e Domenico Conti furono incaricati di restaurare i quadri da collocare in ornati dipinti per l'occasione presumibilmente da Gaetano Crevola[148].

La trasformazione settecentesca

Benché la manutenzione della Galleria degli Specchi non fosse stata trascurata più che per altre parti del Palazzo Ducale, anzi nel 1773 era stato sostituito il pavimento con uno nuovo a terrazzo, disegnato alla veneziana, "di lunga durata, non producente polvere e di

spesa non minore d'un selciato a quadroni di cotto", come asseriva il soprintendente Romenati[149], nel 1779 si decise una ristrutturazione totale.

Il 23 agosto il ministro plenipotenziario conte di Firmian comunicava da Milano al consigliere di Saint Laurent a Mantova che "S.A.R. aveva trovati degni della Sua approvazione i concerti presi in Mantova fra quel Regio Architetto Pozzi e Giocondo Albertolli, Maestro d'ornati di questa Reale Accademia per le mutazioni della Galleria nella R.D. Corte ed ha ordinato che senza perdita di tempo vi sia messa mano all'esecuzione"[150].

Pochi giorni dopo l'architetto Paolo Pozzo presentava una relazione con allegati i preventivi di spesa degli esecutori interpellati per i lavori previsti. Da essi si apprende la natura e l'entità degli interventi programmati sulla struttura seicentesca. Le pareti della galleria, eliminata una tappezzeria di damasco giallo, sarebbero state rivestite di stucchi e specchiere; lo stuccatore Stanislao Somazzi avrebbe fornito lesene corinzie, sovrapporte, fregi, cornici per le specchiere e ornati di vario genere secondo i modelli lasciati da Albertolli. I pittori Felice Campi "figurista" e Andrea Mones "ornatista" si esibivano per restaurare le pitture, "rimettere" le lunette e i peducci logorati e "svegliare altresì i fondi di tutte le Medaglie ritoccando i panneggiamenti smarriti e il fregio a finto stucco dove abbisognano". Altre fatture erano previste per il "marmorino" Carlo Colonna per scalpellare le basi delle colonne sporgenti all'interno della galleria e per l'indoratore Giuseppe Passera che si offriva di ripulire le vecchie dorature e di provvedere alle nuove con "oro battuto della grandezza e bontà simile a quello della Fabbrica dell'Annunziata di Venezia"[151]. I lavori proseguirono quindi speditamente secondo il progetto iniziale nonostante le polemiche personali tra Pozzo e Albertolli, polemiche che tuttavia avevano un fondamento nella diversa formazione dei due artisti, neo-cinquecentesca nel primo, classicistico-accademica nel secondo, accusato di usare per gli ornati modelli "fatti sulla maniera dei Francesi"[152].

A opera quasi conclusa, Romenati poteva affermare che la "vecchia galleria" assieme al restaurato appartamento Ducale formava ora un "quarto rispettabile ... servibile per la venuta delle AA.RR."[153].

Era tuttavia del tutto snaturata la funzione originaria della galleria. Alle vistose figure tardomanieristiche, ormai appiattite dai restauri di Campi, si trovava ora contrapposto

un elegante parato neoclassico alle pareti che toglieva ogni possibilità di appendervi anche un solo quadro. Poco dopo André Thonin, definendo questo ambiente, parlerà di "Salle de bal"[154] e a questo uso la "sala" verrà destinata dalla società borghese nell'Ottocento e, ancor più anacronisticamente, nel nostro secolo[155].

Si riportano le principali abbreviazioni utilizzate per semplificare le citazioni:

AAVMn	Archivio dell'Accademia Virgiliana di Mantova
APDMn	Archivio del Palazzo Ducale di Mantova
ASDMn	Archivio Storico Diocesano di Mantova
– FSB	Fondo Santa Barbara
– FSL	Fondo San Leonardo
ASMi	Archivio di Stato di Milano
– FC	Fondi Camerali
ASMn	Archivio di Stato di Mantova
– AG	Archivio Gonzaga
– AN	Archivio Notarile
– MCA	Magistrato Camerale Antico
– Sc	Scalcheria

[1] La prima citazione dei giochi ottici è in F. Antoldi, *Descrizione del Regio Cesareo Palazzo di Mantova*, Mantova 1815, pp. 15-16. "Nella prima [medaglia del soffitto] ... si vede Apollo su di una quadriga di cavalli bianchi, i quali si presentano sempre di prospetto da qualunque parte della Galleria si mirino. Sta in quella di mezzo Giove sopra il suo seggio corteggiato da altre Deità, fra le quali si distingue Venere accarezzata da Cupido, che si offre sempre di facciata all'occhio dello spettatore in qualsiasi punto della Galleria voglia egli rimirarla; e lo stesso avviene del Dio Pane, e della Ninfa Siringa. La terza Medaglia rappresenta la Notte su di un carro tirato da quattro cavalli neri macchiati di bianco; e se osservinsi questi dalla parte posteriore sembrano innoltrarsi, laddove veduti di fronte nel fondo della Galleria pajono nel loro corso retrogradi ... Nelle sette lunette che sotto la volta sono dipinte le virtù, fra le quali ammirasi quella, che tiene un cerchio nella destra mano, perché girando lungo la Galleria cogli occhi fisi al braccio di essa figura sembra muoversi in guisa che ora s'allunghi ora si accorci, giusta il movimento di chi l'osserva". Accennano in seguito più o meno estesamente agli effetti prospettici G. Susani, *Nuovo Prospetto di Mantova*, Mantova 1831, p. 24; G.B. Intra, *La Reggia mantovana*, in "Archivio Storico Lombardo", 1879, XV, pp. 288-289; A. Patricolo, *Guida del Palazzo Ducale di Mantova*, Mantova 1908, p. 27; G. Pacchioni, *Il Palazzo Ducale di Mantova*, Firenze 1921, p. 28; N. Giannantoni, *Il Palazzo Ducale di Mantova*, Roma 1929, p. 51; E. Marani-C. Perina, *Mantova, le arti*, III, Mantova 1965, p. 431; G. Paccagnini, *Il Palazzo Ducale di Mantova*, Torino 1969, p. 183.

[2] C.N. Cochin, *Voyage d'Italie, ou recueil des notes sur les ouvrages de peinture de sculpture, qu'on voit dans les principales villes d'Italia*, Paris 1758, III, p. 213; a Cochin si deve un'articolata lettura critica degli affreschi che si riporta nella traduzione a cura di E. Faccioli, in "Gazzetta di Mantova", 22 gennaio 1950, p. 3: "C'è una galleria i cui soffitti si dice siano opera di Giulio Romano; mi sembra tuttavia che non tutti i dipinti siano della medesima mano; ci sono anche certe figure distese nelle lunette che sembrano di una maniera più minuta e moderna. Le pitture più degne e più belle di quel maestro sono: quella di mezzo, il Concilio degli Dei, quella di Apollo che conduce il suo carro, quella dell'Aurora e infine una figura d'uomo coronata di alloro che reca una palma. Le lunette alle estremità della Galleria sono assai belle, come pure una figura in

piedi, vicino al soffitto dell'Aurora. Si ammira in questi pezzi una libera maniera di disegno e di panneggio; c'è coraggio e sicurezza. Molto carattere nelle teste e bella forma; particolarmente felici le figure, sebbene non sempre ben raggruppate. Il soffitto dell'Aurora fa molto effetto. I quattro cavalli, visti dal di sotto, sono pieni di movimento e di vivacità; ben disegnata la figura del Sole: ci sono tuttavia figure mal disegnate e assai scorrette. Se vi si ammirano molte teste belle, ce ne sono anche molto manchevoli nel complesso. In genere, ciò che vi è di bello si riscontra nella larghezza dell'impianto e nella bellezza della forma. Ma il fatto è che una delle parti meno importanti nell'arte è appunto questa larghezza di impianto: quanto al resto il colore è cattivo e non felice come effetto".

[3]C. De Brosses, *Lettres familières sur l'Italie*, Paris 1931, trad. it. in E. Faccioli, *Mantova vista dagli stranieri: il Presidente De Brosses*, in "Civiltà Mantovana", 2, I, 1966, p. 34; J.J. Volkmann, *Nachrichten von Italien*, Leipzig 1777-1778, III, p. 785; De la R[oque], *Voyage d'un amateur des arts en Flandre, dans les Pays-Bas, en Hollande, en France, en Savoye, en Italie, en Suisse*, Amsterdam 1783, trad. it. in G. Schizzerotto, *Mantova 2000 anni di ritratti*, Castiglione delle Stiviere 1981, p. 264; A. Thonin, *Voyage dans le Bel-*

30. Ippolito Andreasi, *Il rogo di Ottone, particolare di un rilievo del Gabinetto dei Cesari del Palazzo Ducale di Mantova.* Düsseldorf, Kunstmuseum.

31. *Fronte di sarcofago del II secolo d.C. con la storia di Medea.* Mantova, Palazzo Ducale.

gique, la Hollande et l'Italie, II, Paris 1841, p. 127.
[4]G. Cadioli, *Descrizione delle pitture, sculture, ed architetture, che si osservano nella città di Mantova, e ne' suoi contorni*, Mantova 1763, p. 30.
[5]D. Arisi, *Accademia de' pittori, scultori ed architetti cremonesi altramente detta Galleria de' uomini illustri ossia memorie per servire alla storia de' pittori scultori ed architetti cremonesi*, Cremona, Biblioteca Statale, dep. Libreria Civica, ms. AA.2.16 (secolo XVIII), p. 131; G.B. Zaist, *Notizie istoriche de' pittori, scultori, ed architetti cremonesi*, Cremona 1774, pp. 64 e 66.
[6]G. Susani, *Nuovo Prospetto...*, cit., p. 25; C. Malvasia, *Felsina pittrice*, Bologna 1678, II, pp. 24 e 246.
[7]S. Davari, *La sala degli Specchi del Palazzo ex-ducale: Chi l'ha costruita e chi l'ha dipinta*, in "Gazzetta di Mantova", 21-22 febbraio 1895. Sulla base di interpretazioni di documenti non più accettabili, alla luce delle attuali conoscenze attribuiscono a Guglielmo Gonzaga l'ideazione o la costruzione della fabbrica della Galleria degli Specchi C. Cottafavi-N. Giannantoni, *Galleria della Mostra nel Palazzo Ducale di Mantova*, Mantova 1934, p. IX e C. Cottafavi, *Ricerche e documenti sulla costruzione del Palazzo Ducale di Mantova dal secolo XIII al secolo XIX*, in "Atti e Memo-

rie" della Reale Accademia Virgiliana di Mantova, 1939, p. 203, in ciò parzialmente seguiti anche da W. Prinz, *Die Enstehung der Galerie in Frankreich und Italien,* Berlin 1977, ed. it. *Galleria. Storia e tipologia di uno spazio architettonico*, a cura di C. Cieri Via, Modena 1988, p. 39, nota 73.

[8]R. Berzaghi, *La Corte Vecchia del duca Guglielmo, tracce e memorie*, in "Quaderni di Palazzo Te", 3, 1985, p. 46.

[9]P. Carpeggiani, *Bernardino Facciotto. Progetti cinquecenteschi per Mantova e il palazzo Ducale*, Milano 1994, pp. 47-51.

[10]E. Marani-C. Perina, *Mantova, le arti, III*, cit., pp. 166, 189-190, nota 39 e 430-431; C. Perina, *Scheda per Antonio Maria Viani: un pittore cremonese alle corti di Monaco e di Mantova*, in *Arte in Europa. Scritti di Storia dell'Arte in onore di Edoardo Arslan*, Milano 1966, pp. 657-658. Anche G.B. Intra, *La reggia mantovana sotto la prima dominazione austriaca*, in "Archivio Storico Lombardo", 1888, V, p. 486, nota 1, riteneva gli affreschi della galleria "disegnati da A.M. Viani, e coloriti dai suoi allievi" datandoli senza fornire giustificazioni tra il 1597 e il 1605.

[11]*Pittura a Mantova dal Romanico al Settecento*, Milano 1989, p. 252 (scheda *Carlo Santner, Allegorie delle arti liberali*, di R. Berzaghi).

[12]G.B. Vigilio, *La Insalata. Cronaca mantovana dal 1561 al 1602*, a cura di D. Ferrari e C. Mozzarelli, Mantova 1992, p. 118. La notizia del rinvenimento è confermata in una lettera di Annibale Chieppio a Ercole Udine (ASMn, b. 2688, 1602, 15 maggio) che con cortigiana adulazione nei confronti del duca ridimensiona la portata dell'avvenimento: "Nel cavare certi fondamenti di muraglie antiche in cortevecchia si è trovata una prescia di pezzi di metallo che si dice per li saggi fatti tenere quasi al terzo d'oro, et si fa conto che possa esser per parecchi migliara di scudi ma non già tanti quanto la fama suona, et in questo consiste l'inventione del tesoro che è qualche cosa ma non gran cosa ad un Principe della qualità di Sua Altezza".

[13]P. Carpeggiani, *Bernardino Facciotto...*, cit., pp. XIX, fig. 21; XX, fig. 22; XXXVIII, figg. 65-66; XXXIX, fig. 67.

[14]C.M. Brown, *Francesco Bonsignori: painter to the Gonzaga court. New documents with the collaboration of Gilberto Carra*, in "Atti e Memorie" dell'Accademia Virgiliana di Mantova, n.s., XLVII, 1979, pp. 85 e 94.

[15]Compare il termine di "galleria" nelle seguenti lettere tutte in ASMn, AG: b. 2159, 1604, 17 giugno, Casale Monferrato, Vincenzo Gonzaga ad Annibale Chieppio (A. Luzio, *La galleria dei Gonzaga venduta all'Inghilterra nel 1627-28*, Milano 1913, p. 40); b. 2697, 1604, 23 giugno, Mantova, Annibale Chieppio a Vincenzo Gonzaga (A. Luzio, *La galleria...*, cit., p. 41); b. 2160, 1605, 4 ottobre, Mantova, Vincenzo Gonzaga al cardinal Bevilacqua (A. Bertolotti, *Artisti in relazione coi Gonzaga duchi di Mantova nei secoli XVI e XVII*, Modena 1885, p. 42; A. Luzio, *La galleria...*, cit., p. 41); b. 2712, 1608, 27 e 28 febbraio, 1 e 10 marzo, Mantova, Carlo Rossi a Vincenzo Gonzaga (i primi due documenti sono parzialmente riportati da E. Faccioli, *Mantova: le lettere, II*, Mantova 1962, p. 609, nota 136 e menzionati da E. Marani-C. Perina, *Mantova, le arti, III*, cit., p. 189, nota 39). In altre carte si nomina invece un "corritore": b. 2702, 1605, 11 e 19 agosto, 2 settembre e 30 novembre, Mantova, Fabio Gonzaga e Vincenzo Gonzaga (l'ultimo documento è trascritto da A. Luzio, *La galleria...*, cit., pp. 42-43); viceversa nella risposta di Vincenzo a Fabio Gonzaga (b. 2160, 1605, 4 dicembre, dalle Casette di Comacchio; A. Luzio, *La galleria...*, cit., p. 43) si continua a parlare di "galleria". Tale termine è a volte usato anche per indicare il corridoio di Santa Barbara: cfr. b. 2724, 1612, 15 giugno, Mantova, Ascanio de' Mori: "Ritornata poi Sua Altezza alle sue stanze, s'affacciò ad una finestra sopra la Cancelleria che guarda nella piazza del Castello, essendo tutte l'altre della galeria piene di dame ...".

[16]ASMn, AG, b. 2715, 1609, 15 novembre, Mantova, Ludovico Dondi; la lettera è segnalata da R. Berzaghi, *Francesco II e Vincenzo Gonzaga. Il Palazzo di San Sebastiano e il Palazzo Ducale*, in "Paragone", XLI, n.s., 1990, pp. 70-71, nota 13.

[17]ASMn, AG, b. 2721, 1611, 8 e 9 settembre, Mantova, Francesco Borgani ad Annibale Iberti; A. Luzio, *La galleria...*, cit., pp. 43-44; E. Marani-C. Perina, *Mantova, le arti, III*, cit., p. 189, nota 39; G. Amadei-E. Marani, *I Gonzaga a Mantova*, Milano 1975, p. 258; R. Berzaghi, *Francesco Borgani pittore mantovano*, in *Il Seicento nell'arte e nella cultura*, Milano 1985, p. 56.

[18]ASMn, AG, b. 330, 1626-1627, Inventario; A. Luzio, *La galleria...*, cit., p. 108, n. 250; si tratta del *Ritratto di Federico II* del Prado.

[19]ASMn, AG, b. 330, 1626-1627, Inventario; A. Luzio, *La galleria...*, cit., pp. 89-92, nn. 1, 5, 7 e 11.

[20]L'ipotesi di identificare il "logion serato" con l'appartamento di Troia (E. Verheyen, *Correggio's Amori di Giove*, in "Journal of the Warburg and Courtauld Institutes", 1966, 29, p. 172, nota 4 e Idem, *Jacopo Strada's Mantuan Drawings*, in "The Art Bulletin", XLIX, 1967, 1, p. 64, nota 31; J. Shearman, *The Early Italian Pictures in the Collection of Her Majesty the Queen*, Cambridge Mass.-London 1983, p. 125) non sembra sostenibile poiché non consente di spiegare alcune situazioni: basti notare che i dipinti del gabinetto dei Cesari sono distribuiti nell'inventario del 1626-1627 in luoghi diversi ("logion serato", "camera dell'arcova" dell'appartamento "Nuovo"). Il giardino "de Bussi", su cui si affaccia il "logion serato", dovrebbe corrispondere al giardino di Corte Vecchia menzionato da Vigilio e cioè all'attuale giardino d'Onore. Non risultano altri documenti gonzagheschi con la citazione di giardino "de Bussi"; nel 1714 in una relazione sullo stato del Palazzo Ducale del soprintendente alle fabbriche Giosafat Barlaam Bianchi (ASMn, AG, b. 3168, 2 maggio, *Visita e rellacione di tutti li coperti et muri della Corte Arciduchalle di Mantua delle Ragioni di S.M.Ces.Cat.a fatta per ordine con la continua personalle asistenza del Sign. Barlaam Bianchi Sopraintendente delle fabriche di S.M.C., qualli si son ritrovatti nello stato come dalli seguenti chapi si vede*) il giardino d'Onore è chiamato "giardino del logione detto del Alcee", nel 1757 "giardino degli Ancelli" (ASMn, MCA, b. 358, Filippo Cremonesi, *Specificazione delle riparazioni occorrenti in questo Regio Ducal Palazzo*); infine nel 1763 "giardino Ducale" nella legenda di Giuseppe Bianchi alle sue piante (non pervenute) di Palazzo Ducale (ASMi, FC, parte antica, b. 159).

[21]ASMn, AG, b. 400, 1614, 12 agosto, Inventario di tappezzerie del Palazzo Ducale di Mantova.

[22]C. Berselli, *La pianta di Mantova di Gabriele Bertazzolo*, in "Civiltà Mantovana", II, 1967, 10, p. 293, n. 13.

[23]P. Askew, *Ferdinando Gonzaga's Patronage of the Pictorial Arts: The Villa Favorita*, in "The Art Bulletin", XL, 1978, pp. 274-296.

[24]L. Scaramuccia, *Le finezze de' pennelli italiani*, Pavia 1674, p. 122.

[25]ASMn, AG, b. 331, 1665, 10 novembre, Inventario; AAVMn, 1706, *Stima de' quadri della Galleria di S.A. fatta dai pittori Canti e Calabrò per ordine della medesima A.S.* Gli inventari sono pubblicati sia pure con inesattezze e parziali omissioni da C. D'Arco, *Delle arti e degli artefici di Mantova*, Mantova 1857, II, pp. 182-185 e 186-190 e [U. Meroni], *Fonti per la storia della pittura. Raccolte di quadri a Mantova nel Sei-Settecento*, Monzambano 1976, pp. 40-48 e 49-55. L'inventario del 1706 è usualmente riferito al Palazzo Ducale, ma più verosimilmente riguarda la Favorita poiché elenca gli stessi dipinti riscontrabili nella villa nel 1665.

[26]F. Pizzicchi, *Viaggio per l'alta Italia del Ser. Principe di Toscana poi Granduca Cosimo III*, Firenze 1828, in G. Schizzerotto, *Mantova. 2000 anni...*, cit. p. 173.

[27]E.A. Safarik, *Domenico Fetti 1983*, in *Il Seicento nell'arte...*, cit., pp. 47-52.

[28]A. Luzio, *La galleria...*, cit., pp. 96 (n. 113), 100 (n. 143), 106 (n. 236). I dipinti di Reni e Fra Semplice sono elencati nel corridoio di Santa Barbara, quello di Guercino nella Galleria della Mostra.

[29]ASMn, AG, b. 1010, A. Bertolotti, *Artisti...*, cit., p. 51; A. Luzio, *La galleria...*, cit., p. 47, nota 2; P. Askew, *Ferdinando Gonzaga's Patronage...*, cit., pp. 279-280.

[30]ASMn, AG, b. 2735, Mantova, Nicolò Sebregondi; A. Bertolotti, *Architetti ingegneri e matematici in relazione coi Gonzaga signori di Mantova nei secoli XV, XVI e XVII*, Genova 1889, p. 106; sulla cronologia della Favorita cfr. D. Nicolini, *Una piccola Versailles gonzaghesca: La Favorita*, in *Corti e dimore del contado mantovano*, Firenze 1969, pp. 65-80; G. Pastore, *Nicolò Sebregondi architetto della Favorita e di altre fabbriche mantovane*, in "Civiltà Mantovana", n.s., 1984, 4, pp. 81-83.

[31]P. Askew, *Ferdinando Gonzaga's Patronage...*, cit., pp. 282-284; naturalmente la studiosa riferisce la sua ricostruzione dei fatti alla Favorita.

[32]ASMn, AG, b. 3126, lettere da Polesine di Antonio Costanzini e da Mantova (Castello) di Ercole Marliani.

[33]C. Malvasia, *Felsina pittrice*, cit., II, p. 246.

[34]ASMn, AG, b. 1748, 1618, 20 settembre, Milano, Giovanni Battista Crespi detto "il Cerano" (A. Luzio, *La galleria...*, cit., p. 111). Un pittore "Giorgio milanese" morì a Mantova e venne sepolto a spese del duca in San Pietro (ASMn, Sc, b. 1, 1618, 20 novembre).

[35]ASMn, AG, b. 3126.

[36]ASMn, AG, b. 1036, 1630, 3 dicembre, Roma, Simone Basio; A. Bertolotti, *Artisti...*, cit., p. 63.

[37]ASMn, AG, b. 1011, 1616, 10 settembre, 28 ottobre e 5 novembre; b. 1013, 1617, 10 novembre; b. 1017, 1619, 26 gennaio, Roma, Simone Basio; A. Bertolotti, *Artisti...*, cit., p. 62; P. Askew, *Ferdinando Gonzaga's Patronage...*, cit., p. 280.

[38]Cfr. nota 1.

[39]A. Thonin, *Voyage...*, cit., in G. Schizzerotto, *Mantova. 2000 anni...*, cit., p. 127.

[40]ASMn, AN, Notaio A. Zacchi; il documento è segnalato da G. Pastore, *Antonio Maria Viani: l'ancona lignea nella basilica di S. Andrea e le cappelle laterali della Cattedrale*, in "Civiltà Mantovana", n.s., 1984, 5, pp. 56 e 60, nota 25.

[41]ASDMn, FSB, b. 36, 1619, 4 maggio.

[42]ASMn, AG, b. 3308, 1619, 9 dicembre.

[43]ASMn, AG, b. 2761, 1623, 27 marzo, Mantova, Fra Giovanni Maria da Viadana; A. Luzio, *La galleria...*, cit., pp. 49-50, nota 7.

[44]ASDMn, FSL, Stati d'anime 1623-1625, pp. 26 e 47: nel 1625 Santner "pictor germanicus" di anni 34 è registrato nella "via recta ab Hospitale ad stabula Capriana ad dexsteram" con la moglie Anna Maria, la suocera Bartolomea e Giovanni Erthel "servus germanicus".

[45]ASMn, AN, notaio G. Pedrocca, 1630, 11 luglio.

[46]ASDMn, FSL, Battezzati, 1628, 10 novembre; Maria Margherita era figlia della prima moglie; un'altra figlia Maria, nata e morta, venne battezzata il 9 novembre 1629 (*ibidem*).

[47]ASDMn, FSL, Matrimoni I, c. 67v, 1631, 3 marzo; nel documento si precisa che Isabella figlia del "fu Gerolamo Moroni" sposò Pietro Martire figlio del "fu Cristoforo Negri".

[48]Un primo tentativo è in *Pittura a Mantova...*, cit., p. 252 (scheda biografica di Carlo Santner di R. Berzaghi).

[49]Le rappresentazioni dei Quattro Elementi, a esclusione del Fuoco, sono tratte da incisioni di Antonio Tempesta (A. Bartsch, *Le Peintre-Graveur*, Wien 1803-1821, XVII, p. 85, nn. 800, 802 e 803).

[50]A Ugo Bazzotti, che qui ringrazio, devo la segnalazione delle *Divinità olimpiche* (*Giove, Minerva, Apollo, Venere*); sembrano della stessa mano anche gli affreschi con figure della parte della galleria non costruita da Giulio Romano.

[51]G. Suitner-C. Tellini Perina, *Palazzo Te. Mantova*, Milano 1990, p. 91. La grotta conserva un pavimento a ciottoli con iscrizioni e emblemi che rimandano a Ferdinando Gonzaga.

[52]G. Amadei-E. Marani, *Antiche dimore mantovane*, Mantova 1977, p. 79.

[53]D.S. Chambers, *The "bellissimo ingegno" of Ferdinando Gonzaga (1587-1626), cardinal and duke fo Mantua*, in "Journal of the Warburg and Courtauld Institutes", 1987, 50, p. 117.

[54]M. Zeiller, *Itinerarium Italiae nov-antiquae*, Frankfurt a.M. 1640, in G. Schizzerotto, *Mantova. 2000 anni...*, cit., p. 158.

[55]P. Sanvito, *Collezionismo imperial regio e collezionismo a*

Sabbioneta: l'influenza del modello asburgico, in *Vespasiano Gonzaga e il ducato di Sabbioneta*, Mantova 1993, pp. 181-205.

[56]ASMn, AG, b. 2641, 1581, 1 novembre, Mantova, Teodoro Sangiorgio ad Aurelio Zibramonti.

[57]*La scienza a corte*, Roma 1979, p. 144. La "Zoiolera", in costruzione nel 1594 (*ibidem*, p. 148, nota 132) è stata identificata da P. Carpeggiani, *Bernardino Facciotto...*, cit., pp. 27 e 55-58.

[58]Una *Kunstkammer* era stata creata da Ferdinando nel suo "camerino" quando studiava a Ingolstadt (D.S. Chambers, *The "bellissimo ingegno"...*, cit. p. 117).

[59]La denominazione "sala dei Tedeschi" ricorre in vari documenti in ASMn, AG, b. 2714, 1609, 13 ottobre, Mantova, Alessandro Striggi; b. 2724, 1612, 15 giugno, Mantova, Augusto de' Mori; b. 400, 1614, 12 agosto, Inventario..., cit.; la guardia di Castello fu affidata agli alabardieri tedeschi nel 1604: b. 2698, 1604, 9 gennaio, Mantova, Carlo Magni a Giovanni Magni a Roma: "S'aspetta anco augmento alla guardia delli Tedeschi, volendo Sua Altezza che la Guardia del Castello sia di questa gente, in luogo delli soldati soliti...".

[60]C. Malvasia, *Felsina pittrice*, cit., II, p. 198. Secondo P. Askew, *Ferdinando Gonzaga's Patronage...*, cit., p. 286, Tiarini fu a Mantova tra gli ultimi giorni del 1618 e i primi mesi del 1619.

[61]L'edizione qui utilizzata è quella a cura dell'abate Orlandi, C. Ripa, *Iconologia del cavaliere Cesare Ripa perugino Notabilmente accresciuta d'immagini, di Annotazioni, e di Fatti dall'abate Cesare Orlandi Patrizio di Città della Pieve Accademico Augusto*, Perugia 1764-1767.

[62]La cornacchia è simbolo di concordia per la fedeltà che dimostra alla compagna; il melograno per la compattezza dei granelli; mortella e melograni perché secondo Democrito intrecciano le radici (C. Ripa, *Iconologia*, ed. cit., II, p. 18).

[63]L'eloquenza è bella per persuadere ed allettare, armata perché avrà salda dottrina, col fulmine per atterrire, con sontuoso abbigliamento perché risplende nella mente e negli animi (C. Ripa, *Iconologia*, ed. cit., II, pp. 318-319).

[64]*Ibidem*, I, pp. 236-237.

[65]*Ibidem*, III, p. 252.

[66]*Ibidem*, III, p. 301.

[67]*Ibidem*, IV, p. 61.

[68]*Ibidem*, I, p. 46.

[69]*Ibidem*, IV, p. 24.

[70]F. Antoldi, *Descrizione...*, cit., pp. 16-17.

[71]C. Ripa, *Iconologia*, ed. cit., III, p. 293.

[72]Non sempre gli attributi delle Arti Liberali trovano esatta corrispondenza in C. Ripa, *Iconologia*, ed. cit., I, pp. 158-159 (Aritmetica), 176-177 (Astronomia); II, pp. 188-189 (Dialettica); III, pp. 177 (Geometria), 224 (Grammatica); IV, pp. 200-202 (Musica); V, pp. 27-28 (Retorica).

[73]*Ibidem*, III, p. 89.

[74]*Ibidem*, IV, p. 25.

[75]Le Muse corrispondono solo parzialmente alle definizioni di C. Ripa, *Iconologia*, ed. cit., IV, pp. 191-199.

[76]F. Antoldi, *Descrizione...*, cit., p. 16, vi vede "Virgilio, Baldassarre Castiglioni, Folengo, Gio. Battista Mantovano, Luigi Gonzaga detto Rodomonte, ed altri poeti", G.B. Intra, *La Reggia mantovana*, cit., p. 289, vi riconosce "i ritratti dei celebri mantovani Virgilio, Sordello, Pomponazzo, Castiglioni, lo Spagnoli, il Folengo, il Fiera, Diana Scultori", più genericamente N. Giannantoni, *Il Palazzo Ducale...*, cit., p. 51, E. Marani-C. Perina, *Mantova, le arti, III*, cit., p. 430, C. Perina, *Scheda per Antonio Maria Viani...*, cit., p. 657 parlano di "Parnaso di glorie mantovane"; G. Paccagnini, *Il Palazzo Ducale...*, cit., p. 183 precisa da "Virgilio a Folengo".

[77]C. Ripa, *Iconologia*, ed. cit., V, p. 406.

[78]Cfr. nota 1.

[79]Cfr. nota 2.

[80]C. Ripa, *Iconologia*, ed. cit., III, p. 60.

[81]ASMn, AG, b. 2608, s.d. (1578?); L. Pietrogrande, *Francesco Segala*, II, in "Bollettino" del Museo Civico di Padova, 1955, pp. 36-46; *"de gli Dei la memoria, e de gli Heroi". Palazzo Ducale. L'appartamento di Guglielmo Gonzaga in Corte Nuova*, Mantova 1986, p. 13.

[82]*"de gli Dei..."*, cit., pp. 15-17; U. Bazzotti, *Il restauro alla Camera delle Virtù. Notizie storiche e questioni critiche*, in *Restauri a Palazzo Ducale. Interventi in Corte Nuova: da Giulio Romano a Lorenzo Costa il Giovane*, Mantova 1989, pp. 23-27. Col termine "sala delle Virtù" sono stati indicati nel Sette-Ottocento altri ambienti, come la camera dei Capitani (ASMn, AG, b. 3168, 1714, 2 maggio, *Visita e rellacione...*, cit.) o quella dei Marchesi (G.B. Intra, *La Reggia mantovana*, cit., p. 279).

[83]C. Cieri Via, *Collezionismo e memoria alla corte di Vespasiano Gonzaga: dalla galleria degli Antenati alla galleria degli Antichi*, in *Vespasiano Gonzaga e il ducato di Sabbioneta*, cit., pp. 49-76; U. Bazzotti, *La galleria degli Antichi di Sabbioneta: questioni cronologiche, attributive e iconografiche*, in *Vespasiano Gonzaga e il ducato di Sabbioneta*, cit., pp. 375-398.

[84]ASMn, AG, b. 986, 1608, 6 dicembre, Roma, Bartolomeo Pillini a Ferdinando Gonzaga a Mantova; A. Bertolotti, *Artisti...*, cit., p. 36; D.S. Chambers, *The "bellissimo ingegno"...*, cit., p. 142.

[85]A. Ronen, *The Chariot of the Sun. Variation on a theme by Giulio Romano*, in "Mitteilungen des Kunsthistorischen Institutes in Florenz", 1977, XXIX, 1, pp. 100-106.

[86]ASMn, AG, b. 2172, 1617(?), 24 ottobre, Mantova, Ferdinando Gonzaga; A. Luzio, *La galleria...*, cit., p. 48.

[87]ASMn, AG, b. 2291, 1616, 30 giugno, Mantova, Ferdinando Gonzaga a Camilla Faà; F. Sorbelli Bonfà, *Camilla Gonzaga Faà*, Bologna 1918, pp. 27-28; D.S. Chambers, *The "bellissimo ingegno"...*, cit., p. 139.

[88]V. Ordelaffi, *De bono ac iusto Principe. Ad Ser.mum Ferdinandum Cardinalem Gonzagam Mantuae, ac Montisferrati Ducem Inclytum*, Verona 1613.

[89]D.S. Chambers, *The "bellissimo ingegno"...*, cit., pp. 127-129.

[90]*Ibidem*, pp. 129-131.

[91]G. da Mulla, *Relazione di Giovanni da Mulla ritornato di ambassator dal cardinal duca di Mantova Ferdinando*, in *Relazioni degli ambasciatori veneti al Senato* (a cura di A. Segarizzi), Bari 1912, pp. 140-141.

[92]*Corpus Nummorum Italicorum*, IV, Roma 1913, p. 339.

[93]Si veda a proposito dalla nascita di Ludovico, figlio di Francesco IV, S. Collini, *Oratione nell'essequie della Seren. S. Madama Leonora de' Medici*, Mantova 1611, p.n.n.: "apparve al mondo quale risplendente Sole, doppo la bella Aurora della pargoletta sorella" e, riferito a Carlo II, G. Castello, *Applausi al Serenissimo Sole di Carlo II Duca di Mantova, di Monferrato, Umena, Rethel, ecc.*, Casale 1652, p. 5: "Chi vede nell'Oriente spontare i novelli albori della nascente Aurora, senza fallo vicino conosce il Sole apportatore del giorno. E noi, che puoco dianzi viddimo nel cielo le nostre speranze in natali del Sospirato Primogenito Prencipe, dal figlio, quasi da nuovo Fosforo vicina credessimo la venuta del Padre; cioè il comparire del vostro felicissimo Sole (giaché il Sole è antica impresa de vostri Serenissimi antenati)".

[94]A. Salmatia, *Breve raguaglio del funerale fatto al seniss. Vincenzo che fu Duca di Mantova e di Monferrato dal Serenissimo Signor duca Carlo suo zio e successore nella ducal chiesa di Santa Barbara di Mantova il dì 18 di febraro 1628*, Mantua (1628); R. Signorini, *Gonzaga Tombs and Catafalques*, in *Splendours of the Gonzaga*, catalogo della mostra di Londra, Milano 1981, p. 9.

[95]*Pittura a Mantova...*, cit., p. 247 (scheda *Pietro Paolo Rubens, Assemblea degli dei*, di C. Tellini Perina).

[96]ASMn, AG, b. 330; A. Luzio, *La galleria...*, cit., pp. 89-92, nn. 1-13; [U. Meroni], *Fonti per la storia della pittura. Raccolte di quadri...*, cit., pp. 18-19.

[97]E.A. Wethey, *The Paintings of Titian*, III, London, 1975, pp. 235-240.

[98]*I Campi e la cultura artistica cremonese del Cinquecento*, catalogo della mostra di Cremona, Milano 1985, p. 160.

[99]A. Lamo, *Discorso intorno alla scoltura, e pittura, dove ragiona della vita, ed opere in molti luoghi, ed a diversi principi, e personaggi fatte dall'eccellentissimo, e nobile pittore cremonese M. Bernardino Campo*, Cremona 1584, pp. 67-69.

[100]F.W. Hollstein, *Dutch and Flemish Etchings, Engravings and Woodcuts ca. 1450-1700*, XXI, p. 77, n. 358.

[101]E.A. Safarik, *Fetti*, Milano 1990, pp. 264-266.

[102]E.A. Wethey, *The Paintings of Titian*, cit., III, pp. 219-220; il dipinto è attribuito anche a Palma il Vecchio.

[103]R. Monti, *Andrea del Sarto*, Milano 1965, p. 148.

[104]J. Shearman, *The Early Italian Pictures...*, cit., p. 123.

[105]ASMn, AG, b. 1560, *Pitture di S.A.S. che sono in più luoghi della Casa et Favorita*; A. Luzio, *La galleria...*, cit., pp. 152-153; [U. Meroni], *Fonti per la storia della pittura. Raccolte di quadri...*, cit., p. 31.

[106]N. Turner, *Two Paintings Attributed to Giulio Romano and Associates, and a Related Drawing*, in *Per A.E. Popham*, Parma 1981, pp. 15-19; J. Shearman, *The Early Italian Pictures...*, cit., p. 130.

[107]E. Verheyen, *Correggio's Amori di Giove*, cit., tav. 41.

[108]*Giulio Romano*, catalogo della mostra, Milano 1989, p. 427 (scheda di K. Oberhuber); S. Massari, *Giulio Bonasone*, Roma 1983, p. 91, n. 113.

[109]S. Massari, *Giulio Romano pinxit et delineavit*, catalogo della mostra, Roma 1993, pp. 200-201.

[110]S. Massari, *Giulio Romano pinxit et delineavit*, cit., pp. 24-25.

[111]ASMn, AG, b. 330; C. D'Arco, *Delle arti e degli artefici...*, cit., II, p. 169.

[112]A.H. Allison, *The bronzes of Pier Jacopo Alari-Bonacolsi, called Antico*, in "Jahrbuch der Kunsthistorischen Sammlungen in Wien", 89-90, n.s., LIII-LIV, 1993-1994, pp. 240-241 e 254; S. Ferino Pagden, *"La prima donna del mondo". Isabella d'Este Fürstin und Mäzenatin der Reinassance*, catalogo della mostra, Wien 1994, pp. 357-360 (scheda di M. Leithe).

[113]ASMn, AG, b. 1560, *Marmi di S.A.S. che sono in più luoghi della Casa et Favorita*; A. Luzio, *La galleria...*, cit., pp. 149-150; le sculture sono collocate nel "salone".

[114]S. Ferino Pagden, *"La prima donna del mondo"...*, cit., pp. 310-316.

[115]A. Levi, *Sculture greche e romane del palazzo Ducale di Mantova*, Roma 1931, pp. 90 e 103; il rilievo era coperto in parte da calce che lo riduceva a ovale.

[116]APDMn, 1714, 30 maggio, Giosafat Barlaam Bianchi, *Nota di quello mancha negli appartamenti della corte, che furono abbitati da S.E. il Signor Conte di Castelbarco ultimamente defonto*.

[117]C. De Brosses, *Lettres familières...*, cit., in E. Faccioli, *Mantova vista dagli stranieri...*, cit., p. 34.

[118]G. Cadioli, *Descrizione...*, cit., p. 30.

[119]A. Levi, *Sculture greche e romane...*, cit., pp. 90 e 103.

[120]ASMn, MCA, 1779, 31 agosto, Mantova, Paolo Pozzo; ASMn, Sc, b. 73, 1779, 9 settembre, Ioannon di Saint Laurent ad Antonio Maria Romenati; *ibidem*, 10 settembre, Leopoldo Camillo Volta.

[121]I. Guerrini, *Due rilievi antichi nel Palazzo Ducale di Mantova e un dipinto di Palazzo Te*, in "Quaderni di Palazzo Te", IV, 1987, pp. 35-43.

[122]Per la "Psiche" cfr. *Giulio Romano...*, cit., pp. 396-397 (*Il camerino degli Uccelli e dei Falconi*, scheda di R. Berzaghi); i Correggio sono menzionati nel camerino dei Falconi da Jacopo Strada (E. Verheyen, *Jacopo Strada's Mantuan Drawings*, cit., p. 64, nota 31).

[123]*Giulio Romano...*, cit., p. 245 (*Disegni e dipinti mitologici*, di K. Oberhuber). Se mai i dipinti furono collocati nella parte inferiore delle pareti della camera, non vi rimasero a lungo. Infatti, mentre nel 1549 non occorrevano apparati per completare l'arredo delle stanze dell'appartamento di Troia, a esclusione del camerino degli Uccelli (ASMn, AG, b. 199, 1549, Mantova, Sabino Calandra ad Annibale Itolfi; G.B. Intra, *Nozze e funerali alla corte dei Gonzaga (1549-1550)*, in "Archivio Storico Lombardo", 1896, XXIII, p. 393), nel 1574 si prevedeva nella camera delle Teste un addobbo con broccati rossi (ASMn, AG, b. 2592, 1574, 24 luglio, Mantova, Teodoro Sangiorgio; *La scienza a corte...*, cit., p. 204) e così pure nel 1579 (*La scienza a corte...*, cit., p. 209, nota 144).

[124]J. Shearman, *The Early Italian Pictures...*, cit., pp. 129-131, dove vari dipinti mitologici di Giulio Romano sono riuniti in un unico elenco.

[125]J. Burckhardt, *La loggia dei Marmi*, in *Giulio Romano...*, cit., p. 416; C.M. Brown, *Gerolamo Garimberto Archeological Adviser to Guglielmo Gonzaga Duke of Mantua (1570-1574)*, in "Arte Lombarda", 1987, 83, p. 49.

[126]ASMn, AG, b. 1558, Venezia, Daniele Nys, 1627, 1 e 14 maggio; A. Luzio, *La galleria...*, cit., p. 141.

[127]ASMn, AG, b. 2159, 1604, 17 giugno, Casale, Vincenzo Gonzaga ad Annibale Chieppio; ASMn, AG, b. 2697, 1604, 17 giugno, Mantova, Annibale Chieppio a Vincenzo Gonzaga; A. Luzio, *La galleria...*, cit., pp. 40-41.

[128]A. Levi, *Sculture greche e romane...*, cit., pp. 90, 95 e 104; J. Burckhardt, *La loggia dei Marmi*, cit., pp. 412-414.

[129]A. Luzio, *La galleria...*, cit., pp. 90-92 e 261-262.

[130]C. Ridolfi, *Le maraviglie dell'arte ovvero le vite degli illustri pittori veneti, e dello stato*, Venezia 1648, ed. a cura di D.F. von Hadeln, Berlin 1914-1924, I, p. 335.

[131]ASMn, AG, b. 1560, *Pitture di S.A.S...*, cit.; A. Luzio, *La galleria...*, cit., p. 151. Il corridoio di Santa Barbara è chiamato nel medesimo documento anche "corridore de quadri".

[132]A. Luzio, *La galleria...*, cit., pp. 75-77 e 158-166; purtroppo la documentazione sulla vendita delle sculture è molto generica, ma cfr. anche A.H. Scott Elliot, *The Statues from Mantua in the Collection of King Charles I*, in "The Burlington Magazine", 1959, CI, pp. 218-227.

[133]G. Campori, *Lettere artistiche inedite*, Modena 1866, p. 100, n. CXXIII (1629, 19 maggio).

[134][U. Meroni], *Fonti per la storia della pittura. Raccolte di quadri...*, cit., p. 76.

[135]ASMn, AG, b. 1558, 1627, 2 ottobre e 20 novembre, Venezia, Daniele Nys; b. 1560, 1628, 15 e 29 gennaio e 26 febbraio, Venezia, Daniele Nys; 14 agosto, 9 settembre e 16 dicembre, Venezia, Giulio Cesare Zavarelli; b. 1561, 1629, 23 aprile, Venezia, Girolamo Parma a Vincenzo Caffini; A. Luzio, *La galleria...*, cit., pp. 147, 149, 153-154, 157-159 e 163.

[136]ASMn, AG, b. 331. L'inventario del 1665 è pubblicato in modo impreciso o parziale da C. D'Arco, *Delle arti e degli artefici...*, cit., II, pp. 182-185; A. Luzio, *La galleria...*, cit., pp. 314-316; [U. Meroni], *Fonti per la storia della pittura. Raccolte di quadri...*, cit., pp. 40-48.

[137]L'espressione è di Giovanni Benedetto Castiglione detto il Grechetto; ASMn, AG, b. 791, 1661, 27 ottobre, Genova; A. Luzio, *La galleria...*, cit., p. 308; [U. Meroni], *Fonti per la storia della pittura. Lettere e altri documenti intorno alla storia della pittura, I, Il Grechetto a Mantova*, p. 63.

[138]F. Haskell, *Patrons and Painters. A Study in the Relations Between Italian Art and Society in the Age of the Baroque*, London 1963, ed. it. *Mecenati e pittori. Studio sui rapporti tra arte e società italiana nell'età barocca*, Firenze 1966, pp. 409 e 476.

[139]APDMn, 1714, 27 giugno, *Inventario dei mobili che ritrovansi nell'appartamento detto Ducale e consegnati con l'appartamento medesimo agli infrascritti scopatori*. La provenienza dei dipinti dal Castello si può dedurre dal confronto con ASMn, Doc. D'Arco 102, *Quadri movibili, che formano friso a molte camere di corte in esse rimasti per ordine delli marchesi Cavriani, et Aldegatti*: "Nella camera principale di Castello quadri del Mantegna ma logorati dal tempo, dodici".

[140]V. Cappi, *Sante Peranda: I tesori d'arte della reggia di Mirandola al Palazzo Ducale di Mantova*, San Felice sul Panaro 1984.

[141]ASMn, Sc, b. 36, 1752, 7 dicembre, *Descrizione delli mobili esistenti in questo Regio Ducal Palazzo, come pure di quelli esistenti nella Scalcheria ed appartenenti al medesimo Regio Ducal Palazzo*.

[142]Non si può escludere che fosse l'orologio che da Este Attilio Parisio inviava al duca, orologio "di sua inventione che con una sola rota non dentata, mostrava et batteva le hore mostrando insieme d'hora in hora il carattere del Pianeta dominante in quel hora" (ASMn, AG, b. 1554, 1622, 7 aprile, 2 giugno e 18 agosto; A. Bertolotti, *Le arti minori alla corte di Mantova nei secoli XV, XVI e XVII*, in "Archivio Storico Lombardo", 1888, XV, p. 526; A. Luzio, *La galleria...*, cit., p. 52).

[143]L. Ozzola, *Il museo d'arte medievale e moderna del Palazzo Ducale di Mantova*, Mantova 1950, p. 78, n. 377; il pezzo, proveniente da Mirandola (*Arte a Mirandola ai tempi dei Pico*, Mirandola 1994, p. 144, scheda *Lorenzo Ottoni. Busto di Anna Beatrice d'Este Pico*, di M. Pelliciari) è segnalato anche da J.G. Keyssler, *Travels through Germany, Bohemia, Hungary, Switzerland, Italy, and Lorrain*, III, London 1757, in G. Schizzerotto, *Mantova. 2000 anni...*, cit., p. 220: "una testa di moro su un piedistallo di marmo bianco, con un turbante curiosamente intarsiato con tanta precisione da imitare una specie di stoffa indiana".

[144]L. Ozzola, *Il museo...*, cit., pp. 41-42, nn. 92-94 e 96-98; i nn. 94 e 98 firmati "André B" provengono da Mirandola (*Arte a Mirandola...*, cit., p. 144).

[145]L. Ozzola, *Il museo...*, cit., p. 20, n. 3; p. 23, n. 15; p. 84, nn. 426-427.

[146]Sui ritratti ancora in Palazzo Ducale cfr. *Committenze dei Pico*, Modena 1991, pp. 86-94 e 128-129, nn. 30-36 e 38-42 (schede di G. Martinelli Braglia).

[147]Ch. Montesquieu, *Voyage de Graz a la Haye*, in *Ouvres complètes*, Paris 1976-1979, trad. it. a cura di E. Faccioli, *Mantova vista dagli stranieri: il barone di Montesquieu*, in "Civiltà Mantovana", I, 1966, 3, p. 27.

[148]G.B. Intra, *La reggia mantovana sotto la prima dominazione austriaca*, cit., p. 387.

[149]ASMn, Sc, b. 66, 1769, 19 e 24 maggio (nella seconda carta è nominato Domenico Conti), *ibidem*, s.d., *Dipinture di camere*; *ibidem*, s.d., *Distinta delle spese occorse in vari risarcimenti del R.D. Palazzo e nella dipintura di n. 26 camere e per la provista e costruzione de nuovi mobili, com'altresì per la riduzione d'altri antichi ridotti ad uso servibile*.

[150]ASMn, MCA, b. 358. Albertolli era stato inviato a Mantova dal conte Carlo di Firmian (*ibidem*, b. 347, 1779, 21 luglio; A. Belluzzi, *Architettura a Mantova nell'età delle riforme*, in *Mantova nel Settecento*, catalogo della mostra di Mantova, Milano 1983, pp. 41 e 47, nota 17).

[151]ASMn, MCA, b. 358, 1779, 1 settembre, Mantova, Paolo Pozzo (con allegati in data 31 agosto 1779 di Stanislao Somazzi, Felice Campi e Andrea Mones; s.d. di Giuseppe Passera e Carlo Colonna).

[152]C. D'Arco, *Delle arti e degli artefici...*, cit., II, pp. 203-204, doc. n. 234 (lettera di Paolo Pozzo a Giacomo Frey, datata Mantova 18 ottobre 1779), E. Marani-C. Perina, *Mantova, le arti, III*, cit., pp. 625-626; A. Belluzzi, *Architettura a Mantova...*, cit., p. 41.

[153]ASMn, MCA, b. 358, s.d. pubblicata da G.B. Intra, *La reggia mantovana sotto la prima dominazione austriaca*, cit., p. 486.

[154]A. Thonin, *Voyage...*, cit., II, p. 127.

[155]G. Pacchioni, *Il Palazzo Ducale...*, cit., p. 28; N. Giannantoni, *Il Palazzo Ducale...*, cit., p. 51.

1. Manuel Castellano, Morte del conte di Villamediana.
Madrid, Museo del Prado.

Marco Lorandi
Juan Tassis conte di Villamediana e alcuni esempi della committenza artistica della famiglia Tasso in Europa tra Cinque e Seicento

"Todo lo posible es poco"
(J. Tassis de Villamediana)
"Cerrados ya los ojos del discurso, / Incapaz de la luz del desenganno, / Solo la voluntad llevo por guia."
(dal sonetto dedicato da J. Tassis a G.B. Manso)

In una vasta composizione storica dipinta da Manuel Castellano (1826-1880), artista accademico spagnolo, nel 1868[1], il soggetto riguarda la *Morte del conte di Villamediana* (fig. 1), personaggio di cui gli storici dell'arte italiani non conoscono nulla, mentre è noto particolarmente agli ispanisti non solo per le vicende pittoresche e drammatiche della sua esistenza, ma per la sua cospicua produzione letteraria (teatro, poesia, in specie, satirica) e tale da essere inserito a tutto rilievo nella grande poesia barocca spagnola[2] tra Gongora, Quevedo e Lope de Vega. Il dipinto di grande effetto illustrativo con l'espediente notturno e romantico dell'interno della chiesa sullo sfondo del portale aperto sulla luce della città di Madrid, rievoca, con finalità scenografiche da melodramma, la morte per assassinio di Juan de Tassis[3] y Peralta, conte di Villamediana e "Correo Mayor" durante il regno di Filippo III e Filippo IV. Egli fu assassinato il 21 agosto 1622 mentre rientrava con la sua carrozza, accompagnato da un amico, don Luis Méndez de Haro[4], nel suo palazzo, sito in calle Mayor; fu ucciso con una pugnalata da un anonimo con il volto coperto, vicino alla chiesa di San Ginés, sul portale del palazzo del conte di Oñate[5]. Tale crimine fu altamente deprecato e, data la statura e la fama della vittima, riportato concordemente da quasi tutte le fonti dell'epoca tra cui quella di Miguel de Soria[6]. Juan de Tassis y Peralta nacque il 26 agosto del 1582 a Lisbona da Juan de Tassis y Acuña e da Maria de Peralta che si trovavano al seguito di Filippo II nel

suo viaggio trionfale in Portogallo il 29 giugno 1581 per annettere alla sua corona anche il regno lusitano. Il padre, Juan Tassis I, cavaliere dell'ordine di Santiago, "correo mor de su magestad", era nato a Valladolid e si era distinto in moltissime azioni militari, politiche e diplomatiche (ambasciatore in Francia e in Inghilterra) oltre che per la efficienza del suo "ufficio" postale per Filippo II e, successivamente, per Filippo III; quest'ultimo gli consegnò "la chiave dorata" e lo innalzò al titolo di conte di Villamediana il 12 ottobre 1603, mentre era ambasciatore di Spagna presso il re d'Inghilterra Giacomo dove soggiornò per quasi due anni e ricevette onori trionfali come si ricava della "Relación muy verdadera del recibimiento y fiestas que se hicieron en Inglaterra á D. Juan de Tassis" e da "La segunda parte de la Embajada de D. Juan de Tassis, Conde de Villamediana y ambajador de Felipe III para el rey Jacobo de Inglaterra", entrambe del 1603[7].
Juan de Tassis senior, primo conte di Villamediana, morì il 12 settembre 1607 a Valladolid e fu sepolto nella cappella maggiore del convento di Sant'Agostino della stessa città, che era sotto il giuspatronato della famiglia Tassis[8]. "Caballero de singular ingenio y partes muy lucidas", il figlio, Juan Tassis II conte di Villamediana, fu educato negli studi classici e nel costume dei Grandi di Spagna e in funzione dell'eredità del prestigiosissimo e lucrosissimo incarico di "Correo Mayor" presso la dinastia absburgica spagnola. Luis Rosales, nel testo sopra citato e sulla base di rigorose documentazioni, descrive un puntuale "retrato de Don Juan" di rara bellezza fisica e forza virile, tra i più strepitosi nell'uso delle armi e nel giostrare con i cavalli: di intelligenza, di eleganza e munificenza eccezionali, di liberalità così straordinaria da eccedere i limiti della sua condizione pur privilegiata,

ché i suoi doni parevano quelli di un principe e non di un nobile normale; grande giocatore di carte, abilissimo nei tornei con i tori e nel lancio di giavellotti, era amatissimo dalle donne a tal punto da costituire un leggenda letteraria perdurata fino all'età romantica ed oltre[9]. Juan Tassis fu grande poeta, fondatore della poesia satirica moderna contro la corruzione amministrativa dello stato e grande mecenate delle arti: "por sus letras, esplendor y magnificencia, fue de todos admirado en Nápoles, y en particular de los filosofos y poetas que, en aprobación de su eminencia en ambas profesiones, le dedicaron numerosos poemas... sin que el estudio y uso de las letras le haya divertido de los ejercicios y artes de caballero, siendo en todos ellos no menos eminente..." come scrive il suo primo biografo Alonso López de Haro[10]. Tale encomiastica testimonianza trova conferma eletta nel sonetto di Cervantes nel suo *Viaje del Parnaso*[11]: "Será Don Juan de Tasis de mi cuento / principio, por que sea memorable, / ..."; e della fama del Tassis durante il suo soggiorno a Napoli in relazione al testo cervantino parla Benedetto Croce descrivendo la magnificenza anche in termini finanziari del Villamediana nella organizzazione di un fastoso torneo nel 1612 in occasione delle nozze tra i reali di Francia e Spagna[12] di cui diremo più avanti. Al 4 agosto del 1601, a Guadalajara, risale il contratto del suo matrimonio con Ana de Mendoza-y-de la Cerda, secondogenita di don Enrico de Mendoza Aragón, quinto nipote del marchese di Santillana, celebre poeta e fratello legittimo del Duca dell'Infantado. Fin dagli inizi della diffusione della famiglia Tassis in Europa (dalle origini bergamasche all'Austria, Germania, Fiandre, Spagna) i Tasso impiegarono, tra le forme di ampliamento del loro prestigio economico e sociale, quella del legame con famiglie nobiliari eccellenti in specie nell'ambito ispano-absburgico. L'interesse dei Tassis per un vincolo con l'illustre casato dei Mendoza fu determinato unicamente da ragioni di prestigio del sangue, ché donna Anna sposò il Villamediana senza dote; ciò nonostante il casato dei Mendoza era così importante anche per il suo antico mecenatismo nelle arti[13], che il padre del nostro Juan Tassis provvide a dotare la nuora di una rendita di ben 24.000 ducati come scrive il Cotarelo[14]. Da questa unione si ebbero figli che, tuttavia, morirono nell'infanzia. La ricchezza ed il prestigio di cui godeva il padre di don Juan Tassis nonché il titolo nobiliare e l'ufficio di "Correo Mayor" passarono al figlio allorché il 12 settembre 1607 il primo conte di Villamediana morì. Con l'assunzione del potere, Juan Tassis junior diede sfogo con grandezza alla sua personalità eterogenea tra la corte ed i cortigiani eccellendo ovunque nel gioco delle carte (dove spese cifre incalcolabili) come nella attività militare, nel rango di un cavallerizzo di prim'ordine come nella alta poesia. Compie viaggi ad Alcalá de Henares e a Valladolid dove vivono sua madre e altri parenti. In tali anni fino al 1611 compone le sue opere più significative nell'ambito della poesia. In tale anno la sua natura irrequieta lo spinge a partire il 30 luglio per Valencia insieme con il marchese di Santa Cruz e qui si imbarca per Napoli. Il motivo principale del suo viaggio napoletano e ampiamente italiano fu quello di raggiungere l'amico, nuovo viceré di Napoli, Pedro Fernández de Castro, conte di Lemos, protettore e mecenate delle arti (in specie della poesia di Cervantes e Góngora) che era partito qualche mese prima per assumere l'incarico portando con sé una corte di letterati e poeti[15]. A Napoli, pur svolgendo sempre la sua attività di "Correo Mayor", Juan de Tassis frequenta l'Accademia degli Oziosi che fa capo al letterato ed umanista Gian Battista Manso il quale riunisce poeti e filosofi italiani e spagnoli, tra cui eccelle il nostro come testimonia il suo primo biografo, a lui contemporaneo, il già citato Lopez de Haro[16]. Nel 1612, in occasione delle celebrazioni per il duplice matrimonio tra il principe Filippo (il futuro Filippo IV) con Isabella di Borbone e di Luigi XIII di Francia con l'infanta Maria Ana, a Napoli furono organizzate feste grandiose, tornei nei quali si manifestò a pieno il talento organizzativo, teatrale e scenografico nonché il mecenatismo del Villamediana tanto da essere celebrato anche per queste attitudini dal già menzionato Cervantes: "Será Don Juan de Tassis de mi cuento / principio, por que sea memorable, / Y lle-

2. *Bernard van Orley, Ritratto di Francesco de Tassis. Regensburg, collezione Thurn und Taxis.*

3. *Particolare del ritratto di Francesco de Tassis nell'arazzo con la storia della statuetta miracolosa di Nostra Signora del Sablon. Bruxelles, Musées Royaux d'Art et d'Histoire.*

guen mis palabras á mi intento. / Este varón, en liberal notable, / Que una mediana villa le hace conde, / Siendo rey en sus obras admirable, / Este que sus haberes nunca esconde, / Pues siempre los reparte ó los derrama, / Ya sepa donde ó ya no sepa adonde; / Este á quien tiene tan en fil la fama / Puesta la alteza de su nombre claro / Que liberal y pródigo le llama, / Quiso, pródigo aquí y allí no avaro, / Primer mantenedor ser de un torneo / Que à fiestas sobrehumanas le comparo. / Responden sus grandezas al deseo / Que tiene de mostrarse alegre viendo / De España y Francia al regio himeneo"[17].

In occasione di questo grande torneo celebrato il 13 maggio 1612[18] sulla piazza d'armi del palazzo del viceré di Napoli con grandi apparati di palchi e scenografie (*tablados*), come attesta il sopra citato Cervantes, Juan de Tassis fu il *primer mantenedor*, vale a dire il primo committente in quanto finanziatore (vi spese oltre venticinquemila ducati) ma anche nell'accezione di protagonista e giostratore del torneo; a questo aveva associato altri tre personaggi illustri: lo stesso viceré conte di Lemos (secondo "mantenedor"), il duca di Nocera come terzo e, infine, come quarto, il "fuerte castellano de Santelmo", alias Antonio de Mendoza del consiglio di stato di sua maestà e della fortezza di San Telmo a Napoli. I preparativi, in verità, erano iniziati il 4 marzo allorché il Villamediana con i suoi amici aveva pubblicato in spagnolo il "cartello" con il soggetto, le condizioni ed i premi firmandosi "Los cavalleros del Palacio encantado de Atlante de Carena"[19]. Il Villamediana commissionò a Giulio Cesare Fontana, architetto di corte e ingegnere maggiore del vicereame di Napoli (era figlio del più celebre padre, architetto, Domenico; Giulio Cesare progettò molti edifici durante il vicereame del conte di Lemos a Napoli) la costruzione di un apparato e grande macchina teatrale che fu iniziata il 17 aprile; come riporta Croce nel saggio prima citato[20], la scenografia raffigurava una grande montagna, "monte altissimo, di palmi sessanta e largo nella pianta palmi cinquanta, orrido e alpestre nella cui sommità era il sontuoso palazzo d'Atlante incantatore, nell'istessa forma e nell'istessa fattura che l'Ariosto lo descrive nel Furioso, nel quale si vedevano selve e caverne d'immensa grandezza"; da queste fuoriuscivano molti leoni, orsi, tigri, giganti, mostri, satiri e "otros muchos selvajes"[21]. Ed è significativo qui ricordare che, nell'ambito della committenza artistica, lo stesso Villamediana inviterà l'architetto napoletano a Madrid per un'altra cele-

4. *Arazzo eseguito su disegno di Bernard van Orley con la storia della statuetta miracolosa di Nostra Signora del Sablon. Bruxelles, Musées Royaux d'Art et d'Histoire.*

5. *Riproduzione grafica dell'arazzo di Nostra Signora del Sablon tratta dal testo di Müntz, 1881.*

berrima festa-spettacolo, l'ultima della sua vita, per il parco e la reggia di Aranjuez di cui diremo più oltre, a testimoniare che l'ambito dei suoi interessi spaziava dalla poesia alla pittura, al teatro oltre a quelli già menzionati. Come uomo d'armi si distinse nel 1613, allorché, lasciata temporaneamente Napoli, si trova in Italia settentrionale e partecipa alla guerra scatenata contro la Spagna dal duca di Savoia, Carlo Emanuele, che aveva approfittato della successione al ducato di Monferrato; la guerra si risolse poi con la pace di Asti nel 1615 grazie anche al suo intervento. Non solo il Villamediana portò fieramente le armi per ben due anni con il titolo di "Maestre de Campo" con coraggio ed onore, ma si contraddistinse per i suoi sentimenti umanitari, spendendo e favorendo, come scrive Lopez de Haro[22], "con su casa y hacienda, tanto la nación española como la italiana, habiéndosele ofrecido muchas ocasiones que él supo muy bien gozar para tener entre ellos el nombre y reputación del más magnifico, magnánimo y cortés caballero que han conocido ambas naciones".

Nel viaggio di ritorno a Napoli, terminata la guerra, Juan Tassis soggiorna a Firenze presso la corte del granduca Cosimo II de' Medici, poi a Roma, brevemente, il tempo per sentirsi ispirato di fronte alla fontana di piazza San Pietro con una poesia, riportata da Cotarelo[23]: "Peregrino: este pavón / Que ostenta cristal por plumas, / Este diluvio de espumas, / Esta de átomos región, / Todos una fuente son: Comienza luego á admirarte / De Roma en tan breve parte, / Donde el dar agua, es llorar / Naturaleza, al mirar / Sin imposibles el arte: / Si imaginación turbada / Te la pinta en blanco aliño, / Tal vez pabellón de armiño / Y tal Vénus mal formada, / Sin duda que está engañada; / Bien te puedes persuadir / Que es fuente, con advertir, / Sin tu vano imaginar, / Su desengaño al bajar, / No su soberbia al subir". Del suo interesse per l'arte a Roma rimane l'ammirazione per il grandioso monumento funebre di papa Pio V, opera di Domenico Fontana, nel braccio sinistro della cappella Sistina in Santa Maria Maggiore che diventa il tema del sonetto n. V (cfr. *Obras de D. J. Conde de Villamediana*, 1643, pp. 72-73) dal titolo, appunto, *A la Capilla de Paulo V en Santa Maria La Mayor*[24].

Poco sappiamo della restante parte del suo soggiorno italiano (Juan Tassis rientrò a Madrid tra la fine del 1616 e l'inizio del 1617), ma è certo che la sua personalità colta e raffinata si esercita abbondantemente anche nella sfera del collezionismo (dipinti, sculture, arti applicate, gioielli ecc.) e che la sua cerchia di amici è composta da artisti e poeti. Ne abbiamo una prima spia nel passo poetico di Antonio Hurtado[25] che narrando della "leggenda" del Tassis e della sua morte, rimasta celebre nelle cronache come nella letteratura, scrive: "Para mayor ufanía / Y aumento de sus loores, / Eran vates y pintores. / Su originaria companía. / Con todos ellos partia / Su valimento y caudal./ ...". Poeti ed artisti, dunque, con i quali tutti Juan Tassis divide il suo valore, la sua ricchezza. Da un lato il suo munifico mecenatismo e dall'altro il gusto del collezionismo di cui abbiamo una più precisa testimonianza, riportata da studiosi come Rosales e Cotarelo. Scrive quest'ultimo[26]: "En su viaje de Italia tuvo ocasión de adquirir muchos objetos preciosos, artisticos y de lujo, como joyas, cuadros, armas y varias antigúedades, à cuyos objetos era en extremo aficionado. Su gusto por los diamantes le llevaba al punto de acerlos engastar en plomo para aumentar el brillo de la piedra y el lucimiento de la talla. Entusiasta decidido por la pintura, llegó á formar, á costa de sumas exorbitantes, una galeria de cuadros de la más ricas de la corte en originales de artistas españoles y extranjeros...". Di questa sua collezione di dipinti nazionali e stranieri conosciamo, purtroppo, pochissimo; era, con tutta probabilità, collocata nel suo palazzo madrileno in calle Mayor, oggi distrutto, e doveva raggruppare opere di artisti, oltre che spagnoli, fiamminghi, italiani e di questi, forse, di scuola romana e, soprattutto, napoletana con soggetti che andavano dalla figura alle nature morte e a temi allegorici e profani. Vicente Carducho[27] nei suoi *Diálogos de la pintura* (1633) afferma che gran parte delle opere restanti della collezione del Tassis, andata in asta, fu acquistata dal principe di Galles quando fu in visita in Spagna nel 1623, poco meno di un anno dopo l'assassinio del conte. Il riferimento è, tuttavia, troppo sintetico per potere arguire qualche cosa di più specifico su tale collezione. Nel passo del "Dialogo" ottavo il Maestro rivolto al discepolo parla del pericolo corso dai dipinti spagnoli allorché nel 1623 giunse in Spagna il principe di Galles (il futuro re d'Inghilterra, Carlo I Stuart, che in tale occasione fu effigiato da Velázquez in un'opera andata perduta): "... y muchas (pinturas, n.d.r.) de las que habemos nombrado, estuvieron en grande riesgo quando estuvo aqui el Principe de Galés (oi Rei de Inglaterra) que procuró quanto pudo haber, no dexándolos por ningun dinero, y fueron grande parte del residuo de las almonedas del conde de Villamediana y de Pompeo Leoni (personas que con particular desvelo se preciaron de juntar las mejores cosas que pudieron) y visto su afección, el Rei (Filippo IV, n.d.r.), y los Señores mostrando en todo su grandeza, le presentaron muchas: entre las quales fue una del Ticiano de la Antiopa, y unos pastores, y satiros en su lienço grande que estava en el Pardo, que escapó del incendio que allí huvo el año de 1608, donde tantas se quemaron, y esta con ser tan profana, pudo escapar del fuego. Fue esta pintura tan estimada del Rei don Felipe III por excelente, que quando le llegó la nueva del incendio, preguntó si se había quemado, y diziendole, que no, dixo, basta, que lo demás se volviera á hazer". Il passo del Carducho parla esplicitamente della collezione del Villamediana, ma chiarisce anche che il principe inglese acquistó gran parte di ció che restava dei dipinti del Tassis andati in asta; ciò indica che una certa quantità o numero di opere era giá stata venduta a privati e nobili spagnoli e, quindi, dispersa; ed è quasi impossibile tentare una ricostruzione di queste, salvo, invece, ripercorrere attraverso le fonti inglesi del tempo, la consistenza della collezione di Carlo I Stuart prima del suo tragico destino e della rivoluzione del Cromwell, ma è indagine molto complessa; bisognerebbe seguire le tracce di tali dipinti "spagnoli" entrati nelle collezioni inglesi con un vaglio comparativo di fonti e di dipinti che non possiamo trattare in questa sede. Comunque il Carducho ci offre un'ulteriore spia speculativa quando precisa che le opere in asta del Tassis e dello scultore e medaglista Pompeo Leoni (Pavia, 1533 circa-Madrid, 1608) erano il frutto di spese enormi e di personalità accurate le quali, con particolare zelo e passione, si vantavano avere riunito "le migliori cose che poterono". Un'altra traccia degli interessi pittorici del Villamediana è ricavabile da uno dei suoi sonetti dedicati *A un Pintor*[28], rintracciabile nella vasta ed articolata opera poetica di Juan Tassis. Il sonetto n. V (nella edizione del 1643) descrive la relazione tra Verità e Menzogna dove l'Arte con la sua Verità supera e sopravanza, nella finzione, quella della Natura:

"No solo admira, que tu mano vença
El ser de la materia con que admira,
Sino que pueda el Arte en la Mentira
A la misma Verdad hazer verguença,

Cuyo milagro a descrubir comiença
en el valor con que las lineas tira,
Paralélo capaz, con que la ira
Del tiempo, oi del olvido se convença.

Tener cosa insensible entendimiento,
Haze donde el engano persuadido
Por verdad idolatre el fingimiento.

O milagro del Arte, que ha podido,
Dando a una tabla voz y movimiento,
Dexar fin él en ella el sentimiento!".

E se risulta impossibile identificare il nome del pittore cui si riferisce Juan de Tassis, è fuori dubbio che possiamo evincere qualche spunto di una teoria dell'arte e di una poetica della "agudeza" (tra Marino e Villamediana), la quale, in qualche modo, può far luce se non sulla entità della sua collezione, almeno sui criteri estetici di scelta delle opere. L'arte che nella sua "menzogna", nel suo artificio mimetico riesce a far vergognare e, quindi, a superare la Natura, può alludere a quell'"iperrealismo" o illusionismo ottico caro alla tradizione antica, ma tipico della cultura fiamminga a partire dal Quattrocento e largamente praticato nei secoli XVI e XVII nelle province spagnole di Fiandra e d'Italia che va sotto il nome di trompe-l'oeil sia nei soggetti di figura che nelle nature morte. L'acuto realismo viene rimarcato dal valore delle linee (del segno diremmo noi) che traccia un parallelo, vale a dire un confronto, una sfida dell'incorruttibilità dell'arte rispetto alla corruzione della vita con il divenire e la morte a tal punto che l'ira del tempo non può esercitare il principio dell'oblio. E chiaro risulta nella prima terzina del sonetto l'accenno che l'artifizio dell'inganno, il trompe-l'oeil, appunto, persuaso della sua verità-realtà "idolatri" ed esalti la finzione della mimesi pittorica. Da qui l'ipotesi che una parte della collezione del Tassis contenesse dipinti fiamminghi o italiani e spagnoli di tal genere là dove la verosimiglianza assoluta creava il prodigio miracoloso dell'arte che corrobora "una tabla", elemento di per sé inanimato, di voce, movimento e sentimento. Da un lato, dunque, Caravaggio e, soprattutto, i caravaggisti e dall'altro, non è, forse, azzardato immaginare che tra i dipinti di figura e di "naturalezas" ci fosse qualche opera nell'ambito dell'iperclassicismo di Reni e dei suoi seguaci, quel Reni che fu proprio a Roma negli anni 1601-1614 e a Napoli nel 1612 e più tardi, tra il 1619 ed il 1621. E prima di lasciare il nostro Tassis ispanico, campione di mecenatismo, spirito libero, romantico e byroniano *ante litteram*, uomo di generosità, coraggio e sprezzatura, incarnazione del mito del Don Giovanni tra Virtù e Vizio[29], bisogna accennare ad un'altra delle sue imprese nel campo delle arti e del "mecenazgo", quella

6. Ambrogio da Fossano detto il Bergognone, Discesa dello Spirito Santo sulla Madonna e gli Apostoli (polittico). Bergamo, chiesa di Santo Spirito.

della festa e dello spettacolo teatrale, detto de' *La Gloria de Niquea*[30], in onore dei sovrani di Spagna, Filippo IV e la moglie Isabella di Borbone, di cui fu artefice insuperabile. Tralasciando qui di narrare della storia, vuoi veritiera, vuoi frutto di un immaginario collettivo travasato in leggende ed in letteratura fino in piena epoca romantica, sull'amore di Juan Tassis per la regina Isabella (culmine, ma non causa primaria della precoce morte del Tassis, voluta dal primo ministro del re, Gaspar de Guzman, il famigerato Conte-Duca de Olivares). La commedia della *Gloria de Niquea* fu commissionata dalla regina Isabella al Tassis per celebrare il compleanno del re e fu rappresentata di sera, sino a notte inoltrata, nel parco del palazzo reale di Aranjuez, il 15 maggio 1622. Per espresso desiderio della sovrana la commedia non è di quelle usuali, ma vuole essere, soprattutto, un apparato scenico di grande meraviglia, di favola allegorica nel gusto di una "invenzione" molto colta e raffinata, una commedia "culterana" dove più che la parola, il dialogo, funziona l'apparizione scenica, appagante maggiormente la vista che l'udito. La stessa Isabella vi partecipa con le sue dame e l'infanta ed è, ancora, la regina ad indicare al Tassis il luogo dove rappresentare la "Favola": nel parco di Aranjuez è il "Giardino dell'Isola" che il fiume Tago lambisce con due correnti e per l'abbondanza della vegetazione l'isola è come circondata da una muraglia frondosissima di alberi. In tale *locus amoenus* (rimemora, se pur in forme meno sontuose, la prima della *Aminta* del Tasso sull'isoletta di Belvedere in mezzo al Po, nel 1573, per la corte estense) viene innalzato un teatro ligneo e viene chiamato a progettarlo quel Giulio Cesare Fontana, già incontrato, il quale, verosimilmente, accompagnò nel suo viaggio di ritorno in Spagna Juan Tassis, stante l'amicizia che si era instaurata tra loro durante il soggiorno napoletano. Come riferisce la cronaca del poeta cortigiano Antonio Hurtado de Mendoza[31], testimone oculare dell'evento, si tratta di un allestimento scenico, per quanto effimero, che ha uno straordinario interesse per la storia del teatro e per l'analogia tra pittura letteraria e scenografia nelle cosiddette "invenciones", sorta di favole pastorali simbolicamente più complesse ed artefatte. Illuminato a giorno il luogo della "isla" mediante potenti torce a vento di cui riferisce lo stesso Villamediana nella prefazione al testo della *Gloria de Niquea*[32], viene innalzato, come scrive Hurtado, "un teatro de ciento y quince pies de largo por setenta y ocho de ancho, y siete arcos por cada parte,

7. *Antonio Fantoni di Rosciano, parti smembrate del monumento funebre ad Agostino Tasso. Bergamo, chiesa di Santo Spirito.*

con pilastras, cornijas y capiteles de orden dórico, y en lo eminente de ellos una galería de balaustres de oro, plata y azul que las cenian en torno, que sustentaban sesenta blandones con hachas blancas, y luces innumerables, con unos términos de relieve de diez pies de alto, en que se afirmaba un toldo, imitado de la serenidad de la noche con multitud de estrellas entre sombras claras. En el tablado había dos figuras de gran proporción, las de Mercurio y Marte, que servían de gigantes fantasticos y de correspondencia a la fachada, y en las cornijas de los corredores muchas estatuas de bronce, y pendientes de los arcos unas esferas cristalinas, que hacían cuatro luces, y alrededor, tablados para (los, n.d.r.) caballeros, y el pueblo, y una valla hermosisima que detenia el paso hasta el Rey, y en medio un trono, donde estaban las sillas del Rey y de los senores Infantes Don Carlos y Don Fernando y sus hermanas, y abajo, finalmente, tarimas y estrados para las Senoras y las Damas". Improponibile qui circostanziare lo svolgimento complicato da un punto di vista narratologico, del *récit* scenico[33], basti ricordare che comprendeva una serie di ipostasi o allegorie personificate, quasi una sorta di *tableaux vivants*, intervallati da *coplas*, sonetti, ottave e altre simili composizioni poetiche ac-

compagnate da musiche e danze. Il prologo era costituito da una *máscara*, vale a dire un travestimento in cui l'infanta Maria di 15 anni assieme ad altre dame palatine eseguivano un ballo; poi da una delle arcate laterali usciva un carro di cristallo adorno di luci e di verzure sul quale stava seduta la personificazione della corrente del Tago con ai suoi piedi le Naiadi del fiume e qui avvenne il saluto al re nei versi del Villamediana: "Del Tajo, gran Filipo, la corriente / Soy, que en coturno de oro las arenas / Desde las perlas piso de mi frente. / Hasta ilustrar de Ulises las almenas. / Inclino á tus reales pies la frente, / Entre estas siempre verdes, siempre amenas, / Jurisdicciones fértiles de Flora, / Que si un rio las argenta, otro las dora"[34]. Seguiva, provenendo da un altro arco del palcoscenico, il carro del mese di Aprile condotto dal segno del Toro, ipostasi della primavera ripiena di luci e di fiori e dello zodiaco del sovrano (in realtà Filippo IV era nato l'otto aprile)[35]. Poi, dall'alto della scena, ex machina, discendeva il carro de "La Edad" personificata da Ana de Acuna appoggiata sopra un'aquila dorata; ella, recitando in ottave, ricordava al re le gesta dei suoi avi, invitandolo a portare le sue armi nell'intero mondo; infine quattro grandi tronchi, posti al fondo della scena, si aprivano ad un ambiente campestre con quattro ninfe che con leggiadra voce cantavano versi elogiativi. Da qui principiava la vera e propria commedia: una montagna aspra con pecore e pastore. È la storia di Amadís che cerca di far liberare Niquea, ammaliata dal proprio fratello Anaxtárax ed interviene poi il "Caballero de la ardiente espada", alla fine Amadigi riuscirà a raggiungere la porta dorata del palazzo di Niquea: "Esta misteriosa puerta / Que el cielo tiene cerrada, / Sólo la merece abierta / Del mundo la fe más cierta / Y la más famosa espada", recita Amadigi e come per incanto si spalanca il sacello e, in un mutamento scenografico che ha tutta l'impronta del teatro barocco, compare una grande sala a volte con le pareti composte da cristalli ed oro dove s'innalza il *lujoso trono* su cui siede *La Gloria de Niquea*, alias la regina Isabella quale Venere, *diosa de la hermosura*, circondata da un'aureola di dame e fanciulle poste più in basso. Nel secondo atto si alternano altre scene della Notte e dell'Inferno fino alla liberazione di Niquea dagli incantesimi del fratello così che Amadigi e Niquea possono coronare il loro sogno d'amore. Ma la celebrità dello spettacolo fu dovuta anche alla fatalità di un accadimento terribile. Dopo la commedia del Villamediana, nella stessa notte, fu rappresentato un altro spettacolo, questa volta di Lope de Vega, nel giardino detto dei "Negros", dal titolo *El Velloncino de oro*. Poco dopo il primo atto una fiaccola cadendo sopra una tenda fece divampare un grande incendio, mettendo a rischio la vita della corte e mescolando, a causa del panico, "las personas más supremas con las más infimas y bajas"[36]. Nella confusione generale Juan Tassis portò in salvo la regina, potendola così abbracciare e dimostrarle apertamente il suo amore per lei. Secondo fonti riportate da Cotarelo e ridiscusse da Rosales, l'incendio sembrò essere stato provocato dallo stesso Villamediana a causa della passione che provava per Isabella dando così origine ad una leggenda amorosa, diventata *topos* nelle letterature europee fino al Romanticismo e a una delle accuse contro il Villamediana, emblematizzata nella sua insegna "son mis amores reales". Anche l'assunto della *Gloria de Niquea*, interpretato quale allegoria politica[37] da parte di alcuni studiosi, è di fatto più suggestivo che reale e va inserito nella casistica della numerosa bibliografia di epoca ottocentesca e moderna.

Alla morte del conte di Villamediana che era rimasto vedovo dal 1619 senza eredi, il suo incarico di "Correo Mayor" fu affidato al cugino ed erede, conte di Oñate, e rimase appan-

8. *Ricomposizione del monumento funebre di Agostino Tasso e della moglie Caterina. Bergamo, chiesa di Santo Spirito.*

naggio di tale famiglia aristocratica unitamente a quella dei Ladrón de Guevara fino al 1706, anno in cui, previo indennizzo, l'impero delle poste fu incorporato alla corona da Filippo V e così ebbe fine la dinastia dei Tasso spagnoli.

Da dove proveniva il ramo spagnolo dei Tasso, originari di Bergamo[38]? Mi sembra sia passato sotto silenzio un mio ampio saggio, di dieci anni orsono[39], che rispondeva in parte a questa domanda, ma che faceva luce, per la prima volta su questa straordinaria storia di una famiglia europea e sulla sua committenza artistica in particolare negli anni tra il 1517 ed il 1648. Il padre di Juan Tassis, il primo conte di Villamediana, era figlio di Raimundo de Tassis, cavaliere dell'abito di Santiago, gentiluomo di camera di Filippo II ed era stato nominato "Correo Mayor" da Carlo V con cedula firmata in Madrid l'8 novembre 1539. A sua volta Raimundo era figlio di Bautista de Tassis, figlio di Ruggero de Tassis e nipote di Francesco de Tassis, "Correo Mayor": quest'ultimo è il fondatore della dinastia "postale" con sede nelle Fiandre; i suoi nipoti (figli del fratello Ruggero, appunto) Battista e Maffeo de Tassis istituirono il potere postale nelle diverse diramazioni in Spagna, in Italia, in Germania, in Austria tramite la parentela con il ceppo bergamasco. Grazie allo zio, Francesco de Tassis, Battista e Maffeo ricevono la loro investitura da Carlo I (il futuro Carlo V) con il contratto ("convenio entre Carlo I y los hermanos Tassis sobre postas") il 20 dicembre 1517, come attesta il documento di Simancas[40]. Qui, tuttavia, è Francesco che ci interessa, perché è anche l'iniziatore nelle Fiandre di una committenza artistica, poi continuata dalle successive generazioni tassiane italiane ed europee. Francesco, Francisco, François de Tassis (De La Tour Tassis) nasce nel 1459 nel Bergamasco, frequenta come già il padre Simone e lo zio Francesco la corte dell'imperatore Federico III e, successivamente, dal 1490, è al servizio di Massimiliano I d'Absburgo, ad Innsbruck dove occupa l'incarico di "capo dei messaggeri" delle Poste; nel 1504 fu nominato Capitano e Maestro delle Poste che furono centralizzate attorno alla corte di Margherita d'Austria a Malines (Belgio); nello stesso anno accompagna Filippo il Bello in Spagna allorché il sovrano andò a prendere possesso del regno di Castiglia, patrimonio dotale della moglie, la regina Giovanna (la celebre "Juana la loca"). Francesco de Tassis, la cui data di morte si colloca tra il 30 novembre ed il 20 dicembre del 1517, è immortalato nel ritratto eseguito da Bernard van Orley (1488 circa-1541), un olio su tavola (Regensburg, collezione Thurn und Taxis) (fig. 2) che Francesco commissionò all'artista allora più importante delle Fiandre sotto la reggenza di Margherita d'Austria (1480-1530), "peintre en titre" della sua corte a Malines e a Bruxelles[41]. Il ritratto è databile agli ultimi anni del committente (1516-1517) per le strettissime affinità di *visus* e d'età matura che presenta la sua effigie ripresa molte volte negli arazzi per la chiesa del Sablon a Bruxelles di cui diremo più avanti. Francesco de Tassis è, infatti, raffigurato a mezzo busto con la stessa cappa di pelliccia che ostenta nell'arazzo (l'unica variante vistosa è qui il copricapo, mancante nell'arazzo per ovvi motivi di riverenza e di rispetto religiosi), nella mano sinistra reca l'"épée-droit" quale simbolo del potere postale, distintività e riconoscimento ai messaggeri postali dei Tasso nell'adempimento delle loro funzioni; tiene la mano destra appoggiata sopra un banco dove spiccano la penna d'oca, strumento dello scrivere, alcune lettere sigillate o *parchemins* e monete auree. La foggia dello *chaperon* con la medaglia ricamata sulla tesa alta nonché i capelli a bande ricordano il modello del ritratto di Carlo I come re di Spagna (14 marzo 1516), incisiva immagine del giovanissimo Absburgo[42], dipinta dal Van Orley del Museo di Belle Arti di Budapest (un olio su tavola, 71,5 x 51,5 cm), databile tra il 1515 e il 1516. Un altro ritratto di Francesco de Tassis analogo, evidentemente derivato da questo del Van Orley, se pur con lievi varianti, era affrescato nella serie di una *portraiture* memoriale tassiana nella villa di Zogno (Bergamo) di un altro Maffeo Tasso, nel Seicento. Tra le committenze di Francesco, come ebbi a scrivere nel già citato mio saggio[43], vengono ricordate la fondazione di una cappellania a Battel-les-Malines (oggi distrutta) dove tra l'altro i Tasso avevano una residenza (acquistata nel 1509 nella Bleekstraat, oggi scomparsa) e la fondazione di una confraternita, nel Tirolo, con l'obbligo di pregare nel giorno della Concezione di Maria Vergine e con l'invocazione "per i nobili e potenti signori di Tasso"[44]; inoltre fece erigere nella chiesa di Nostra Signora del Sablon a Bruxelles dove i Tassis avevano giuspatronato (come i coevi e affini per parentela Tasso bergamaschi nella chiesa di Santo Spirito a Bergamo) una cappella funeraria trasformata nel secolo XVII dagli eredi e principi, così nomati, Tour et Taxis. La cappella sepolcrale voluta da Francesco e dove fu sepolto nel 1518 fu interamente rifondata nel Seicento in quella che ancora oggi si

9. Copia seicentesca del particolare del "Commiato" di Lorenzo Lotto riferito al ritratto di Elisabetta Rota Tasso. Bergamo, Biblioteca Civica.

chiama "Chapelle de Tour et Taxis" dedicata a Sant'Orsola, situata nel transetto a sinistra della chiesa nello stile italo-fiammingo (nel 1651 e poi tra il 1676 e il 1678) e che da sola meriterebbe un saggio iconografico e stilistico per la ricchezza delle ornamentazioni e della statuaria connessa al valore simbolico di una famiglia e di un potere dinastico[45]. Ci limitiamo qui a ricordare che non va confusa con l'analoga cappella funeraria, sempre dei Tour et Taxis, dedicata a San Maclou o San Marcolfo, collocata a destra del coro, costruita nel 1690 sul luogo di una più antica cappella dedicata ai Santi Antonio e Sebastiano, patroni degli arcieri e che, comunque, anch'essa appartiene di diritto alla lunga serie di opere della committenza tassiana in Europa lungo i secoli. Ancora Francesco fu l'iniziatore del palazzo dei Tasso eretto davanti al grande portale della chiesa del Sablon di cui la famiglia era protettrice. Il palazzo, purtroppo, è andato distrutto a causa di un incendio durante le guerre iconoclastiche tra Cattolici e Protestanti nelle Fiandre, ma possiamo averne un'idea nel dipinto di Antonio Sallaert, riprodotto nel testo di B. Delépinne[46]. Ma la gloria maggiore di Francesco fu la commissione al Van Orley, che ne preparò i cartoni, degli arazzi per la sua cappella funeraria nella chiesa del Sablon sul tema della *Leggenda di nostra Signora del Sablon e la statuetta miracolosa*. Gli arazzi erano ancora in loco alla metà del XVI secolo, perché menzionati nella cronaca di J.C. Calvete de Estrella[47] che accompagnò Filippo II nel suo viaggio nei Paesi Bassi, quando racconta che si poteva vedere questa leggenda in una vecchia e ricca *tapisserie*, corredata da versi che ne illustravano la storia. Gli arazzi, dispersi nelle guerre di religione, ricomparvero solamente a partire dal 1874; quelli rimasti (lana e seta, da sei a sette fili di ordito per centimetro, altezza 3,55 x 5,45 m di lunghezza), passati nell'Ottocento nella collezione di M. Spitzer[48], si trovano oggi nelle collezioni dei Musei Reali d'Arte e di Storia a Bruxelles. In origine erano composti da quattro grandi pezzi, ciascuno formato da tre parti (trittico) secondo le modalità della arazzeria bruxellese protorinascimentale e dovevano essere letti in sequenza cronologica da sinistra a destra; di questi quattro grandi arazzi solo due sono rimasti intatti: l'uno, qui riprodotto, del Museo di Bruxelles (fig. 4), l'altro all'Ermitage di San Pietroburgo; degli altri due sono stati ritrovati solo alcuni frammenti di cui uno, restaurato nel 1963, è conservato presso l'Hotel de la Ville a Bruxelles[49]. Il tema si ispira al fol-

10. Lorenzo Lotto, Commiato di Cristo dalla Madonna
con la committente Elisabetta Rota. Berlino, Staatliche
Museen.

clore religioso e devozionale delle Fiandre correlato all'apparizione della Vergine, secondo le cronache medievali, in sogno a Beatrice Soetkens, pia filatrice di Anversa. La Madonna le ordinò di far restaurare una vecchia statuetta della Vergine e di trasportarla in seguito in una chiesa di Bruxelles. La statua fu accolta con grande fervore dal popolo e collocata nella chiesa del Sablon dove non smise di provocare miracoli fino al 1580, anno in cui fu distrutta dagli iconoclasti. Non possiamo qui descrivere nel dettaglio la storia raffigurata che principiava dall'apparizione della Vergine attorniata da angeli a Beatrice Soetkens, sdraiata sul letto, per la quale rimandiamo alla scheda del nostro catalogo[50], ma il quarto ed ultimo arazzo, quello conclusivo del trasporto della statuetta miracolosa, è il più importante ai fini della rappresentazione e della glorificazione della famiglia Tasso insieme alla famiglia degli Absburgo. Il trittico comincia a sinistra con Beatrice che consegna la statua miracolosa (Vergine col Bambino) a Filippo il Bello, inginocchiato, incoronato e con il collare del Toson d'oro; dietro di lui, Carlo I e il fratello Ferdinando; più in basso sul limitare del proscenio, compare Francesco, inginocchiato con lo scettro postale ed una lettera sigillata nella mano sinistra. La scena centrale illustra il corteo dei personaggi recanti in processione la statua sotto un baldacchino attraverso la città: davanti i dignitari ecclesiastici, poi Ferdinando e il fratello Carlo I che sorreggono la portantina; dietro a lui si identifica Filiberto di Savoia, marito di Margherita d'Austria; anche qui ricompare il committente Francesco con identica posizione e atteggiamento, ma specularmente rovesciata rispetto alla precedente, mentre di fronte a lui, in primo piano, inginocchiato e di profilo, si manifesta il nipote Giovan Battista, futuro erede del potere postale; nel terzo ed ultimo scomparto riappare la figura del committente nella identica positura del pannello centrale, ma sullo sfondo a destra in un altare della chiesa si vede la statua collocata davanti alla quale sono inginocchiate in fervorosa preghiera Margherita d'Austria e i nipoti Ferdinando, Eleonora, Isabella, Maria e Caterina; dietro le principesse, un poco appartata, si riconosce la moglie del committente, Dorotea Luytvaldi (o Leytboldi) che i documenti ci dicono ancora viva nel 1521. Infine sullo sfondo della navata della chiesa si rivede Beatrice Soetkens, seduta sul gradino dell'altare, ormai votata al culto della Vergine.

Ai lati dell'affresco tessuto corre una cornice

11. Lorenzo Lotto, Natività. Siena, Pinacoteca Nazionale.

12. Giovanni Battista Moroni (copia da), Ritratto di Lorenzo I Bordogna von Taxis. Friuli, collezione privata.

con cartigli, candelabre e cornucopie di fiori e frutta frammentate da varie divise, scudi ed armi; a sinistra l'insegna "habeo quod dedi", concessa il 31 maggio 1512 dall'imperatore Massimiliano; a destra lo stemma della madre di Francesco, Tonila Magnasco, ed il motto "Dum vixit bene / bene vixit" e l'iscrizione in latino: "Egregius franciscus de taxis pie me-[moriae] posta[rum] m[a]g[iste]r hec fieri fecit an[n]o 1518". L'arazzo, commissionato nel 1516 (dato che Carlo è raffigurato con la corona di re di Spagna), ebbe ritardi nella sua realizzazione e fu compiuto un anno dopo la morte del committente. Tuttavia l'insistita effigie del committente donatore, oltre ad esaltare il motivo della fede popolare, sancisce nella memoria e nella storia, imperituro, l'importante contratto tra Carlo I e Francesco Tassis e suo nipote che garantiva ai Tasso il dominio incontrastato del potere postale e della sua estensione a tutti i possedimenti absburgici d'Europa. L'opera di eccezionale bellezza è una *summa* non solo dell'iconografia tassiana, ma dell'intera società fiamminga del primo Cinquecento: l'intensità analitica della narrazione, dei personaggi, dei loro costumi e fogge, l'individuazione rigorosa del rituale religioso e devozionale insieme, che mescola il prodigio della leggenda entro la quotidianità reale, ne fanno un altissimo brano di civiltà artistica. Il motto "habeo quod dedi" nella sua icastica, e apparentemente riduttiva, semanticità testimonia invece sia l'alto livello del mecenatismo tassiano fin dalle origini, sia l'adesione della famiglia alla Weltanschauung absburgica nel segno dell'unità dell'impero mediante le reti delle comunicazioni postali e nel valore ecumenico del Cattolicesimo e della sua liturgia. Tale divisa, schietta e non laudativa, aderisce perfettamente alle loro radici lombarde, intrise di *labor* e di astuzia, di spirito combattivo e di realtà pragmatiche mediante le quali acquisirono un grande successo internazionale in un periodo storico che vede l'Europa attraversata da guerre, pestilenze, carestie e bagni di sangue tra l'utopia dell'Impero pancristiano e la "Realpolitik" dei nazionalismi, primo fra tutti quello francese.

Vanno qui menzionate le committenze, almeno alcune, dei Tasso rimasti a Bergamo nel XVI secolo coevi e strettamente imparentati con i Tasso delle Fiandre e della Spagna . Tra tutti emerge la personalità di Domenico Tasso (defunto nel 1541), figlio di Agostino de Tassis del Cornello (come recitano i documenti dell'epoca), morto il 22 febbraio 1510 a Roma dove dal 1484 deteneva la carica di Generale delle Poste sotto Innocenzo III, Alessandro VI e Giulio II, fondatore del prestigio e della ricchezza economica dei Tasso del ramo bergamasco. Domenico fece erigere il proprio palazzo in via Pignolo (ancora oggi esistente) agli inizi del Cinquecento e tra le prime opere del suo mecenatismo è da ricordare il polittico con la *Discesa dello Spirito Santo sulla Madonna e gli Apostoli* del Bergognone, collocato nel secondo altare, entrando a sinistra, della chiesa di Santo Spirito, sulla quale esercitava il giuspatronato la famiglia Tasso (fig. 6); datato al 1508, il polittico reca nella medaglia della cornice la scritta "Dominicus Tassus et pie et caste dicavit" per la quale opera rimandiamo alla scheda del nostro saggio più volte citato[51]. Nella stessa chiesa va ricordato il monumento funebre commissionato il 10 gennaio 1511 da Luigi Tasso, vescovo, fratello di Domenico, allo scultore e lapicida Antonio Fantoni di Rosciano per celebrare la morte del padre Agostino e della madre, Caterina (figlia di Ruggero Tasso del Cornello, già defunta), nella "capella maiori" della chiesa di Santo Spirito (fig. 7). In seguito alle trasformazioni ottocentesche (1858) dell'abside e dell'altare maggiore l'opera fu smembrata ed è suddivisa attualmente in due sezioni: quella strettamente scultorea con le immagini della Madonna col Bambino, di Santa Caterina e di Sant'Agostino (in omaggio ai nomi dei genitori defunti) ed alcuni frammenti di lesene fa parte, purtroppo, del nuovo altare liturgico; l'altra, il monumento funebre vero e proprio nel gusto dell'Amadeo e della sua bottega, con l'epigrafe è stata ricomposta nella quinta cappella a sinistra dell'altare maggiore (fig. 8), dove, anticamente, esisteva già un'altra tomba tassiana, oggi dispersa, di Pier Andrea Tasso (altro figlio di Agostino) e di sua moglie Orsola d'Alzano[52]. Tra le opere più significative commissionate da Domenico Tasso rimane il dipinto di Lorenzo Lotto, il *Commiato di Cristo dalla Madonna* con la committente Elisabetta Rota, moglie di Domenico. L'olio (tela, 126 x 99, firmato e datato in basso a destra sopra la copertina chiara del libro "Mo.Laurentio Lotto Pictor 1521", Berlino, Staatliche Museen, fig. 10), rappresenta, sul limitare della tela a destra, Elisabetta Tasso, di profilo, inginocchiata e riccamente vestita (si noti la raffinatezza dell'acconciatura); mentre ella solleva lo sguardo dal libro di devozioni, come in una sorta di meditazione concretizzata, visualizza all'interno dell'atrio della propria casa, l'immagine della *pietas* dolorosa dello straziante congedo del Figlio dalla Madre. La committente evoca, dunque, sulla scorta della lettura sulle meditazioni della Passione del Cristo[53], la certezza della scena che si attua nel suo palazzo, nella quiete domestica del proprio mondo e, contrariamente alla tradizione, ponendosi in un rapporto paritetico all'evento sacro, provocato dall'orazione o riflessione mentale.

Sposa amata e ammirata, il suo nome non solo viene ricordato nell'epigrafe tombale[54] del marito (morto il 15 luglio 1541) nei termini di "Fidissima Consors... Nobilibus Elisabetta Rotis", ma la sua memoria è ancora oggi riscontrabile nell'iscrizione di un architrave di porta del suo palazzo: "Elisabetae Uxori"; infine il *Commiato* rivela nella sua impaginazione uno spaccato architettonico reale, proprio quello del palazzo dei Tasso: lo sfondo spaziale raffigura quello stesso atrio centrale che si apre sul cortile a porticato del loggiato ancora oggi ricostruibile nel complesso dell'edificio nonostante le trasformazioni successive; inoltre sono tuttora riconoscibili i capitelli delle colonne e con tutta probabilità l'epigrafe "Elisabetae Uxori" corrisponde, nel dipinto, all'architrave della porta aperta sulla camera da letto nello sfondo a destra dietro la comparsa del gatto che è qui semplice connotazione domestica e non ha nessuna implicazione simbolica come il cagnolino, modello tradizionale di fedeltà. Morto Domenico[55], la "Magnifica domina Elisabetta" rimase usufruttuaria dell'ingente patrimonio del marito, il quale aveva fatto testamento già nel 1536. Elisabetta era ancora viva nel 1553, come attesta un documento pergamenaceo[56] che si riferisce ad una possibile scomunica qualora non avesse versato quanto spettava ai luoghi pii, verosimilmente in relazione ai copiosi lasciti del marito sia al convento di Santo Spirito sia ai Cappuccini e, forse, agli stessi padri Somaschi che Domenico aveva già tanto beneficato in vita. L'immagine di Elisabetta, effigiata dal Lotto, divenne celebre e fu reimpiegata e ritagliata come ritratto a mezzo busto in copie di anonimi del Seicento da inviare anche ai Tasso sparsi nei vari centri europei nell'ambito di una galleria ideale degli antenati bergamaschi come l'olio su tela (87 x 69 cm) della Biblioteca Civica di Bergamo (fig. 9); esso fa parte di una serie di dodici personaggi tassiani[57] dove l'effige è racchiusa da una cornice barocca con un nastro a monocromo sul quale è dipinta la dicitura "Elisabetta Rota Uxor Dominici de Tassi Co.et Aequitis".

Il dipinto del *Commiato* menzionato dal Ridolfi[58] e dal Tassi faceva, in certa misura, *pen-* *dant* in palazzo Tasso con la *Natività di Gesù Bambino* (fig. 11), altra opera commissionata da Domenico al Lotto nello stesso anno[59], come ha dimostrato Nicco Fasola (1954) e ribadito la Cortesi Bosco (1976) anche se altri studiosi hanno spostato la data al 1527. Si tratta di uno straordinario ed "irreale" notturno (olio su tavola, 56 x 42 cm, Siena, Pinacoteca Nazionale), tra i primi dell'artista in tale genere che alla figura di San Giuseppe ha offerto i connotati fisionomici del committente, conte e cavaliere Domenico Tasso. A favore della datazione al 1521 gioca, infatti, un ruolo importante l'immagine di Domenico nelle vesti di San Giuseppe il quale ripropone nel potente, ma accostante realismo del volto i sembianti della figura di San Pietro, se pur incanutiti, nel dipinto del *Commiato*; entrambi i volti sono riconducibili, forse, al ritratto di Domenico Tasso, da giovane, nella prima figura di santo inginocchiato a destra (quasi al bordo della cornice) nel polittico del Bergognone sopra indicato. Infine, in questa breve campionatura del collezionismo tassiano in Italia, un altro dipinto, anche questo poco noto, vuoi perché si tratta di una copia, vuoi perché il mio contributo è passato inosservato[60] nel 1985: è il ritratto di Lorenzo I Bordogna von Taxis, un olio su tela (101 x 82 cm, Friuli, collezione privata, fig. 12) databile tra la fine del XVI e l'inizio del XVII secolo, copia di un originale esistente in Austria, in collezione privata, di cui, per ragioni diverse, non sono ancora riuscito a prendere visione. L'alta qualità del dipinto, pur nella copia forse eseguita per qualche galleria degli avi tassiani, deriva da un originale del Moroni, databile agli anni 1550. Come avevo già affermato nel 1984, tre sono i dipinti accertati di committenza tassiana al Moroni: il ritratto di Ercole Tasso (Zanesville, Ohio, The Art Institute); il ritratto di Enea Tasso (Milano, Civiche Raccolte del Castello Sforzesco), fratello di Ercole e un terzo *portrait* genericamente indicato come *Ritratto di giovane gentiluomo* (Ottawa, National Gallery of Canada) che, allora, identificai essere un secondo ritratto di Ercole Tasso sulla base del raffronto sorprendente con la copia seicentesca (n. 4) della "galleria" delle effigi tassiane della Biblioteca Civica di Bergamo e, più esattamente, quella con la dicitura "Hercules De Tassis Philosophus"; infatti l'impresa scritta sul cartiglio nel dipinto di Ottawa, "Duritiem Molitie frangit", appartiene non solo al clima culturale di Ercole, ma è rintracciabile nella sua opera *Della realtà e perfettione delle imprese* entro il recupero della cultura senecana del *De tranquillitate animi*, tipica degli interessi filosofici di Ercole. Questo quarto dipinto ascrivibile al Moroni raffigura Lorenzo I Bordogna von Taxis nato nel 1510 e morto a Trento nel 1559, figlio di Bonus de Bordogna (nato a Bergamo nel 1482 e morto a Trento nel 1560). Lorenzo I che fu Post Meister di Trento, Bolzano e dell'Alto Adige rappresenta il ramo dei Tasso trentini, imparentatisi con i Bordogna e poi Valnigra donde la denominazione che si trova anche nei documenti successivi del ramo Taxis-Bordogna-Valnigra.

[1]L'olio su tela di 290 x 220 cm, firmato e datato in basso a sinistra "Manuel Castellano Madrid 1868" (Museo del Prado, inv. 3925, depositato presso il Museo Municipale di Madrid), è stato recentemente esposto alla mostra "La Pintura de Historia del siglo XIX en España", a cura di J. Luis Diez; cfr. catalogo della mostra nelle sale dell'Antico Museo spagnolo di Arte Contemporanea, ottobre-dicembre 1992, p. 260 sgg. Si vedano nelle stesse pagine anche i minuziosi e dettagliati studi preparatori riprodotti. Per il dipinto di Castellano ed il commento sulla morte del Villamediana si veda anche M. Sánchez-Camargo, *La muerte y la pintura española*, Editora Nacional, Madrid 1954, pp. 433-436.

[2]Vastissima la bibliografia delle fonti antiche e quella critica contemporanea a partire dall'Ottocento vuoi per gli aspetti romantici del personaggio che incarna tutti gli elementi di una mitizzazione leggendaria, tipica del XIX secolo, vuoi anche per la sua produzione poetica vasta di cui non si può dare qui conto; basti ricordare per l'Ottocento il testo di E. Cotarelo y Mori, *El conde de Villamediana, estudio biografico-critico*, Madrid 1886; P. de Gayanos, *La corte de Felipe III y aventuras del conde de Villamediana*, in "Revista de España", decimo octavo año, tomo CV, luglio-agosto, Madrid 1885, pp. 5-29; e, ancora, N. Alonso Cortés, *La corte de Felipe III en Valladolid*, Valladolid 1908 e, dello stesso autore, *La muerte del Conde de Villamediana*, Valladolid 1928; soprattutto si legga L. Rosales, *Pasión y muerte del Conde de Villamediana*, Biblioteca Románica Hispánica, Editorial Gredos, Madrid 1969. Per l'opera poetica di Juan Tassis si legga *Antologia Poetica: Juan De Tasis* (sic) *Conde de Villamediana*, Editora Nacional, Madrid MCMXLIV.

[3]Il cognome è Tassis nella sua latinizzazione in ragione degli infeudamenti e dei titoli nobiliari che i Tasso, italiani d'origine bergamasca, acquisirono nella loro diffusione europea agli inizi del Cinquecento; talvolta nelle fonti spagnole antiche come in quelle moderne compare la storpiatura Tarsis o Tasis per Tassis che è il cognome corretto come l'equivalente tedesco di (von) Taxis o del francese (de) Tassis, entrambe forme derivate dall'italiano Tasso/Tassi de Tassi/de Tassis.

[4]Don Luis de Haro era il figlio maggiore del marchese del Carpio; ed è lo stesso personaggio nel cui inventario dei beni, compreso quello del figlio Gaspar, era presente un dipinto di Velázquez: Santa Ruffina a metà figura con la palma ed una coppa in mano, di 73 x 59 cm; l'opera pervenne alla fine del Seicento alla collezione dei duchi d'Alba.

[5]Juan Tassis de Villamediana era, in ordine cronologico, il terzo Tassis spagnolo a ricoprire l'alto incarico di "Correo Mayor General" delle poste del regno spagnolo; alla sua morte, non avendo eredi ed essendo già morta la moglie, doña Ana de Mendoza, l'ufficio fu trasmesso al suo parente ed erede, conte di Oñate e rimase appannaggio di questa famiglia fino al 1706 (cfr. E. Cotarelo, *El conde...*, cit., p. 55).

[6]Si legga la cronaca dell'avvenimento in Miguel de Soria, *Libro de las Cosas memorables que han sucedido desde el año de mil quinientos noventa y nueve*, (manoscritto della Biblioteca Nazionale di Madrid, Ms. 2513, citato in A. Cortés e in L. Rosales, *Pasión y muerte...*, cit., pp. 85-86): "Y dicen lo mataron con un arma como ballestra a uso de Valencia y que se callase se mandó. Murió una muerte harto desastrada y sin confesión. Habia sido gran decidor y satirico contra todos los Grandes y hubo contra él grandes satiras. Fue gran lastima... El 21, a boca de noche, que serian las 8, iba el conde de Villamediana, con Don Luis Méndez de Haro, en un coche, por la calle Mayor, y enfrente de la callejuela que iba a San Ginés, se llegó un hombre embozado, y dió tal herida al conde, con un arma como ballestra, que le rompió dos costillas y el brazo y le abrió el pecho; cayó luego muerto diciendo: *Esto es hecho*. Depositáronle aquella noche en San Felipe el Real, de donde le llevaron al convento de San Agustín de Valladolid, de donde es patrón, y está enterrado en la bóveda de la capilla mayor, casi entero su cuerpo por la mucha sangre que le salió de la herida. Hicierónse por orden del Rey nuestro señor grandes diligencias y nunca se pudo saber el matador...".

[7]Cfr. E. Cotarelo, *El conde...*, cit., pp. 14-16 dove vengono riportate le fonti sunnominate dedotte da Alonso López de Haro, *Nobiliario genealógico*, Madrid 1622.

[8]Cfr. N. Alonso Cortés, *La corte...*, cit., pp. 45-46 e nota 1 dove cita il *Libro de Becerro* (p. 391) dell'Archivio del convento degli Agostiniani Filippini di Valladolid; in questo è registrato che Don Juan de Tassis senior (padre del nostro), la moglie Maria de Peralta e la madre di costei doña Casilida de Muñatones acquistarono la cappella maggiore del convento di Sant'Agostino "con las condiciones de ser patrones de dicha capilla mayor y convento, poner armas, bóveda, nichos, y todo lo demás, y obligándose el convento a enterrarlos y recibirlos la primer entrada con el Te Deum laudamus y demás ceremonias de Patrones, darles velas el Prior o el que estuviere por mayor día de la Purificación, y visitarlos las Pascuas en sus casas si vivieren en Valladolid en las cuatro con la de Reyes, y el día de año nuevo, y guardarles misas rezadas todos los días y a la hora que la pidiesen, como consta de la escritura de Patronato otorgada entre este convento y dichos señores ante Juan de Santillana, escribano de Valladolid, en 25 de enero de 1606".

[9]Sulla intricatissima, affascinante e leggendaria vita sentimentale del Villamediana e sulla sua presunta o veritiera relazione amorosa con la regina Isabella di Borbone, moglie di Filippo IV, nonché sulle sue numerose avventure erotiche, etero e forse anche omosessuali, rimandiamo ai testi citati di Cotarelo e di Rosales, ricordando qui – ed è fattore importante – che la codificazione del mito e della leggenda della vita erotica e galante di Juan Tassis II ha spinto uno studioso come Gregorio Marañon (*Don Juan*, Espasa Calpe, Madrid 1943, pp. 102-103 sgg.) a vedere nel Villamediana il personaggio reale e storico cui si ispirò, pochi anni dopo la morte del nostro eroe, Tirso de Molina nel suo *Don Juan Tenorio*.

[10]Cfr. L. Rosales, *Pasión y muerte...*, cit., p. 145.

[11]Cfr. *ibidem*, p. 146 e nota 17.

[12]Cfr. B. Croce, *Due illustrazioni al "Viaje del Parnaso"*, in *Saggi sulla letteratura italiana del Seicento. Scritti di Storia Letteraria e Politica*, 1911, pp. 125-159.

[13]I Mendoza furono, tra l'altro, tra i primi e grandi mecenati delle famiglie ispano-absburgiche a partire dal secolo XV con Inigo López de Mendoza (1398-1458), marchese di Santillana e conte del Real di Manzanarre. Le opere d'arte raccolte e commissionate dai Mendoza tra la seconda metà del Quattrocento e la prima metà del Cinquecento, nonostante che la famiglia si fosse allargata in numerosi rami nobiliari con la morte del III duca dell'Infantado nel 1531, comprendevano molti polittici di soggetto sacro e di gusto fiammingo nonché ritratti, codici miniati, preziosi breviari, medaglie (alcune di Pisanello), armi, reliquiari, tappeti ed arazzi: cfr. AA.VV., *Reyes y Mecenas. Los reyes Católicos. Maximiliano I y los inicios de la Casa de Austria en España*, catalogo della mostra, Toledo, Museo de Santa Cruz, 12 marzo-31 maggio, Milano, p. 307 sgg.

[14]Cfr. E. Cotarelo, *El conde...*, cit., pp. 25-26.

[15]Cfr. *ibidem*, p. 35 sgg.

[16]Scrive, tra l'altro, López de Haro che Juan de Tassis "por sus letras y esplendor y magnificencia, fué de todos admirado en aquella provincia (Napoli, n.d.r.), y en particular de los filósofos y poetas ingeniosos que en aprobación de su eminencia en ambas profesiones le hicieron altos sonetos y célebres epigramas y diversas obras que han llegado á mis manos (de Haro scrive nel 1619 quando il Villamediana vive ancora, n.d.r.), que algún dia saldrán con las del mismo Conde á la luz, en emulación de los antiguos y en honra de la patria y de nuestro tiempo, sin que el estudio y uso de las letras le haya divertido de los ejercicios y artes de caballero, siendo en todas ellas no menos eminente y con exquisito primor armado y desarmado en los torneos, y con los toros y en todo género de fiestas señaladisimo" (citato da E. Cotarelo, *El conde...*, cit., pp. 37-38).

[17]I versi di Cervantes, che abbiamo qui lasciato nella loro lingua originale, sono ricordati da E. Cotarelo, *El conde...*, cit., pp. 39-40.

[18]Cfr. *Descrittione del sontuoso torneo fatto nella fidelissima città di Napoli l'anno MDCXII con la relazione di molte altre feste per l'allegrezza delli regii accasamenti seguiti fra le potentissime corone Spagna e Francia. In questa seconda impressione augmentata di molte cose e corretta di diversi errori, raccolta dal dottor Francesco Valentini anconitano, accademico Eccentrico, dedicata a donna Caterina de Sandoval contessa di Lemos, vice regina del regno di Napoli*, in Napoli, per Gio.Jacono Carlino, 1612; ma si leggano pure le fonti spagnole, *Libro en que se trata de todas las ceremonias acostumbradas hacerse en el Palacio real del Reino de Nápoles... por Miguel Diaz*, 1622 (cfr. E. Cotarelo, *El conde...*, cit., p. 40) e la *Relación de las fiestas que el Excelmo, señor Conde de Lemos, Virrey y Capitán general del reyno de Nápoles... En Madrid por Cosme Delgado Año M.DC.XII.*

[19]Cfr. B. Croce, *Due illustrazioni...*, cit., p. 156.

[20]Cfr. *ibidem*, p. 156.

[21]Cfr. *Libro en que se trata de todas las ceremonias...*, cit.

[22]Cfr. López de Haro, citato da E. Cotarelo, *El conde...*, cit., p. 42.

[23]Cfr. E. Cotarelo, *El conde...*, cit., p. 43.

[24]Dice il sonetto: "Esta maquina y pompa, cuya alteza / fue con tan justo zelo fabricada, / Que en ella se nos muestra declarada / La piedad de su dueño, y la grandeza. / Donde el discurso incredulo tropieza, / Y la misma verdad como assombrada, / El credito suspende, y por sonada / tiene la admiración y la riqueza. /
Aplauso es bien devido al Mausoléo, / Cuyo sugeto prodigioso en arte, / Mas eleva el juizio que los ojos./
Pero de immortal obra, y de un deseo / Solo viene a quedar humilde parte / Para depositar tales despojos".
Si noterà nel sonetto che il Villamediana, nell'ambito della poetica barocca dello stupore, spinge ad evidenziare il contrasto tra la parola incredula che trova difficoltà di fronte all'opera d'arte e la stessa verità come oscurata, sospende la sua stima e considera come sognata/vagheggiata l'ammirazione e la ricchezza. Il plauso è ben dovuto al Mausoleo (si ricordi che il monumento funebre era ed è ornato, oltre che dalla statua del papa, opera di Leonardo Sormani, 1587, da bassorilievi con storie del suo pontificato), la cui tematica prodigiosa, spettacolare e scenografica eleva maggiormente il giudizio rispetto agli occhi; vale a dire che l'arte acutizza ulteriormente il suo valore di esperienza intellettuale rispetto all'appagamento della percezione visiva.

[25]Cfr. *Madrid dramático-Colección de leyendas de los siglos XVI y XVII*, Madrid 1870, p. 387 sgg.

[26]Cfr. E. Cotarelo, *El conde...*, cit., p. 55 e L. Rosales, *Pasión y muerte...*, cit., p. 147.

[27]Cfr. V. Carducho, *Diálogos de la pintura*, impreso con licencia por Fr. Markuez, Año de 1633, dedicato a Filippo IV, cfr. "Diálogo octavo", p 155 verso. Inoltre a p. 166 il Carducho ribadisce gli acquisti artistici del principe di Galles, ma senza rinominare la collezione del Villamediana: "... Y que el Principe de Galés, aora Rei de Inglaterra, quando vino a Espana, hizo buscar con notable cuidado

todas las mejores pinturas, que se pudieron hallar, las cuales pagó, y estimó con excessivos precios".

[28]Cfr. *Obras de Don Juan de Tarsis Conde de Villamediana y Correo Mayor de Su Magestad Recogidas por el Licenciado Dionisio Hipolito de Los Valles*... Con Privilegio. En Madrid... Año 1643, p. 72. E si legga pure, nella serie dei suoi *Epigrama*, il suo giudizio contro un cattivo pittore (cfr. *Obras de Don Juan*..., cit., p. 412): "Otra" – "Pintó un Gallo un mal Pintor, / y entró un vivo de repente, / en todo tan diferente, / quanto ignorante el Autor. / Su falta de habilidad / satisfizo con matallo, / de suerte, que murió el Gallo / porque dixo la verdad".

[29]Si leggano, per la definizione della personalità del Tassis, le acute osservazioni di L. Rosales (*Pasión y muerte*... cit., pp. 157-158): "... Lo que más nos extraña en su carácter... es este movimiento pendular entre las condiciones psicológicas más extremadas y contradictorias: lo que más nos extraña en Villamediana es que puedan fundirse en su modo de ser la espiritualidad y la vileza, la sensibilidad y la insensibilidad, la gallardía y la maledicencia, la vanidad y la capacidad de rectificación, la grandeza y la pequeñes... sus cualidades son simultaneamente tan relevantes e incompatibles que no parecen referirse a una misma persona".

[30]Si legga il riferimento specifico allo spettacolo teatrale nella "Décima" di Góngora, dedicata a Juan Tassis, in cui il poeta rimemora i protagonisti della commedia: "Quien pudo en tanto tormento / Dar gloria en tan breve suma, / Otra no fué que tu aliento. / Á tu canoro instrumento / Anaxtárax lisonjea, / Porque tuyo el nombre sea / Que hoy se repite feliz, / Ó la espada de Amadis / Ó la gloria de Niquea". Per una dettagliata analisi del contenuto narrativo della *Gloria de Niquea* si veda E. Cotarelo, *El conde*..., cit., p. 111 sgg.

[31]Cfr. Don Antonio Hurtado de Mendoza, citato da L. Rosales, *Pasión y muerte*..., cit., p. 71 sgg.; si veda pure E. Cotarelo, *El conde*..., cit., p. 113 sgg.

[32]Cfr. Juan Tassis de Villamediana, prefazione de *La Gloria de Niquea* dove scrive: "No se le diera mucho al Artífice que la noche, aunque fuera de envidia, turbara las estrellas de su manto, porque en vez de sus luces adornó con tantas el coronado espacio que la Astrología precíada de conocer mil y ventidós estrellas hallara nuevas márgenes de faroles y antorchas en más crecido numero", cfr. L. Rosales, *Pasión y muerte*..., cit., p. 71, nota 52.

[33]Si leggano le descrizioni dettagliate nelle monografie più volte citate di Cotarelo e di Rosales.

[34]Cfr. Juan Tassis de Villamediana, *La Gloria de Niquea, en Obras*...; cfr. E. Cotarelo, *El conde*..., cit.

[35]La festa non fu celebrata l'8 aprile, compleanno del re, ma il 15 maggio, vuoi perché non erano terminati i preparativi, vuoi perché doveva trascorrere il tempo di lutto dovuto alla morte di Filippo III secondo la rigida etichetta di corte.

[36]Cfr. E. Cotarelo, *El conde*..., cit., p. 127.

[37]*Ibidem*, p. 122 sgg.

[38]L'origine del nome della famiglia Tasso, generata dal capostipide Omodeo de' Tassi del Cornello (1290) nella Bergamasca (Val Brembana), è stata oggetto poi di molte invenzioni a proposito del duplice cognome di Torre e Tasso (Thurn und Taxis) per una confusione di Lamoral Claudio Francesco del ramo belga che erroneamente credette i Tasso aver avuto la loro origine con i Della Torre, signori di Milano, dando così luogo alla congiunzione di Torre e Tasso, De La Tour-Tassis, Thurn und Taxis. Questo errore fu poi sostenuto e divulgato dal napoletano Francesco Zazera nella sua opera *Della nobiltà d'Italia, 1615-1628*, nonostante la fiera opposizione degli studiosi di storia tassiana. Si veda M. Montánez Matilla, *El Correo en la España de Los Austrias*, Madrid 1953, p. 55. Ma si veda anche *Les Archives générales de Simancas et l'histoire de la Belgique (IX-XIX siècle) par Maurice van Durme*, Bruxelles, Palais des Académies, 1964-1973.

[39]Cfr. M. Lorandi, *Le poste, le armi, gli onori: i Tasso e la committenza artistica. Internazionalità del potere, internazionalità dell'arte*, in *Le Poste dei Tasso, un'impresa in Europa*, catalogo della mostra, 28 aprile-3 giugno 1984, Comune di Bergamo, Bergamo 1984, pp. 87-138.

[40]Cfr. Archivio Generale di Simancas, *Contadurías.I.a época*, Legajo 315. Si legga la trascrizione del documento in M. Montánez Matilla, *El Correo en la España*..., cit., pp. 184-186: "Los dichos correos mayores traslado del asiento que con ellos se hizo sobre detener las postas, 20 de diciembre de 1517. siguense los puntos y condiciones del apuntamiento echo por el Rey Catholico a baptista e maffeo de tassis sus capitanes y maestros de postas por el entretenimiento de las dichas postas desde sus Reynos despaña fasta en françia en sus tierras de abaxo y desde alla al emperador en qualquier parte que sea en alemanya y tambien las diligencias y de ver que su mgt. entiende que las dichas postas haran en su servicio durante el presente apuntamyento/primeramente seran obligados los dichos maestros de postas de tener postas desde el lugar donde sera el rey en sus dichos Reynos despaña fasta en sus dichas tierras de abaxo en el lugar donde su lugar teniente e los del su consejo estobiere en las dichas tierras/... Asi fecho e hordenando por el Rey en su consejo en valladolid a xx dias de diziembre de dxvii anos Charle asi fecho e hordenando por el rey en mi presencia auarte...". Va, inoltre, ricordato che Battista, Maffeo ed un terzo loro fratello, Simone, nel 1518 vengono naturalizzati spagnoli e nominati maestri postali. Nel documento dell'Archivio Generale di Simancas (*Mercedes y privilegios*, Legajo 116) citato da Matilla (pp. 188-190) è significativo che venga ricordata la loro ascendenza bergamasca ed il paese d'origine, Cornello. Afferma il documento: "Dona Juana y don Carlos su hijo por la graçia de Dios Rey y Reyna de Castilla de Leon.etc.a., etc.a.Por haçer bien y merced a vos Bautista de Taxis y Mafeo de Tasis y Simon de Tasis hermanos naturales de Cornello acatando los muchos y buenos y leales serviçios que al muy alto y poderoso Rey don Felipe que Dios tiene en su gloria y a nos haueys fecho y esperamos que nos areys de cada dia adelante tenemos por bien y es nuestra merçed y voluntad de os haçer naturales de nuestros rreynos y senoríos y queremos y mandamos que seays havidos por tales y podays goçar y coçeis de todas las cosas que goçan y pueden e deuen goçar los otros naturales dellos... y vos el dicho Bautista de Tasis seays caveça principal del dicho ofiçio en lugar y por fin y muerte de Francisco de Tasis vuestro tio nuestro correo mayor...".

[41]Si tenga presente che Dürer nel suo viaggio nelle Fiandre (1520) da cui il suo diario (cfr. l'edizione francese, *Albert Dürer. Journal de voyage dans le Pays Bas*, Bruxelles 1937, a cura di J.A. Goris e G. Marlier), incontra B. van Orley a Bruxelles ed è interessato ad entrare nei favori della arciduchessa Margherita d'Austria (1480-1530), zia di Carlo V, e della sua corte, come è testimoniato, tra l'altro, dal desiderio di Dürer di possedere il "piccolo libro" di disegni di Jacopo de' Barbari, che era stato maestro in carica prima del Van Orley; e quando Dürer ufficialmente invitato a visitare le collezioni di Margherita a Malines chiese del libretto di de' Barbari, la reggente gli rispose che l'aveva già promesso al suo pittore di corte, appunto il Van Orley (cfr. *Journal*..., cit., p. 45). Si trattava, quasi certamente, di un libro di studi di proporzioni. Dürer eseguì in tale soggiorno "un portrait au fusin" di Van Orley (cfr. *Journal*..., cit., p. 14).

[42]Cfr. Zsusa Urbach, *Masterpieces of the Museum of Fine Arts*, Budapest 1990, scheda n. 76, p. 190, tav. colori.

[43]Cfr. M. Lorandi, *Le poste*..., cit., scheda n. 3, p. 107.

[44]Cfr. E. Mangili, *I Tasso e le poste*, ristampa anastatica dell'edizione di Bergamo del 1942, Bergamo Grafica Gutenberg, 1982, vol. III, p. 158.

[45]Si rimanda qui al mio saggio introduttivo e alle schede relative in catalogo, M. Lorandi, *Le poste*..., cit., p. 87 sgg.

[46]B. Delépinne, *Histoire de la Poste internationale en Belgique*, Bruxelles 1952, tav. VII.

[47]Cfr. AA.VV., *Tapisseries bruxelloises de la pré-Renaissance*, catalogo della mostra, Bruxelles, Musei Reali d'Arte e di Storia, 22 gennaio-7 marzo 1976, schede nn. 20-23, p. 85 sgg., con bibliografia.

[48]E. Müntz, *La collection de M. Spitzer*, in "Gazette des Beaux-Arts", tomo 23, Paris 1881, pp. 377-395.

[49]Cfr. R.A. D'Hulst, *Tapisseries Flamandes du XIV au XVII siècle*, Bruxelles 1966, p. 144.

[50]Cfr. M. Lorandi, *Le poste*..., cit., pp. 107-108, scheda n. 4.

[51]Cfr. M. Lorandi, *Le poste*..., cit., pp. 104-105, scheda n. 1. Gli otto scomparti del polittico sono racchiusi da un'elegante cornice intagliata e dorata che un tempo comprendeva anche un gruppo di putti reggenti lo stemma dei Tasso (oggi scomparso). La cornice è opera di Donato Prestinari e Giacomo della Valle come risulta dal contratto in data 3 aprile 1508 tra il "nobilem et egregium virum dominum Dominicum filium emancipatum Spectabilis dom. Augustini de Tassis del Cornello" e i maestri intagliatori sopra indicati.

[52]*Ibidem*, pp. 105-107, scheda n. 2. Per l'altro monumento funebre, quello per il vescovo Luigi Tasso, fratello di Domenico, assassinato nel 1520, commissionato dai suoi eredi nel 1522 ed oggi ricollocato nel corridoio di passaggio alla sacrestia nella chiesa di Santo Spirito in Bergamo, si legga la scheda n. 6, pp. 109-110, nel mio testo; si aggiunga, inoltre, che sempre nella quinta cappella a sinistra dell'altare maggiore di Santo Spirito sono stati ricomposti anche i resti del monumento funebre a Domenico Tasso, commissionato dalla vedova Elisabetta Rota il 15 luglio 1541, anch'ella, poi, lì sepolta, come recita l'epigrafe tuttora conservata: "Splendida Quem Virtus Equitem Decoraverat Auro / Cui Tasso Indiderat Nomen Avita Domus / Dominicus Iacet Hic Iacet Et Fidissima Consors / Aedita Nobilibus Elisabetta Rotis".

[53]Per i testi devozionali, fonti del dipinto del Lotto e della committenza tassiana, cfr. F. Cortesi Bosco, *La letteratura religiosa devozionale e l'iconografia di alcuni dipinti di L. Lotto*, in "Bergomum", n. 1-2, 1976, pp. 3-25.

[54]Cfr. nota 52.

[55]Domenico Tasso, come abbiamo già detto, morì nel 1541; è perciò del tutto erronea l'ipotesi avanzata dal Gentili che vede nell'atteggiamento devozionale di Elisabetta una condizione di vedovanza, stante che il dipinto è datato 1521! Cfr. A. Gentili, *Virtus e Voluptas nell'opera di Lorenzo Lotto*, in "Atti del Convegno Internazionale di Studi per il V Centenario della Nascita", Asolo, 18-21 settembre 1980, Treviso 1980, p. 422.

[56]Cfr. M. Lorandi, *Le poste*..., cit., p. 108, scheda n. 5.

[57]Nove di essi sono di 87 x 69 cm, tre (i numeri 5, 10, 12) sono di 105 x 80 cm, tutti oli su tela provenienti dall'Accademia degli Eccitati di Bergamo, dono del conte e cavaliere Ercole de Tassis; cfr. M. Lorandi, *Le poste*..., cit., p. 120, scheda n. 23.

[58]Cfr. C. Ridolfi, *Le meraviglie dell'Arte*, 1648, Parte Prima. *Vita di Lorenzo Lotto pittore*, p. 126 sgg.: "Dicono essere ancora nelle case de' Signori Tassi la nascita di Nostro Signore con Angeli, Christo che prende commiato dalla Madre..." e F.M. Tassi, *Vite dei pittori scultori e architetti Bergamaschi* (1793), edizione in facsimile a cura di F. Mazzini, Milano, tomo I, p. 126.

[59]Il dipinto è firmato Lotus; in un inventario settecentesco veniva riportata la data, oggi non più esistente, mediante l'iscrizione "Lotus 1521". Questa lettura fu accettata da Longhi (1929) e da Berenson (1955); per la Cortesi Bosco, cfr. *La letteratura religiosa*..., cit., p. 13, nota 23; per G. Nicco Fasola si veda il suo *Per Lorenzo Lotto*, in "Commentari", aprile-giugno 1954, pp. 111-112.

[60]Cfr. M. Lorandi, *Un inedito moroniano nella committenza Tassiana*, in "Antichità Viva", n. 5-6, 1985, pp. 18-20, ma si veda anche il catalogo della mostra *Le poste*..., cit., scheda n. 18, pp. 118-119.

Appunti

Giovanni Rodella
Un affresco del Pordenone scoperto nel Duomo di Cremona

Durante i restauri eseguiti tra il 1988 e il 1990 sulle volte e le pareti della prima campata della navata maggiore del Duomo di Cremona, fu trovato al di sopra della vastissima *Crocefissione* del Pordenone un brano ornamentale ad affresco di notevole qualità, da ritenersi con tutta probabilità della stessa mano del grande pittore friulano[1]. Il dipinto si situa tra il rosone che dà luce alla navata e la sottostante trifora romanica.

La scoperta avvenne del tutto casualmente a seguito di un necessario intervento di strappo di un brano pittorico che corona a mo' di edicola le arcatelle della trifora[2]. Questa finta architettura dipinta fa parte dell'ampio complesso ornamentale steso a tempera a decorazione della zona superiore della controfacciata e risalente, si presume, almeno nella generale impostazione, al vasto intervento di riassetto ornamentale delle volte e delle pareti attuato da Giovanni Battista Zaist a partire dal 1753[3].

Il dipinto sottostante, ritrovato in modo così inatteso[4], è composto da tre figure antropomorfe stagliantisi su un fondo color ocra che riproduce una superficie muraria a mattoni posti in obliquo o, molto più probabilmente, una sorta di apparato musivo. La decorazione, delimitata da una bordura scura della quale rimangono solo alcuni tratti, è apparsa del tutto circoscritta alla zona soprastante la trifora: non sono infatti apparsi altri elementi di continuità attorno ad essa che possano far supporre una sua maggiore estensione.

Tra le tre figure antropomorfe del riquadro si distingue nettamente quella centrale, assai più definita delle altre nel trattamento, pur assai veloce e corsivo, del volto e della folta capigliatura. Accovacciata sulle gambe ripiegate in avanti e terminanti in ricurvi racemi, la mostruosa immagine, rassomigliante ad una specie di arpia, domina con le sue grandi ali spiegate l'intera composizione. Le altre due figure laterali, in posizione rispettivamente frontale, emergono dai pennacchi compresi tra le arcatelle della trifora: la loro caratterizzazione antropomorfa è data dalle sagome, realizzate a larghe campiture rosse e brune, delle teste e dei busti curvati all'indietro e conclusi da una serie di lunghissimi e fantasiosi motivi fitomorfi. La modellazione della figura centrale è resa invece con pennellate stese su un fondo assai più chiaro in modo da produrre una tessitura di sottili e fitte linee generanti un'intensa vibrazione chiaroscurale. Una particolare tramatura pittorica che rappresentò una caratteristica costante nella produzione ad affresco del Pordenone[5] e che si riconferma con tutta evidenza nelle sue raffigurazioni realizzate all'interno della Cattedrale cremonese tra il 1520 e il 1521. Gli ultimi restauri del *Compianto*[6], della *Crocefissione*[7] e di *Cristo inchiodato alla croce* hanno contribuito ad evidenziare, specie negli incarnati delle figure, questo efficacissimo trattamento chiaroscurale che parrebbe costituire una delle prove più eloquenti dell'attribuzione al maestro friulano anche del brano ornamentale in questione.

Per la tipologia delle figure antropomorfe ispirate, soprattutto quella centrale, ai motivi più in voga del genere della grottesca e per il caratteristico fondo dorato con le oblique stilature rosse, il riquadro si ricollega strettamente, con ovvia evidenza, alla fascia ornamentale[8] realizzata dal Pordenone, sempre ad affresco, sul sottarco del portale centrale. In questa zona un po' nascosta, il pittore sembra aver dato sfogo a un piccolo *divertissement* dipingendo con pennellate rapide ed essenziali e servendosi di vivaci colori limitati alla gamma dei bruni, rossi e gialli, una breve parata di motivi derivati anche questi, nella maggior parte, dal repertorio della grottesca: il bucranio, la sfera armillare, tempietti con figurette stilizzate all'interno, cavalli alati, fantasiosi uccelli e immagini antropomorfe di vario tipo.

I due brani ornamentali, posti l'uno al di sotto e l'altro al di sopra, quasi a cesura della *Crocefissione*, sono anche da rapportarsi, sempre per la generale tonalità dorata dei fondi e soprattutto per il carattere delle fantasiose figurazioni, alla lesena della parete destra della navata realizzata dal Pordenone a divisoria degli episodi del *Giudizio di Pilato* e della *Salita al Calvario*: in essa il pittore concentrò una schiera di putti stretti, in pose giocose, ad irreali volatili, iniziando una tradizione ornamentale che sarà ampiamente seguita per tutto il corso del Cinquecento da alcuni dei più grandi artisti cremonesi[9].

Un altro rimando al catino dell'abside che fa da sfondo alla scena del *Compianto su Cristo morto*, l'ultima in ordine cronologico delle raffigurazioni realizzate dal Pordenone all'interno della Cattedrale[10]. Qui la corona delle testine alate degli angeli attorno alle piccole figure di Abramo e Isacco e soprattutto i grandi pavoni contornati da lunghi rami lanceolati paiono trascendere il pur pregnante significato simbolico[11] e assumere un'evidenza di pura e un po' svagata ornamentazione.

Tipologie decorative costituite da allungate e fantasiose figure di uccelli e da elaboratissimi girali fitomorfi, erano apparse in varie opere del Pordenone, precedenti, anche di vari anni[12], al ciclo cremonese. Esse si ritrovano a decoro soprattutto di quelle architetture simulanti concave superfici musive che costituirono una caratteristica peculiare nelle composizioni di tante opere del maestro friulano. Si consideri ad esempio nel Duomo di Pordenone l'affresco di *San Rocco* (1515-1518)[13] nel quale già s'individuano nei pochi elementi rimasti a decorazione del finto mosaico dorato di fondo, quali i bizzarri uccelletti che zampettano su una linea di bordura, i tratti del tutto specifici della pittura ornamentale del maestro friulano, fondati su un'estrema concisione della pennellata e sull'uso di pochi essenziali colori. Ma è negli affreschi eseguiti sulla volta della chiesa parrocchiale di Travesio (1516 circa)[14] che il Pordenone offrì una delle sue più importanti ed estese prove di pittura decorativa. Le ornamentazioni degli spicchi della volta incuneate a far da contorno alle parti figurative lasciano intendere da parte del pittore la prima assimilazione e nello stesso tempo una personalissima rielaborazione del genere della grottesca. Nei satiri e nei giocosi putti aggrappati a lunghi e ricurvi racemi o ai colli di incredibili uccelli trampolieri e negli stessi sostegni, ricurvi e puntuti, sui quali poggiano le figure, si riconoscono infatti i peculiari motivi derivati dalle tipologie ornamentali della grottesca. Ampliati però con un rilievo e un'inventiva liberissima tanto da apparire quasi del tutto autonomi rispetto al contesto pittorico al quale dovrebbero fare invece da mero supporto decorativo. L'originario fondo in lamine d'oro e d'argento, incise da linee parallele ed oblique[15], doveva contribuire a far emergere ancora di più, come in una superficie a mosaico, le figure e gli elementi decorativi. In questa predilezione per le superfici dorate imitanti preziosi apparati musivi si intravede il naturale attaccamento ad una delle forme decorative più radicate in ambito veneto, in particolare veneziano, alla cui suggestione si erano già mostrati sensibili altri pittori tra cui primo fra tutti Giovanni Bellini come rivelano gli sfondi architettonici di alcune delle sue più celebri pale[16].

È fuori dubbio che anche dalla prima esperienza romana, che alcuni studiosi fanno cadere attorno al 1518[17], il Pordenone abbia saputo trarre non meno importanti motivi di stimolo e di arricchimento nell'elaborazione delle sue concezioni ornamentali. In quel periodo la tradizione della grottesca[18] aveva da tempo superato il momento del mero recupero dell'ornato antico evolvendosi in direzioni nuove a seconda delle personali e a volte oltremodo ricercate interpretazioni che i maggiori artisti dell'Italia centrale, quali soprattutto il Sodoma e il Signorelli[19], erano andati elaborando. La permanenza in Umbria del Pordenone nella cittadina di Alviano, presso la nobile famiglia di Pentesilea Baglioni, da far coincidere per alcuni studiosi con uno dei suoi primi presunti viaggi a Roma[20], non è da escludersi possa aver costituito un'occasione di conoscenza diretta da parte dell'artista di alcuni tra i più importanti cicli decorativi di quella regione. A questo proposito si vogliono ricordare le elegantissime ornamentazioni del Perugino nel Collegio del Cambio a Perugia che costituiscono, nell'ambito della grottesca rinascimentale, una delle prove più precoci (1498-1500) e insieme più preziose. Ma più che dai modi equilibrati e composti del Vannucci, il Pordenone potrebbe essere stato maggiormente suggestionato dalla ben più sbrigliata fantasia di un Sodoma che nei cicli dei conventi di Sant'Anna di Pienza (1502-1504) o di Monte Oliveto Maggiore (1505-1508) realizzò un tipo di decorazione a grottesca dai motivi assai più liberi e spregiudicati prodotti con una pennellata veloce ed estremamente compendiaria[21].

Nel 1520, nei mesi precedenti l'inizio del ciclo cremonese, il Pordenone si era trattenuto a Mantova per l'esecuzione di un apparato pittorico a decoro della facciata del palazzo del nobile Paride da Ceresara[22]. Non è dato di sapere se il ciclo, comprendente varie divinità classiche, oltre ad un fregio di putti, fosse scandito da altri tipi di ornamentazioni, anche a grottesca, che il carattere del tutto profano del complesso pittorico potrebbe tuttavia far supporre.

È da dire comunque che a Mantova, in quegli anni, il genere della grottesca stentava ad affermarsi e la pittura decorativa pareva ancora agganciata ai moduli del classicismo tardomantegnesco. Da questo contesto di sostanziale immobilismo si stacca nettamente il ciclo astrologico della sala dello Zodiaco di Palazzo della Valle (facente parte del complesso di Palazzo D'Arco) riferito a Giovanni Maria Fal-

1. *Cremona, Cattedrale, veduta della navata centrale con la controfacciata di fondo dove, al di sotto del rosone, è stato scoperto l'affresco del Pordenone.*

2. *Grafico riproducente (in azzurro) la zona della controfacciata della Cattedrale di Cremona dove è stato scoperto l'affresco del Pordenone.*

3. *Pordenone, veduta complessiva del brano ad affresco. Cremona, Cattedrale.*

4. *Pordenone, particolare del volto della figura centrale dell'affresco. Cremona, Cattedrale.*

conetto che lo eseguì, con tutta probabilità, tra il 1515 e il 1520[23], in un periodo dunque appena antecedente alla permanenza del Pordenone a Mantova. Nella fascia del fregio e nelle candelabre che scandiscono il ciclo pittorico, costituite da figure mostruose e da altri svariati motivi decorativi dipinti su un vivace fondo ocra, traspare uno spirito di forte erudizione antiquaria, ormai pienamente partecipe delle concezioni ornamentali attinenti alla grottesca.

Anche a Cremona il Pordenone si trovò di fronte ad un ambiente ancora in parte legato, per quanto riguarda l'ornamentazione, alla tradizione classicista tardoquattrocentesca che nell'ambito soprattutto della scultura e della decorazione architettonica era giunta agli inizi del Cinquecento a livelli di altissimo decoro. Grazie soprattutto all'incisivo apporto di artisti quali Giovanni Pietro da Rho, Gian Gaspare Pedoni e Gian Cristoforo Romano che avevano fortemente contribuito, insieme ad una vasta schiera di "figuli" locali, alla diffusione di un ricchissimo repertorio di temi ornamentali per la decorazione soprattutto di portali, camini e monumenti funerari[24]. Dalle candelabre scolpite o dipinte a decoro dei dipinti di molti artisti operanti nel primo Cinquecento, quali Alessandro Pampurino[25], Tommaso Aleni[26] o Francesco Casella[27], e dai motivi che le compongono – anfore, mascheroni, clipei, armi, corazze, tripodi e figure mostruose quali arpie o sfingi – si potrebbe dedurre che il genere della grottesca, con alcune delle sue tipologie ornamentali più tipiche, si stava ormai affermando anche in terra cremonese. Una diffusione a cui certo dovevano aver indirettamente contribuito artisti dell'Italia centrale, tra i quali lo stesso Perugino che, già si è detto, fu uno dei più raffinati interpreti della grottesca: la sua pittura si era resa improvvisamente nota a Cremona con la celebre pala Roncadelli eseguita nel 1494 per la chiesa di Sant'Agostino. Influenze anche del Signorelli e del Sodoma sono state ravvisate nella decorazione pittorica di una sala della canonica di Sant'Abbondio, l'unico ciclo ornamentale della Cremona del primo Cinquecento a noi pervenuto che si possa propriamente definire "a grottesca". Datato 1513 e attribuito a Francesco Casella[28], il complesso che decora la volta della stanza comprende varie figurette mostruose semivegetali e semianimali dipinte con pochi colori limitati al rosso, al bruno e al verde-azzurro su un fondo giallo[29].

Per i brani decorativi dipinti dal Pordenone all'interno del Duomo cremonese, in particolare a quelli della controfacciata, si deve osservare come il loro genere possa trovare una più appropriata giustificazione all'interno dell'apparato ornamentale realizzato tra il 1509 e il 1513 sulle parti alte delle pareti della navata centrale da vari pittori cremonesi tra i quali Alessandro Pampurino, Bernardino Ricca, Luca della Corna, Bernardino Pelacani e pure Boccaccio Boccaccino[30]. Si ritiene che proprio il vasto complesso decorativo, eseguito nel periodo immediatamente precedente l'esecuzione del ciclo cristologico degli affreschi, dovesse rappresentare la

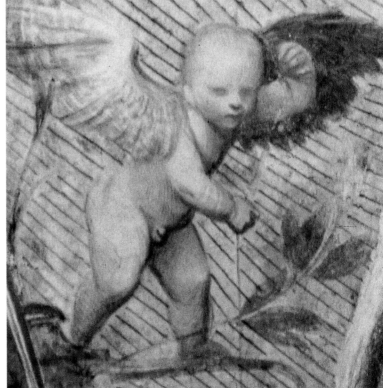

5, 6. *Particolari della decorazione del sottarco del portale centrale. Cremona, Cattedrale.*

7. *Pordenone, particolari delle decorazioni della volta affrescata (1516). Travesio, chiesa parrocchiale.*

più cospicua testimonianza del diffondersi del genere della grottesca in ambito cremonese[31]. A quanto narra lo Zaist, il Pampurino e il Ricca decorando le pareti sopra alcune arcate vi dipinsero tre "putti che scherzano con vari festoni di frutti... d'intorno alle finestre varj intrecci di bizzarri arabeschi, con arpie e fogliami, e le volte fatte a vari scompartimenti"[32].

In gran parte deperita a causa di una debole tecnica esecutiva, l'ornamentazione ebbe ad essere del tutto ricostruita, come già s'è detto, alla metà del Settecento e nel corso di successivi interventi tardottocenteschi e novecenteschi. Dell'apparato del primo Cinquecento rimarrebbero le grandi targhe con le iscrizioni – peraltro anch'esse frutto di totali rifacimenti[33] – esaltanti le maggiori figure, tra cui i massari della Cattedrale, e gli eventi che coinvolsero Cremona negli anni seguenti al 1509 anno della caduta del dominio veneto sulla città e della sua reintegrazione al ducato di Milano[34]. Una civica celebrazione alla quale doveva corrispondere una prestigiosa ornamentazione di contorno ripartita, con tutta probabilità, secondo gli schemi tardoquattrocenteschi di un rigoroso classicismo, come lascerebbero intendere i regolari motivi a candelabra che corrono lungo le lesene e le semicolonne e che si ripetono anche nelle parti alte sugli sguanci di alcuni finestroni posti sotto le volte. Le grandi candelabre – del tutto alterate da spesse ridipinture – sarebbero dunque da considerarsi non solo come elementi divisori delle storie ad affresco ma anche come parti integranti del generale apparato ornamentale che era stato realizzato negli anni immediatamente precedenti alla stesura delle raffigurazioni cristologiche.

Nel rapportarsi al generale complesso pittorico della navata, il Pordenone mostrò innanzitutto di non volersi strettamente adeguare all'ordine distributivo delle raffigurazioni. Per ogni campata, evitando la suddivisione in due riquadri, il pittore sviluppò infatti un'unica lunga raffigurazione, venendo così ad amplificare magistralmente il ritmo della narrazione. Innovazioni non meno significative vanno però osservate anche per le altre parti pittoriche e decorative che fanno da cornice agli episodi; ad esempio i profeti che si sporgono dagli oculi per indicare o commentare le scene soprastanti e che fungono quindi da tramite con lo spettatore, contribuendo a mantenere desta la sua partecipazione emotiva[35]. Sempre a questa precisa volontà del Pordenone di attrarre maggiormente l'osservatore puntando anche sull'efficacia visiva dell'apparato ornamentale di contorno, vanno inoltre riferiti altri particolari, quali, ad esempio, i treccioni decoranti le semicolonne a ridosso dei pilastri. Come si può osservare meglio sulla semicolonna di sinistra adiacente alla *Crocefissione*, grazie anche alla recente asportazione delle ridipinture, il Pordenone aveva saputo imprimere a questo motivo, di marca ancora tardoquattrocentesca, un vigore cromatico particolarissimo, assai più squillante, nei gialli e negli azzurri, dei toni usati per lo stesso tema decorativo dal Boccaccino e dagli altri frescanti: i tratti e i

8. *Francesco Casella (attr.), decorazioni a grottesche della volta (1513). Cremona, canonica della chiesa di Sant'Abbondio.*

9. *Decorazione della semicolonna d'angolo adiacente, sulla sinistra, alla Crocefissione del Pordenone. Cremona, Cattedrale.*

10. *Pordenone, particolare degli affreschi della volta della cappella della Concezione (1529-1530). Cortemaggiore, chiesa dei Francescani.*

colori fortemente marcati e l'inversione stessa della disposizione delle forme intrecciate manifestano, pure in questo caso, l'ironico intento di intaccare il precostituito ordine decorativo[36]. Accanto alla tradizionale candelabra dipinta sulle semicolonne dei pilastri e sulle lesene e utilizzata quale elemento di cesura tra le singole raffigurazioni, il Pordenone introdusse la geniale teoria in verticale dei putti che giocano[37], creando così come già aveva fatto per Travesio e per palazzo Ceresara a Mantova, una pausa che, superando la mera funzione ornamentale, tende ad assumere i caratteri di una ben maggiore rilevanza figurativa.

È quanto si può dire anche per l'affresco scoperto al di sopra della *Crocefissione*: il motivo dell'arpia, al quale come dichiarano le fonti già si erano rifatti i precedenti artisti nella decorazione delle parti alte della navata[38], pare trascendere nel brano del Pordenone la condizione di mera subordinazione ornamentale e caricarsi di una valenza tutta sua propria. Lo dimostrerebbe d'altronde il fatto che le due figure antropomorfe che stanno ai lati appaiono realizzate, come già si è detto, con un trattamento assai più sommario al fine di dare maggiore rilievo, per contrasto, alla ben più vibrante immagine centrale che viene quindi a rivestire un ruolo del tutto preminente. Dal volto dell'arpia, rivolto di tre quarti verso sinistra, con la capigliatura che appare come mossa dal vento e le cavità degli occhi e gli altri tratti del viso fortemente ombrati, traspare una carica di intensa drammaticità. La figura, metà donna e metà uccello, non sembra far solo da contrappunto agli altri analoghi motivi dipinti pochi anni prima dall'*équipe* dei pittori cremonesi sulle pareti alte del Duomo o rispondere semplicemente a quel gusto evocativo di una mitologia del fantastico e del mostruoso, che pur costituisce un aspetto assai rilevante nella pittura del Pordenone, sia dell'esigua produzione pervenutaci di ambito profano, tra cui i complessi pittorici della rocca di Alviano[39] o di palazzo Tinghi a Udine[40], sia dei cicli che contornano le grandi figurazioni di contenuto religioso dei già citati affreschi di Travesio o di Santa Maria della Campagna a Piacenza e della chiesa dei Francescani a Cortemaggiore[41]. Nell'umanissima arpia di Cremona, il Pordenone dimostra di sapersi porre in un rapporto fortemente dialettico con i modelli desunti direttamente dal repertorio classico o filtrati attraverso la cultura della grottesca protorinascimentale. Si confermerebbe dunque anche in questa figurazione recentemente ritrovata il liberissimo atteggiamento dell'artista nei confronti dell'antico dal quale il pittore riuscì sempre a trarre, come già è stato approfondito in altre sedi[42], disincantate e liberissime interpretazioni. Quella sorta di "furor" che aveva ispirato la drammatica e travolgente rappresentazione della *Crocefissione* e le altre scene della *Passione* sembra riflettersi anche nella figura di quest'arpia. Un'evocazione della cultura profana, che per l'intensità del volto sofferto e reclinato verso il basso, sembrerebbe fatta però partecipe, sia pure su un binario del tutto staccato e lontano, della tragicità degli eventi raffigurati.

[1]L'affresco ha avuto una prima segnalazione in G. Rodella, *Note sulle decorazioni pittoriche della controfacciata e della navata centrale del Duomo di Cremona*, in "Cremona. Rassegna quadrimestrale della Camera di Commercio, Industria, Artigianato e Agricoltura di Cremona", n. 2/3, 1991, pp. 26-38.

[2]In tale zona, per le abbondanti infiltrazioni d'acqua provenienti dal rosone, l'intonaco che aderiva all'affresco sottostante del Pordenone si era completamente sollevato per un ampio tratto, minacciando di staccarsi del tutto; per questo si era dovuto necessariamente procedere ad un preventivo stacco data la riscontrata impossibilità di riappianare e far riaderire la porzione d'intonaco quasi del tutto decoeso.

[3]G.B. Zaist, *Notizie istoriche de' pittori, scultori ed architetti cremonesi*, t. II, Cremona 1774, p. 155.

[4]Per mantenere l'unità del complesso ornamentale sette-ottocentesco della parte alta della controfacciata, fu deciso di risovrapporre sull'affresco del Pordenone il brano di tempera strappato applicandolo però su uno strato di vetro-resina per garantirne la facile rimozione.

[5]Cfr. in particolare M. Bonelli, *Gli affreschi*, in *Il Pordenone*, Milano 1984, pp. 249-264; Idem, *Gli affreschi del Pordenone a Travesio. Tecniche d'esecuzione*, in "Il Pordenone. Atti del Convegno Internazionale di Studio", a cura di Caterina Furlan, Pordenone 23-25 agosto 1984, Pordenone 1985, pp. 19-26.

[6]Del restauro eseguito nel 1986 da un'équipe dell'Opificio delle Pietre Dure di Firenze cfr. *La "Deposizione" del Pordenone nel duomo di Cremona. Dai restauri antichi all'ultimo intervento* (a cura di F. Bandini, G. Botticelli, C. Danti, G. Rodella), in "O.P.D. Restauro. Quaderni dell'Opificio delle Pietre Dure e Laboratori di Restauro di Firenze", n. 2/1987, pp. 66-75.

[7]Il restauro fu eseguito in gran parte nel corso del 1989; cfr. A. Cicinelli-G. Botticelli-C. Conti, *Il restauro della "Crocefissione" del Pordenone*, in "Critica d'arte", n. 7/1991, pp. 59-66. I restauri di tutti i dipinti murali della volta e delle pareti della prima campata della navata centrale (fuorché il *Compianto* del Pordenone e la *Resurrezione* di Bernardino Gatti restaurati dall'Opificio delle Pietre Dure di Firenze) sono stati condotti e finanziati direttamente dalla Soprintendenza per i Beni Artistici e Storici di Mantova.

[8]Che non pare sia mai stata ricordata in alcuna fonte.

[9]Tale tradizione fu prima di tutto ereditata da Camillo Boccaccino e sviluppata poi da Giulio e Antonio Campi soprattutto nella chiesa di San Sigismondo (M.L. Ferrari, *Il tempio di San Sigismondo a Cremona. Storia e Arte*, Milano 1974, pp. 168-169).

[10]Il documento di pagamento per l'esecuzione dell'affresco risale al 1522 (cfr. C. Furlan, *Il Pordenone*, Milano 1988, pp. 97-116).

[11]Il pavone secondo la simbologia cristiana alluderebbe alla morte e alla resurrezione di Cristo; cfr. G. Heinz-Mohr, *Lessico di iconografia cristiana* (1971), Milano 1984, p. 277.

[12]Si considerino ad esempio gli affreschi di Valeriano (chiesa parrocchiale di Santo Stefano) raffiguranti *San Michele arcangelo tra i Santi Valeriano e Giovanni Battista* (1506) e di Vacile (chiesa parrocchiale di San Lorenzo) raffiguranti *Cristo tra i Padri della Chiesa. Evangelisti e Profeti* (1506-1510) (decorazioni divisorie dei santi della fascia di sottarco) (C. Furlan, *Il Pordenone*, cit., pp. 47-53).

[13]C. Furlan, *Il Pordenone*, cit., pp. 68-69.

[14]*Ibidem*, pp. 78-86.

[15]Cfr. in particolare C. Furlan-M. Bonelli, *Il Pordenone a Travesio*, Udine 1984.

[16]Tra le più note si considerino la pala di San Giobbe (Venezia, Gallerie dell'Accademia) (1487), il trittico dei Frari (1488) e la pala di San Zaccaria (1505).

[17]C. Furlan, *Il Pordenone*, cit., p. 23; secondo altri, a iniziare da G. Fiocco (*Giovanni Antonio Pordenone*, Padova 1943, p. 38), la prima esperienza romana dovrebbe risalire al 1516; cfr. inoltre M. Lucco, *Pordenone a Venezia*, in "Paragone", n. 309/1975, pp. 3-38, in particolare p. 9; V. Sgarbi, *Pordenone e la maniera; tra Lotto e Correggio*, in

"Giornata di studio per il Pordenone", a cura di P. Ceschi Lavagetto, Piacenza 1981 (1982), pp. 66-69, in particolare p. 67.

[18]Sulla grottesca cfr. C. Acidini Luchinat, *La grottesca*, in *Storia dell'arte italiana*, XI. *Forme e modelli*, Torino 1982, pp. 161-200; A. Chastel, *La grottesque*, Paris 1988; A. Pinelli, *La bella maniera, Artisti del Cinquecento tra regola e licenza*, Torino 1993, pp. 131-138.

[19]Il Fiocco (*Giovanni Antonio Pordenone*, cit., p. 26) fu uno dei più convinti sostenitori della conoscenza da parte del Pordenone dei cicli del Signorelli e di Melozzo da Forlì a Loreto.

[20]In particolare A. Ballarin (*Osservazioni sui dipinti veneziani della Galleria del Castello di Praga*, in "Arte Veneta", XIX/1965, pp. 59-82) ipotizza ripetuti viaggi dell'artista nell'Italia centrale che sarebbero avvenuti tra il 1515 e il 1516. Per la permanenza del Pordenone ad Alviano cfr. n. 39.

[21]Cfr. C. Acidini Luchinat, *La grottesca*, cit., pp. 174, 177-178.

[22]C. Tellini Perina, *Pordenone a Mantova: gli affreschi della dimora di Paride da Ceresara*, in *Studi di Storia dell'arte in onore di Mina Gregori*, Milano 1994, pp. 110-113.

[23]Tra gli studi più recenti cfr. R. Signorini, *Lo zodiaco di Palazzo D'Arco in Mantova*, Mantova 1987; C. Tellini Perina, [Scheda sulla biografia e l'opera di] *Giovanni Maria Falconetto*, in *Pittura a Mantova dal Romanico al Settecento*, Mantova 1989, p. 227.

[24]Cfr. in particolare A. Nova, *Dall'arca alle esequie. Aspetti della scultura a Cremona nel XVI secolo*, in *I Campi e la cultura artistica cremonese del Cinquecento*, Milano 1985, pp. 409-430.

[25]Del Pampurino si considerino le ante d'organo con candelabra dipinte della chiesa di San Michele di Cremona raffiguranti l'*Annunciazione e i Santi Antonio abate e Gerolamo* (M. Gregori, *Alessandro Pampurino*, in *I Campi...*, cit., pp. 42-50).

[26]Autore del dipinto raffigurante la *Madonna col Bambino tra Sant'Antonio da Padova e San Francesco* (1500) del Museo Civico di Cremona, comprendente una predella e un parapetto decorati con motivi a grottesca di sapore peruginesco (L. Bandera Gregori, *Tommaso Aleni detto il Fadino*, in *I Campi...*, cit., pp. 64-68).

[27]Del quale si ricorda la pala del Duomo di Cremona raffigurante la *Madonna col Bambino, Sant'Anna, San Gerolamo e San Nicola da Tolentino* con le scene decorate da finissime candelabre (M. Tanzi, *Francesco Casella e le congiunture tra Cremona e Piemonte all'inizio del Cinquecento*, in "Itinerari", n. 3/1984, pp. 21-32, in particolare p. 26).

[28]M. Tanzi, *Francesco Casella...*, cit., p. 27.

[29]Cfr. inoltre L. Bandera Gregori (*La decorazione pittorica, la scultura e le arti minori*, in *Sant'Abbondio in Cremona. La chiesa, il chiostro, la santa casa*, Piacenza 1990, pp. 41-118, in particolare p. 76) che rapporta le grottesche del Casella a quelle del veneziano Agostino Musi.

[30]G. Biffi, *Memorie per servire alla storia degli artisti cremonesi* (ed. critica a cura di Luisa Bandera Gregori), Cremona 1989, pp. 31-32, 96-98; V. Guazzoni, *La Cattedrale nella vita religiosa e civile di Cremona*, in *Cremona. La Cattedrale*, Milano 1989, pp. 69-129, in particolare pp. 92-94.

[31]*Ibidem*, p. 92; cfr. inoltre M. Tanzi, *L'affermazione di Boccaccio Boccaccino e i suoi sviluppi locali*, in *La pittura a Cremona dal Romanico al Settecento*, Milano 1991, pp. 22-26, in particolare p. 25.

[32]G.B. Zaist, *Notizie istoriche...*, cit., t. I, pp. 42, 106; sempre lo Zaist (p. 107) ricorda che il Ricca dipinse anche nella chiesa di Sant'Agata un ciclo di decorazioni a grottesca ornando la volta di "vari compartimenti all'antica, entro alcune mezze figure, istoriette, arpie ed altre diverse cose intrecciate con strani ghiribizzi, arzigogoli e verdumi".

[33]G. Rodella, *Note sulle decorazioni...*, cit.

[34]V. Guazzoni, *La Cattedrale...*, cit., pp. 92, 94.

[35]Nei pennacchi comprendenti gli oculi da cui si sporgono i profeti, il Pordenone inserì anche diversi motivi decorativi costituiti da racemi e figurette mostruose, in modo del

tutto analogo a quanto fece il Falconetto a Mantova nella già citata sala dello Zodiaco (cfr. n. 23) a ornamento dei pennacchi in cui s'inseriscono i medaglioni con i busti monocromi di vari imperatori.

[36]Assai simile nei tratti e nei colori fortemente marcati è apparso, sotto la cornice lignea seicentesca soprastante l'episodio di Cristo che viene inchiodato alla croce, anche un fregio dipinto riproducente in forma molto schematizzata una specie di ghirlanda da riferirsi con tutta probabilità al periodo degli interventi pittorici del Pordenone.

[37]La teoria dei putti che giocano costituì un motivo assai ricorrente in quasi tutti i grandi complessi ad affresco del Pordenone che nella predilezione per questo tema mostrò in forma assai evidente, a quanto asserì anche il Fiocco (*Giovanni Antonio Pordenone*, cit., pp. 59, 69-70), l'influenza della pittura correggesca.

[38]Nelle candelabre che decorano le lesene e le semicolonne del Duomo l'arpia costituisce uno dei motivi più diffusi. La si ritrova pure in forme diverse a decoro delle lesene dei già citati dipinti dei pittori cremonesi del primo Cinquecento (cfr. nota 25) e della volta a grottesche della canonica di Sant'Abbondio attribuita a Francesco Casella (cfr. nn. 28 e 29).

[39]Cfr. in particolare G. Benazzi, *Il Pordenone ad Alviano: un restauro e un poco noto gruppo di fregi*, in *Il Pordenone. Atti del Convegno...*, cit., pp. 39-43. Ad Alviano, piccolo centro umbro, l'artista friulano era legato per i rapporti con Bartolomeo di Alviano (divenuto signore di Pordenone nel 1508) e poi alla morte di questi (1515) con la moglie Pentesilea Baglioni. Nella loro rocca il Pordenone eseguì dei cicli decorativi, collocabili in un periodo intorno al 1529, comprendenti fregi monocromi di cavalli alati, idre, sirene, tritoni, uccelli fantastici e un fregio policromo di putti e di figure riferentisi alla fondazione di Roma, dipinto sul tradizionale fondo giallo con stilature rosse oblique simulanti le tessere di un mosaico, similmente a quanto aveva fatto per le decorazioni del Duomo di Cremona.

[40]C. Furlan, *Il Pordenone*, cit., pp. 207-211.

[41]In particolare nella decorazione della volta della cappella della Concezione nella chiesa dei Francescani a Cortemaggiore (1529-1530) s'individuano i ricorrenti motivi delle immagini fantastiche (cavalli alati, arpie ecc.) sul tradizionale fondo dorato a finto mosaico (C. Furlan, *Il Pordenone*, cit., pp. 174-181).

[42]C. Furlan, *Il Pordenone e l'antico*, in *Il Pordenone. Atti del Convegno...*, cit., pp. 75-84.

Chiara Tellini Perina
Una proposta per Giovanni Bahuet

Anteriormente all'arrivo alla corte di Mantova, nell'anno 1600, di Pietro Paolo Rubens e di Francesco Pourbus il Giovane, assunti al servizio del duca Vincenzo I essenzialmente come ritrattisti, riscontriamo nella committenza gonzaghesca un periodo vuoto ed incerto per quanto riguarda pittori specializzati in ritratti. Eppure il duca Guglielmo (1538-1587) aveva dedicato addirittura un appartamento – le cosiddette "stanze nuove" realizzate da Giovan Battista Bertani[1] – nel Palazzo Ducale per celebrare la fondazione di Mantova e la glorificazione della dinastia gonzaghesca. Tale consapevolezza della dignità della stirpe non poteva andare disgiunta da un ampio uso del ritratto di corte. Nato da motivazioni familiari o politiche[2], il ritratto dinastico – soprattutto nel clima "neofeudale" del tardo Cinquecento – si carica, oltre che dell'ovvia referenza fisionomica, di significazioni simboliche e allegoriche, atte a legittimare la dignità del personaggio.

1. Giovanni Bahuet, Ritratto di Vincenzo Gonzaga. Bath,
Beckford of Fonthill Abbey and Landsdown Crescent.

Tra i nomi degli artisti ricorrenti nei documenti gonzagheschi nell'epoca di Guglielmo[3], spicca per abbondanza ed importanza di dati il ritrattista Giovanni, detto anche Giannino, Bahuet, di origine fiamminga.

È significativo che la venuta a Mantova del Rubens e del Pourbus sia preceduta dalla presenza di un altro fiammingo: era ormai riconosciuto, anche nella cerchia gonzaghesca, il primato degli artisti di tale origine specializzati nel genere dei ritratti, come aveva testimoniato la folgorante carriera presso le corti europee di Anthonis Mor.

Il Bahuet, dichiarato in un documento notarile del 28 aprile 1590 fiammingo e figlio di Matteo, risulta nato nel 1552, come si desume dall'atto di morte registrato in Mantova il 7 aprile 1597.

Nel maggio del 1575 il pittore opera a Firenze e nel settembre dello stesso anno invia al duca Ottavio Farnese i ritratti del granduca Francesco de' Medici e della figlia Eleonora, copiati da modelli sconosciuti e commissionati dal Farnese[4]. Dal maggio del 1579 è a Mantova, ma frequenta anche Ferrara, dove dona a Margherita Gonzaga, moglie di Alfonso II d'Este, un piccolo ritratto del fratello Vincenzo Gonzaga. Nel giugno del 1579 è a Ferrara: il 19 inizia un ritratto di Margherita; da una lettera del 30 apprendiamo che attende ad una serie di ritratti di dame, tra cui Barbara Sanseverino Sanvitale contessa di Sala e marchesa di Colorno, Camilla Thiene Mosti, Marfisa d'Este Cybo, Ippolita Torelli Simonetta e una non meglio identificata Vittoria.

Tra il 1579 e il 1580 esegue tre ritratti in piedi del principe Vincenzo Gonzaga, di cui uno destinato alla sorella duchessa di Ferrara. Il 2 dicembre 1581 (lettera da Ferrara) l'artista scrive a Vincenzo Gonzaga di aver eseguito un ritratto della duchessa Margherita. Nel maggio del 1582 l'artista è a Innsbruck per le nozze di Anna Caterina Gonzaga con l'arciduca Ferdinando II del Tirolo.

Il pittore si muove tra le corti secondo itinerari orientati dalle parentele, dalle nozze principesche, da fausti eventi. Nel 1582 lavora per la contessa Fulvia da Correggio Pico della Mirandola. Nel 1583, a Ferrara, esegue pitture per tornei. Tra il 1584 e il 1591 dipinge ritratti di Vincenzo Gonzaga e dei figli per altre corti.

Nel novembre del 1584 è alla villa medicea di Poggio a Caiano dove Francesco de' Medici ha invitato Vincenzo Gonzaga e la moglie Eleonora: in questa occasione il Bahuet sollecita l'invio da Mantova di un ritratto della duchessa di Ferrara, di donna Marfisa d'Este su due quadretti di rame e di uno della medesima Marfisa su una piastrina tonda.

Nel marzo del 1585 l'artista esegue un ritratto "tutto in piedi" della duchessa Eleonora. Di estremo interesse la lista dei materiali richiesti per il ritratto: oltre ai colori, si esigono "tele di fiandra", una "dozena de penelli di cigno", "penelli d'ocha una dozena". La cura per materiali e strumenti delicati sembra testimoniare non solo la professionalità dell'artista, ma anche la sua propensione per descrizioni minute e raffinate.

Sempre nel 1585 il Bahuet dipinge tre ritratti di Vincenzo su tela, da inviare a Firenze e Venezia. L'anno successivo esegue per Maria de' Medici un ritratto di Francesco I, figlio di Vincenzo: una replica è destinata al cardinale Medici e Este in Roma, un'altra alla duchessa di Ferrara.

Interessanti le notizie concernenti la vita privata dell'artista. Nel 1586 il Bahuet aveva sposato Angela India, nipote del pittore veronese Bernardino e sorella di Tullio. Singolare è il privilegio concesso dal duca di Mantova al Bahuet nel 1589: concessione di "far giocare in casa sua ad ogni sorte di gioco lecito, usato, e permesso secondo gli ordini nostri con questi però che avertisca a lasciarvi giocare se non Gentilhuomini, Cittadini, e altri di buona vita, e honeste qualità". Nel luglio del 1591 la corte di Innsbruck richiede un ritratto dei figli del duca di mano del Bahuet. Il 7 aprile 1597 l'artista muore in Mantova, dopo sei mesi di "febre e idropisia".

Si è ritenuto di riportare il regesto documentario, tanto fitto di notizie, perché fornisce l'idea di un'attività intensa e stimata del Bahuet come ritrattista ed inoltre permette di evidenziare soggetti costanti come Vincenzo Gonzaga e la sua famiglia. Di fronte alla messe di preziose notizie sta tuttavia l'assoluta mancanza di dati certi sui quali fondare la ricostruzione della sua opera pittorica. Nell'impossibilità di confronti con opere firmate o documentate, si è quindi pensato di partire dalle committenze: la famiglia di Vincenzo Gonzaga, ma soprattutto Margherita Gonzaga duchessa di Ferrara sono i personaggi più frequentemente ritratti.

Così Valeria Pagani[5] attribuisce al Bahuet il *Ritrattino di Margherita Gonzaga d'Este* della collezione di Ambras (Vienna, Kunsthistorisches Museum), il quale viene posto in relazione con il soggiorno dell'artista in Tirolo nel 1582. Ugo Bazzotti[6] riferisce al pittore il *Ritratto di dama in rosso* del Palazzo Ducale di Mantova (inv. 6866), attribuito impropriamente dall'Ozzola a François Clouet[7].

La dama in rosso, dal ricco abito di velluto con risvolti di lince e gioielli tra cui è ravvisabile un singolare orecchino a forma di pellicano, che si collega alla devozione mantovana del Preziosissimo Sangue, potrebbe essere, secondo la fondata considerazione di Ugo Bazzotti, la stessa Margherita Gonzaga, divenuta duchessa di Ferrara nel 1578. Conviene osservare che la dama con fiore del medesimo Museo di Palazzo Ducale (inv. n. 6870), in cui si volle riconoscere Marfisa d'Este[8], attribuito in via ipotetica dall'Ozzola al Bahuet, si rivela di mano diversa dal *Ritratto di dama in rosso*, che è sicuramente di più alta qualità. Ed infine il *Ritratto di dama con il ventaglio* sempre del Palazzo Ducale di Mantova (inv. n. 6869), pure attribuito dall'Ozzola al Bahuet, mostra una fattura più inerte: diversa sia dalla *Dama in rosso con cagnolino* sia dalla *Dama con fiore*. Insomma il gruppo di ritratti di dama del Palazzo Ducale di Mantova è tutt'altro che uniforme e non attribuibile – a mio avviso – alla stessa mano.

Ritengo che altri dipinti possano costituire un nucleo stilisticamente omogeneo. Per questi il nome del Bahuet è proponibile solo in via di ipotesi: per coincidenza di date (sono gli anni in cui l'artista è stipendiato dai Gonzaga) e per l'iterata rappresentazione di quelle figure principesche che più frequentemente – come dicono i documenti – l'artista ritrasse: Vincenzo Gonzaga e la sorella Margherita. Proviene dalla collezione William Beckford of Fonthill Abbey and Landsdown Crescent di Bath un *Ritratto di Vincenzo Gonzaga* (olio su tela, 107,7 x 137,6 cm) (fig. 1), già attribuito a scuola di Tiziano[9].

Indiscutibile la somiglianza del giovane principe di tre quarti con il ritratto in piedi degli Uffizi di Firenze e con il ritratto, datato 1600 e attribuito a Francesco Pourbus il Giovane, del Kunsthistorisches Museum di Vienna[10].

Allorché il dipinto della collezione Beckford pervenne in Italia, il ritratto fu attentamente analizzato dalla scrivente e da Francesco Rossi[11]. Le considerazioni espresse da Francesco Rossi circa l'armatura di grande prestigio del giovane Vincenzo (il principe era nato nel 1562 e nel ritratto dimostra circa venticinque anni) sono particolarmente importanti al fine di una datazione. Compare su varie parti dell'armatura, forse riferibile all'armarolo milanese Pompeo della Cesa, e anche dell'elmo il monogramma "V I" con corona che si è sciolto in "Vincentius primus". Si è avanzata l'ipotesi di una connessione tra il monogramma e la corona ducale, assunta da Vincenzo nel 1587. Anche l'evidenza dell'aquila araldica che domina sia il collarino del petto che la vista dell'elmetto si addice a un evento straordinario quale fu l'assunzione al ducato.

Sono gli anni in cui sono più intensi i rapporti fra la corte di Mantova e il Bahuet, con iterati incarichi di ritratti da parte del principe. All'accurata attenzione ai materiali corrisponde una lucida impostazione del ritratto che si rifà ai modelli dello "State Portrait", elaborati da Anthonis Mor e da Sanchez Coello. La figura di tre quarti del giovane duca è impostata in un ambiente oscuro la cui parte sinistra (rispetto al principe) è caratterizzata – come spesso avviene in questi ritratti ufficiali – da una tenda rossa che ricade in pesanti pieghe. Volutamente assente, perché in contrasto con l'esigenza della rappresentazione aulica, l'indagine psicologica dell'individuo, trattato con rara verisimiglianza. La mano sinistra poggia sul fianco, da cui pende la spada di eccezionale fattura, mentre la destra impugna il bastone di comando. Equilibra la figura umana l'elmo posto sul tavolo, sormontato da un pennacchio a tre ordini, in piume alternatamente bianche e gialle. Mirabile per evidenza lenticolare è la resa delle armi, brunite nei fondi e dorate: gioverà ricordare che il Bahuet ebbe rapporti con Giorgio Ghisi, il quale fu non solo incisore, ma anche orafo e ageminatore[12]. Questa circostanza dovrebbe accreditare al pittore una raffinata inclinazione a dipingere particolari preziosi e minuti.

Un secondo dipinto che si apparenta al precedente è un *Ritratto in piedi di Margherita Gonzaga* (olio su tela, 208 x 111 cm) (fig. 2) di collezione privata milanese. Sorella del duca Vincenzo Gonzaga, figlia di Guglielmo, andò sposa al duca di Ferrara

*2. Giovanni Bahuet, Ritratto in piedi di Margherita
Gonzaga. Milano, collezione privata.*

Alfonso II d'Este nel 1578. Rimasta vedova nel 1597, tornò a Mantova dopo il passaggio dello stato di Ferrara alla Chiesa. A Mantova (dove morirà nel 1618) fondò nel 1599 un convento femminile per allieve privilegiate. La prima casa monacale, in contrada delle Borre, fu poi trasportata nel 1603 nel più ampio convento in contrada Pradella, costruito, con l'annessa chiesa dedicata a Sant'Orsola, dall'architetto ducale Antonio Maria Viani.

Il ritratto in esame è databile anteriormente al 1599 per il sontuoso abito e gli splendidi gioielli che non si addicono allo stato monacale. In particolare si nota l'esibizione di ricche collane di perle, che in latino si chiamano *margaritae*, che possono alludere al nome della principessa. Di grande sfarzo è la sopravveste con maniche aperte e pendenti, ornate di pietre preziose. Anche il giuppone e la sottana sono arricchiti da ricami pregiati con applicazioni di gemme. Per il costume è opportuno il confronto con i modelli rappresentati nel testo di Cesare Vecellio, in cui si raffigura l'abbigliamento tipico della dama mantovana di alto rango negli ultimi decenni del Cinquecento[13]. Per quanto riguarda i gioielli, abbiamo la fortunata disponibilità di fonti documentarie di altissimo valore. Allorché fu celebrato il matrimonio con Alfonso d'Este, Margherita fu fornita di una cospicua dote: centomila scudi d'oro, di cui venticinquemila in "gioie, vesti, ornamenti"[14].

Rimasta vedova nel 1597, Margherita restituì a Cesare d'Este, erede di Alfonso, "omnes gemas, annulos, monilia, margaritas, et alia pretiosa". Nell'atto notarile redatto il 18 dicembre 1597 sono elencati numerosi e preziosi gioielli, tra cui spiccano per quantità collane di perle. Nel suddetto elenco di preziosi è menzionato un gioiello che Margherita nel ritratto esibisce a destra sul petto, così descritto: "un diamante triangolo grande in un gioielo co[n] tre perle à Perro sotto". Perle "à perro" sono da intendersi come perle a goccia.

Pertanto il presente ritratto può essere datato *ante*

1597; del resto la duchessa, nata nel 1564, dimostra un'età oscillante fra i venti e i venticinque anni. La datazione proposta si aggira quindi fra il 1585 e il 1590.

La principessa posa in piedi. La figura, inquadrata da una tenda di broccato, si erge presso un tavolo coperto da un drappo rosso. La dama regge con una mano i guanti e con l'altra un biglietto su cui non è possibile leggere nulla. Anche in questa composizione è rispettato il modello del ritratto di corte in cui vengono esaltati gli attributi che conferiscono ufficialità.

Molteplici furono le occasioni in cui il Bahuet ritrasse Margherita Gonzaga: nel 1579 eseguì un ritratto della duchessa con li "giaselmini" (gelsomini); nello stesso anno un ritratto piccolo; nel 1581 un altro ritratto; nel 1584 l'effigie della dama su due quadretti di rame.

Un secondo *Ritratto in piedi di Margherita* (Italia, collezione privata; olio su tela) (fig. 3) mostra ancora l'osservanza dei modelli aulici. L'ambiente (la reggia di Mantova oppure quella di Ferrara?) è costituito da una stanza oscura. Da una finestra con vetri piombati filtra la luce che illumina il cagnolino dal prezioso guinzaglio. Nella presentazione della figura il pittore ricorre ancora all'espediente del tavolo e della tenda. La dama regge in una mano i guanti, mentre appoggia l'altra su un libro posto su un tavolo. Colpisce ancora la straordinaria ricchezza degli abiti e dei gioielli. Rispetto al ritratto precedente è cambiata l'acconciatura: i capelli sono rialzati con il *copete* (sorta di rigonfiamento anteriore), secondo i dettami della moda degli anni Novanta. Nella mano sinistra è infilato un singolare anello con teschio: non si può escludere che il gioiello, con valenza simbolica di "memento mori", alluda alla condizione vedovile della duchessa. Tuttavia è preferibile interpretare l'anello come simbolo di compunta meditazione, poiché lo stato vedovile contrasterebbe con lo sfarzo dell'abito, dell'acconciatura e dei gioielli.

L'età dimostrata dalla dama sembra più matura di quella riflessa nel ritratto precedente; e pertanto può convenire una datazione dopo il 1590. Poiché il Bahuet muore nel 1597, e tanto frequentemente ritrae la principessa, potrebbe essere l'autore di questo e dei precedenti ritratti, scalabili nel giro di un decennio.

[1]P. Carpeggiani, *Il libro di pietra; Giovan Battista Bertani architetto del Cinquecento*, Milano 1992, p. 63 sgg.
[2]M. Jenkins, *The State Portrait, its origin and evolution*, New York 1947.
[3]V. Pagani, *Notes on a Flemish portraitist at the court of Vincenzo Gonzaga: Giannino Bahuet (c. 1552-1597)*, in "The Burlington Magazine", 1987, febbraio, pp. 110-115. A questo saggio si rimanda per tutte le notizie documentarie riportate nel testo.
[4]B.W. Meijer, *Parma e Bruxelles*, Parma 1988, p. 21.
[5]V. Pagani, *Notes...*, cit., p. 112.
[6]U. Bazzotti, *Palazzo Ducale - Notizie del Museo - Settimana per i beni culturali*, 7/13, dicembre 1987.
[7]L. Ozzola, *La galleria di Mantova. Palazzo Ducale*, Cremona s.d., p. 16, n. 114.
[8]A. Lazzari, *Il ritratto di Marfisa d'Este*, Faenza 1938; ma vedi anche per una diversa opinione G. Frabetti, *Manieristi a Ferrara*, Milano 1972, p. 24.
[9]G.F. Waagen, *Treasures of Art in Great Britain*, 1854, vol. III, p. 177.
[10]*Katalog der Gemäldegalerie Porträtgalerie zur Geschichte Österreichs von 1400 bis 1800*, Wien 1976, n. 239.
[11]C. Perina, F. Rossi, *Un ritratto in arme di Vincenzo I Gonzaga*, Mantova 1992.
[12]S. Boorsch, M.R.E. Lewis, *The engravings of Giorgio Ghisi*, catalogo della mostra (Saint Louis-New York- Los Angeles), New York 1985.
[13]C. Vecellio, *Habiti antichi, et moderni di tutto il mondo*, Venezia 1598, l. I, c. 206.
[14]Mantova, Archivio di Stato, Gonzaga, b. 220, doc. 22 dicembre 1578.
[15]Mantova, Archivio di Stato, Gonzaga, b. 220, atto del 18 dicembre 1597: *Declaratio Ser[enissi]mi D[omi]ni Cesaris Estensis Ducis Ferrarie, et successoris, et heredis ol[im] Ducis Alphunsi, accepisse à Ser[enissi]ma D[omi]na Margarita Gonzaga vidua d[ic]ti ol[im] Ducis Alphunsi, omnes gemas, annullos, monilia, margaritas, et alia pretiosa que erant penes ipsam Ser[enissi]mam D[omi]nam tempore mortis prefati Ser[enissi]mi Alphunsi eius viri.*

3. *Giovanni Bahuet, Ritratto in piedi di Margherita
Gonzaga. Italia, collezione privata.*

Carte d'archivio

Daniela Ferrari
L'inventario dei beni dei Gonzaga (1540-1542)
2

Continua in questo numero la trascrizione dell'inventario dei beni dei Gonzaga relativo alle proprietà e ai palazzi gonzagheschi di corte di Palidano, corte di Pietole, corte Spinosa, corte di Campitello, corte della Moglia di Sermide, corte Roversella, corte di Dragoncello, pascolo della Mottella, corte di Marengo, corte di Marmirolo, corte di Soave, Te (escluso il palazzo), corte di Belgioioso, palazzo di Marengo, Palazzo Te, palazzo di Revere, palazzo di Pietole, palazzo di San Sebastiano, drapperia (guardaroba) comune della Corte, palazzina di campagna, rocca di Goito, casa del commissario di Goito, palazzo di Belfiore, palazzo della Rasega, palazzo della Montata.

Per quanto riguarda i termini desueti presenti nel testo, in nota viene dato conto di quelli incontrati per la prima volta, mentre per quelli già presenti nella parte dell'inventario pubblicata sul numero precedente della rivista si rimanda a quella sede per la relativa spiegazione.

c. 3v
Inventario della corte de Letepaledano[1] dello illustrissimo signor duca de Mantua facto allo primo de iulio 1542.
Primo, uno casamento cum casa, granari, caneva[2] e stalla e colombara cum una barchessa[3] de porte diece,
item la detta corte si è biolche[4] tremille e cinquanta, vel circa, de terre arative e vignate, prative e salicive[5] cum quindeci lavorenti, cum case quatordeci, murate e copate[6], tra bone et vechie e fenili sette boni et teze[7] sette vechie che minatia ruina,
item una peza de terra casamentiva cum uno fenile de porte 13 che minatia ruina, la qual si è de biolche 204 vel circa, prativa, nominata la Barchessa,
item uno fenile novo grando posto sopra la pradaria in la ****[8] li Tardioli qual si è porte numero quindece pieno de feno che sono cara[9] quatrocento nove e quadreli[10] ottantanove – qual feno a questo dì primo de iulio 1542 è stà consumato e mangiato per le cavale da raza de sua Excellentia –, cum una casa

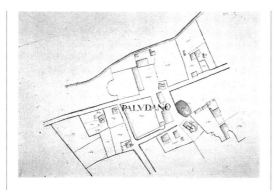
1. Palidano, 1777. Mantova, Archivio di Stato, Catasto teresiano del Comune di Gonzaga, f. 45, particolare.

2. Pietole, 1628, particolare della pianta prospettica della città di Mantova disegnata da Gabriele Bertazzolo e stampata da Ludovico Delfichi.

nova murata, copata et solerata, cum dui pozi et forno,
c. 4r
item in el prefato fenile novo gi è dentro capi numero cento sette de cavalle gianette[11], tra grande e picole,
item una peza de terra casamentiva, cum casa et fenile de porte otto – la casa minatia ruina – sopra detto fenile li è cara numero cento trentacinque e quadreli ottanta otto de feno, qual al presente giorno è consumato per le peccore de sua Excellentia,
item una peza de terra casamentiva cum casa che minacia ruina e uno fenile de porte otto cum cara numero centodeceotto e quadreli sesanta de feno, cum forno et pozzo, consumato per le pecore ut supra,
item in detti dui fenili gli è dentro capi numero ottocento settantacinque de peccore, fra maschi et femine et capi ducento sesanta de agneli,
item gli è in sozeda[12] apresso a quatordeci lavorenti de la prefata corte, capi numero undece millia de peccore tra maschi e femine,
item gli è in sozeda apresso a predicti lavorenti capi numero trentasei de vache,
item in la predicta corte li sono tinazi numero trentasei tra boni e tristi,
item carare[13] numero deceotto per carezar[14] vini tra bone o cative,
item carari numero trentadui de piella tra boni et cativi,
item bote numero trei de areso[15] de cativo sapore,
item uno torchio vechio per torchiar graspe.

Inventario de la corte de Pietol di lo illustrissimo signor Duca nostro.
Primo, uno palazo cum uno saloto et sala, camere et cusina, item due columbare, una cum camere da due bande,
item due stalle, una nominata la stala lunga et l'altra li stantioli[16],
item uno fenile grando de porte sedece cum cara numero quatrocento de feno, qual è stà assignato alli sescalchi[17] de la corte di sua Excellentia, et l'hanno havuto,
item una casa dove habita il fatore, cum uno galinaro[18], forno e pozzo,

item due case dove habita li lavorenti e uno fenilo de porte cinque,

item il casamento de la corte computando uno brolo[19] cum una casetta et uno pozzo, qual si è biolche settantaquatro, tavole[20] undece,

item due possessione arative, vignate et salesive[21] et prative de biolche trecentocinquantaotto, tavole vintinove,

c. 4v

item una fornace cum casa et due porte de fenil,

item una peza de terra arativa de biolche cinquanta,

item una casetta et uno barcho[22] dove stantia il chivegghero[23] sopra l'arzine del Mintio

item una casaria[24] grande, murata, copata, cum una casetta per il casaro,

item una peza de terra prativa, nominata il Lago da Bagnol, de biolche mille settecento vinti

item sopra detta prataria gli è pozzi numero cinque murati.

Inventario de la possession che era de messer Carlo Bologna a Pietol[25].

Primo, una casa cum camare, logia et cusina et sala et camare dove habita il gastaldo, et uno rivolto,

item uno feniletto cum caneva e stalla da tenir li tinazi[26],

item uno galinaro, forno et pozzo,

item una casetta da ortolano,

item tinazi sei,

item carari numero trentasette, tra boni e cativi,

item una navaza[27] da vendumare,

item una pezza de terra arativa, vignada, salesiva et prativa de biolche ducento settantasette, tavole decenove.

Inventario de la corte de la Parolara de lo illustrissimo Signor nostro.

Primo, uno casamento cum casa, camere et sala et due columbare, caneva et uno logo da tenire li tinazi et il torchio et uno brolo de biolche sei vel circa,

item uno fenile de porte numero tredece pien de feno qual è cara cento cinquantatrei consumato a questo dì per le vache de sua Excellentia,

item in detto logo una casetta per il casaro cum cassina et casaria per fare il formazo,

item in detto fenilo capi numero settantauno de bestie bovine,

item cinque possession cum case cinque e fenili trei e una teza che minatia ruina, dove stanno li lavorenti, che sono biolche novecento vel circa de terra arativa, vignate, arborive et salesive,

item tinazi nove de rovere et albaro[28],

item carari vinticinque de piella, tra boni e tristi,

c. 5r

item due botesele de rovere de cativo sapore,

item uno torchio da torchiar graspe.

Inventario de la corte de Spinosa de lo illustrissimo Signor nostro[29].

Primo, uno casamento cum casa, camere, sala et logia fatta in volta et casa per il fator et columbara, canova et logo da tinazi et torchio, de biolche qua-

3. Moglia di Sermide, prima metà del XVII secolo. Mantova, Archivio di Stato, Archivio Gonzaga, b. 91, c. 36, particolare.

4. Roversella, inizi del XVII secolo. Mantova, Archivio di Stato, Archivio Gonzaga, b. 90, c. 36, particolare.

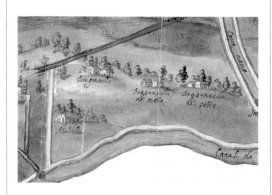

5. Dragoncello e Mottella, prima metà del XVII secolo, Mantova, Archivio di Stato, Archivio Gonzaga, b. 91, c. 36, particolare.

tro vel circa,

item uno fenile de porte otto cum cara sesantasette de feno, consumato per le vache ut supra,

item tinazi de rover numero nove,

item uno torchio,

item carari numero trentacinque de piella,

item in detto fenile gli è capi numero trentasette de bestie bovine,

item possessione numero quatro de biolche seicento vel circa arative, vineate, prative e boschive, cum case numero quatro et fenili quatro per li lavorenti.

Inventario de la corte de Campitello de lo illustrissimo Signor nostro.

Primo, uno casamento cum una casa et camere per il fator cum cusina, forno et pozzo de biolche trei,

item uno fenile de porte numero vinti cum il portigo de drieto in volta, dove si fa la canova,

item una barchessa cum una casella de capo,

item sopra detto fenilo gli è cara numero cento dui de feno consumato per le cavalle barbare[30] de sua Excellentia ut supra,

item tinazi numero sette de albaro et saleso[31],

item carari numero undece de piella boni et vechi,

item bote numer quatro de rover de cativo sapore,

item due possessione cum due case et dui fenili per li lavorenti, cum furni et pozzi, le qual terre sono arative, vineate, arborive et prative de biolche quatrocento vel circa,

item casamento cum uno fenile, due cassine et case per li casari, pozzo et forno, ditto il Finil Novo, cum uno brolo de biolche quatro vel circa,

item apresso detto fenile gli è biolche numero centocinquanta de prati,

item in ditti dui fenili gli è capi numero cento decenove tra grande et picole de cavale barbare cum cara ducento quarantasei de feno consumato per bisogno di essi cavale, ut supra,

c. 5v

item uno casamento alla vale del Fitto[32] cum uno fenile de porte numero quindece et una columbara et una casa per li cavalari cum biolche ducento undece de terra prativa e salesiva,

item in ditto fenile gli è cara ducento vinti de feno e capi numero cento otto de poledri, consumato il ditto feno per uso di essi poledri.

Pascol del Gazone.

Una casa et uno fenilo de porte otto cum forno et pozzo per bisogno de li cavalari cum biolche cento settanta de terra prative (sic), restiva[33] e arboriva.

Inventario de la corte de la Moglia da Sermedo.

Primo, una peza de terra casamentiva cum casa, camere, canova e barchessa cum una palazina e una columbara et uno brolo, de biolche nove vel circa,

item uno fenilo de porte tredece nel preditto casamento,

item uno altro fenile verso li lavorenti, de porte quatro, sopra li quali fenili gli è cara ducento quarantasette de feno consumato ut supra per le vache,

item in detti fenili gli è capi centocinque de bestie bovine,

item in la detta corte si è biolche trecento arative, prative et arborive cum dui lavorenti e due case murate, cupate et dui fenili et dui forni et dui pozzi,
item una peza de terra prativa de biolche ottanta cum uno feniletto de porte cinque et una cassina et uno forno et pozzo, nominato la Pranda,
item una peza de terra prativa et valiva nominata la Cardinala[34] de biolche cinquecento.

Inventario de la corte de la Roversella[35].
Primo, una peza de terra casamentiva cum una palacina cum camare, columbara et dui fenili de porte duodece l'uno et una barchessa de porte otto cum una stalla per li stalloni, de biolche vinticinque,
item una peza de terra arativa e saleciva in detto luogo de biolche cinquantanove,
item pascoli e prati che si segano, biolche novecento quarantacinque,
item sopra li soprascripti fenili gli è cara trecento nonantatrei de fenazo grosso consumato ut supra,
item gli è capi settantaquatro de cavale de la ratia grossa.

Inventario de la corte del Dragonzello[36].
Primo, uno casamento cum dui fenili uno de porte otto, l'altro de porte cinque cum la casa dove sta il fattore et una cassina et una casaria e casa dove sta il casaro de biolche dece,
item biolche cinquecento quarantasei de prati e pascholi sotto detta corte,
c. 6r
item una peza de terra arativa, vineata, salesiva et casamentiva cum una casa et uno fenile murato et cupato, dove sta li lavorenti, de biolche sesanta,
item sopra ditti fenili gli è cara centocinquantacinque de feno, consumato per uso delle poledre corsere[37] et turche, ut supra,
item in detti fenili gli è capi numero quarantaotto de cavalle.

Inventario del pascolo de la Motella[38].
Primo, uno fenile de porte numero otto et una casetta per li cavalari, cum biolche ducento sedece de prati,
item sopra detto fenile gli è cara cento trenta de feno consumato per le cavalle turche ut supra,
item in detti fenili gli è dentro capi numero cinquantacinque de cavalle turche,
item il pascolo de la Maynolda[39] cum una cassina murata et copata, de biolche trecento undece,
item il pascolo de la Bardelona[40] biolche ducentoquarantasei tavole cinquanta.

Inventario de la corte de Marengo[41].
Primo, una peza de terra casamentiva cum uno palazo cum camere, logie, sale et peschera, cum casa del fattor, orto, teza, forno et uno finilo de porte numero quindece, cum cara centoquarantaotto de feno, de biolche trei vel circa, consumato per le peccore ut supra,
item in detto fenilo gli è le infrascripte bestie:
peccore, fra maschi e femine numero trecento de-

6. Dragoncello e Mottella, inizi del XVII secolo. Mantova, Archivio di Stato, Archivio Gonzaga, b. 90, c. 36, particolare.

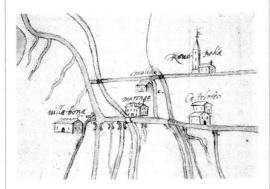

7. Marengo, fine del XVI secolo. Mantova, Archivio di Stato, Archivio Gonzaga, b. 3245, "Tipo per la fossa di Pozzolo", particolare.

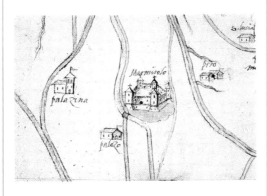

8. Marmirolo, fine del XVI secolo. Mantova, Archivio di Stato, Archivio Gonzaga, b. 3245, "Tipo per la fossa di Pozzolo", particolare.

ceotto,
agnelli fra maschi e femine numero cento cinquanta;
item carari de piella numero vinti,
item tinaci de rovere numero nove,
item uno torchio terragno[42],
item possessioni numero sei cum case sei et teze sei de biolche ottocento de terra, arative, vignade et campagnive,
item una peza de terra prativa et parte boschiva sotto detta corte, de biolche trecento vel circa.

Inventario de la corte de Marmirolo.
Primo, uno palazo cum camere, logie, sale et dui broli cum cinque zardini, cum caneva, stalla, corte et orto, casa, forno et pozzo per il factore et due columbare cum le fosse intorno, de biolche quindece vel circa,
item la corte dove si batte le biave[43], cum casa, fenile, granaro et un'altra casa da canova, stalla, orto, pozzo et forno murato da trei bande, de biolche trei vel circa,
c. 6v
item tinazi de rovere, albaro e frassino numero deceotto,
carrari de piella bono (sic) et vechi numero quaranta,
botte de rovere et areso numero sei,
uno torchio teragno numero uno,
item uno casamento cum casa, camare, stalla, forno e pozzo per il fornaro et altri servitori, de biolche una,
item quatro possessione cum case quatro murate, solerate, cum uno fenilo et trei teze et tri barchi de cana et pozzi et forni et orti, de biolche seicento de terra arativa, vineata, detto il Barcho,
item un'altra peza de terra prativa cum casa, fenil de porte quindece, de biolche quatrocento vel circa nel barcho[44] de Marmirolo,
item in detto barcho biolche trecento de terra vallivi et boschivi,
item uno casamento cum uno fenile dove sta li stalloni, de biolche una,
item sopra il suprascripto fenile del barcho de porti quindece gli è cara ducento de feno consumato per le vache de sua Excellentia, ut supra,
item in detto fenile gli è capi centoduodece de bestie bovine.

Inventario de la corte de Suuave (sic).
Primo, una casa cum camere, logia dove habita il factore cum dui fenili e casina da formazo e caneva coperta de cuma[45], brolo, forno et orto de biolche quatro,
item tinazi de rover numero sei,
item carari de piella numero vinti,
item boteselle de rovere numero cinque,
item uno torchio teragno numero uno,
item possessione numero sette cum case cinque de preda e teze otto coperte de cumma de biolche cinque cento, de terra prativa, vignata e campagniva in diversi loci,
item sotto dette possessione gli è biolche cinque

cento de prati tristi in dui loci,

item biolche mille ducento de terra boschiva nominata il Boscho de la Cazia[46], el Boscho de la Piuda[47] et il Boscho Stechato et quello del Pascholi et quello de la Gambarara[48].

Inventario del The.

Primo, uno palazo cum camare, logie et sale cum uno zardino e casa del zardiniero, e prativa vignada, de biolche sesanta vel circa cum fossa intorno,

item due peze de terra casamentive e ortiva sopra detto The cum case due et fenili dui atacati, cum li fenili dove stano li ortolani, de biolche vinti,

item una peza de terra poscholiva (sic)[49] e vignada de biolche seicento vel circa cum

c. 7r

dui fenili da cavalli e cavalle, cum case per li cavalari et due columbare et casa per il gastaldo cum forni, pozzi,

item una casa et uno fenilo et uno barcho per il casaro cum vache numero trentatrei,

item sopra detto fenilo et barcho gli è cara sesanta de feno consumato per le vache ut supra.

Inventario de la corte de Belzoyoso[50].

Primo, una pecia de terra casamentiva cum casa e fenilo dove stano li lavorenti e un'altra casa e fenil e canova e columbara dove sta il gastaldo, de biolche cento, arativa, vignata e prativa,

item tinazi de rovere et albaro numero otto,

item carari de piella numero duodece,

item uno torchio terragno numero uno,

una casa de dentro da Mantua in la contrata ditta 'la casa del merchà', cum quatro boteghe, de valuta de ducati ***,

item uno molino terragno[51] a Casteluchio qual si affitta ducati cento decesette da soldi nonantatrei per ducato al anno, qual è stà consignato alle sore de Sancto Vincentio in contracambio del molino della Montanara,

item uno molino alla Toretta[52] del qual se ne cava stara trecento de formento al anno,

item molini dodeci quali sono posti sotto il ponto coperto qual va alla via de Porto, de li quali se ne cava stara decemilia de formento e stara seicento de mestura, et più e mancho secundo il tempo, per cadauno anno,

item una casa cum camare, sale, logie, posta da Santo Gerovaso in Mantua, nominata 'il Casino',

item una casa posta nel castello de Hostia[53] dove habita il fattore,

item in detto loco uno datio del qual se ne cava per ogni anno ducati centosesanta,

item uno datio con certe altre prorogative sottoposte al castello de Villimpenta, del quale se ne cava ducati settanta, soldi sesantauno.

Ego Adoardus filius quondam spectabilis viri domini Alexandri de Stivinis de Arimino, civis Mantue publicus imperiali auctoritate notarius publicus suprascriptorum inventariorum presens fui et rogatus scribere publice scripsi et subscripsi.

c. 7v

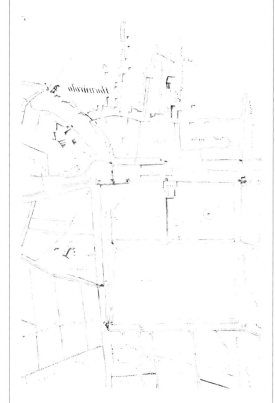

9. Marmirolo, seconda metà del XVIII secolo. Mantova, Archivio di Stato, Mappe acque, n. 772, particolare.

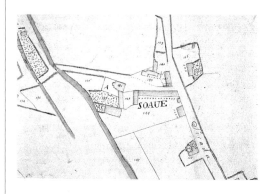

10. Soave, 1776. Mantova, Archivio di Stato, Catasto teresiano del Comune di Porto Mantovano, f. 12, particolare.

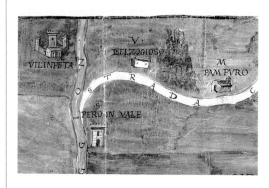

11. Belgioioso, 1557. Mantova, Archivio di Stato, Archivio Gonzaga, b. 91, c. 80, particolare.

In Christi nomine amen, anno Domini a nativitate eiusdem millesimo quingentesimo quadragesimo secundo (...)[54].

c. 8r

Inventario del palazo de Marengo fatto per messer Nicolò Capilupo della robba quala è sotto il governo de Dominico Toro, fattore al ditto palazo.

Tredeci lettére de noce cum le colone,

quatro lettére de piella videlicet due suso li cavaletti,

sei cariole de piella,

tri sachoni de terliso da letto,

tri mataracii de pignolato bertino, de fetti 3 1/2 l'uno,

uno letto cum fodra banbasina, de fetti 2, virgi 6, pisi 4, libre ***,

uno letto cum fodra banbasina fina, de fetti 2, vergi 4, pisi 4, libre ***,

uno letto cum fodra banbasina, de fetti 2, virgi 2, pisi 4, libre ***,

uno letto cum fodra ut supra, de fetti 2, virgi 3, pisi 4, libre ***,

uno letto cum fodra banbasina, de fetti 2, virgi 4, pisi 4, libre ***,

uno letto cum fodra ut supra, de fetti 1 1/2, virgi 4, pisi 4, libre ***,

uno piumazo cum fodra banbasina, virgi 2, pisi 0, libre 20,

uno piumazo cum fodra ut supra, virgi 2, pisi 0, libre 20,

uno piumazo cum fodra banbasina, virgi 1, pisi 0, libre 20,

uno piumazo cum fodra banbasina, virgi 3, pisi 0, libre 20,

uno piumazo cum fodra ut supra, virgi 6, pisi 0, libre 20,

uno piumazo cum fodra banbasina, virgi 3, pisi 0, libre 20,

uno piumazo cum fodra ut supra, virgi 4, pisi 0, libre 20,

uno piumazo cum fodra ut supra, virgi 5, pisi 0, libre 20,

uno piumazo cum fodra ut supra, virgi 3, pisi 0, libre 20,

vintiotto banzole[55] depinte,

quatro scrane de faza d'apozo, incanestrade[56],

tre tavole de piella longe circa brazo (sic) dece l'una,

sei tavole de piella longe braza quatro l'una,

c. 8v

sedici trespedi de piella,

otto para de cavedoni da croce,

quatro paletti da focho,

quatro gavadi da focho,

quatro forcini da focho.

Inventario della robba ritrovata nel palazo del The[57] sotto il governo de messer Bardolino[58], fatto per messer Nicolò Capilupo a dì II de octobre 1540.

In la camera dove alozava messer Francisco Gonzaga[59].

Una lettéra et una cariola de piella,
uno sachon de terliso da letto,
uno mattarazo de pignolato azuro e negro, de fetti
3 1/2,
una tavoletta quadra di noce.

In l'altra camera.
Una lettéra e una cariola de piella,
uno sachon de terliso da letto,
uno mattarazo de pignolato azuro e negro, da fetti
3 1/2,
una tavoletta di noce,
dui cavedoni da croce.

In la saletta a presso a ditte camere.
Dui canedeleri de ferro da torza.

In el salotto da li Cavalli del The
Otto pezzi de spalera de coramo rosso cum coloni
de oro,
uno tapedo da tavola de braza tredece, cum rodi,
uno tapedo da tavola de braza otto, cum rodi,
due tavole et otto banche.

In el camerotto grande dorato.
Quatro petii de spalera de coramo rosso cum coloni dorati,
una tavola quadra di noce,
una scrana di noce intersiata,
una scrana coperta de veludo turchino,
una scrana di noce coperta di coramo,
vinti due banzole,
dui cavedoni cum le aste de ferro.
c. 9r
In el camerino apresso a ditto camerotto.
Una lettéra di noce cum colone simile, cum la cariola de piella,
dui mattaracii de pignolato azuro e negro, de fetti 3
1/2 l'uno,
una trabacha di cendal turchino e negro, fornita,
sette petii de spalera de coramo bertino, cum coloni e frisi indorati,
dui cavedoni cum le haste de ottono, una paletta e
una forzina e uno gavato
uno scremaglio[60] de piella et una scrana da servicii.

In el camerino da le Aquile.
Una lettéra cum quatro colone di noce,
dui mattaracii de pignolato azuro e negro, de fetti 3
1/2 l'uno,
uno piumazo cum fodra banbasina segnato Aquila,
de pesi uno,
una trabacha de tabedo[61] turchino e negro, fornita
cum il banchale,
sei pecii de spalera de coramo inarzentati, guaste,
dui cavedoni cum le haste d'ottono, uno gavato,
una forcina, una moglia et una paletta.

In la camera del conto Nicola[62] dove lui alozava.
Una lettéra e una cariola de piella,
dui cavedoni da croce.

In la secunda camera.
Una lettéra e una cariola de piella,
dui cavedoni da croce.

In el Guardarobba.
Due lettere de piella et una cariola.

In la prima camera dove alozava le donzelle.
Una lettéra e una cariola de piella,
dui sachoni, videlicet uno da letto e uno da cariola,
uno mattarazo de terliso da monacho, signato .T. e
Cavedon,
due tavole de piella et una credenza,
uno cavedon da cosina[63].

In la seconda camera.
Una lettéra de piella,
dui sachoni da cariola signati Cavedon,
una cassa de piella.

In le altre due camere.
Una cariola senza fondo.
c. 9v
In la camera dove sta Baptista[64].
Tri sachoni, videlicet dui da letto e uno da cariola,
uno mattarazo de terliso da monacho da letto, signato Cavedon,
dui mattaracii de terliso da cariola, signati Cavedon,
uno piumazo cum fodra banbasina, virgi ***, signato Aquila .T.
uno tapedo da tavoletta signato Aquila.

In la Cosina.
Quatro cavedoni grandi,
tre cadene, tri caldari[65] e uno tripedo,
una cadena da pozzo cum dui sechioni e uno sara-
forno[66] de ramo rotto.

In la camera dove alozava messer Sigismondo Mu-
sono[67], sopra le camare dove alozava messer Francisco Gonzaga.
Una lettéra e una cariola de piella,
uno sachon de terliso de fetti una, quarti uno, signato Cavedon e .T.,
una (sic) matarazo de terliso da monacho de fetti 1,
quarti 1, signato Cavedon e .T.,
uno piumazo cum fodra banbasina, virgi 1, signato
.T. e Cavedon e Aquila de libre 16,
una coltra azura cum fodra rossa da letto.

In el primo camerino de li ragacii.
Una lettéra e una cariola de piella,
uno sachon de terliso da letto, signato Cavedon numero 58.

In la secunda camera de li ragacii.
Una cariola de piella desfornita.

In la terza camera delli ragacii.
Una lettéra de piella,
uno sachon de terliso da letto signato Cavedon,
uno mattarazo de terliso da monacho, signato
Aquila e .T., da cariola.

In el quarto camerino de li ragacii.
Quatro lettére e quatro cariole de piella.

In la camera apresso alla camera di ragacii.
Una lettéra e una cariola de piella,
quatro coltri azuri cum fodra rossa da letto,
cinque coltri bianchi da cariola,
una coltra bianca da letto.
c. 10r

Inventario della robba ritrovata nella Rochetta de
Borgoforte de là da Po, sotto il governo di messer
Hieronimo Orloio, fatto per messer Nicolò Capi-
lupo, a dì 16 de octobre 1540.

In la camera dello illustrissimo signor Duca nostro.
Una lettéra e una cariola de piella,
dui sachoni de terliso, videlicet uno da letto e uno
da cariola, videlicet uno numero 20 e uno numero
21,
uno mattarazo de pignolato bertino, de fetti 3, signato B.[68] e Cavedon, numero 13,
uno letto cum fodra banbasina, virgi ***, et de fetti
2, numero 20, signato ut supra, pisi 5, libre 7,
uno piumazo cum fodra ut supra, signato ut supra,
virgi 1, numero 7, pisi 1, libre 3,
uno piumazo cum fodra ut supra, virgi 5, signato ut
supra, numero 13, pisi 0, libre 12,
dui cavedoni da croce et una scrana da servicii.

In la guarda camera.
Una lettéra e una cariola de piella,
dui sachoni de terliso, videlicet uno da letto e uno
da cariola,
uno mattarazo de pignolato bertino, de fetti 3, signato 6 e Cavedon,
uno letto cum fodra refrant, de fetti 2, signato ut
supra numero 1, pisi 6, libre 10,
uno piumazo cum fodra banbasina, virgi 3, signato
ut supra, pisi 0, libre 14,
uno piumazo cum fodra ut supra, virgi 3, signato ut
supra, numero 197, pisi 0, libre 16,
una coltra bianca, fatta a rosi, signata ut supra,
una coltra azura cum fodra verda, signata ut supra,
rotta e strazata, da cariola,
dui cavedoni da croce,
una tavoletta cum dui trespedi.

In la camera della Cervetta.
Una lettéra e una cariola de piella,
dui sachoni de terliso, videlicet uno da letto e uno
da cariola,
uno mattarazo de pignolato bertino de fetti 4, signato 6 e Cavedon, numero 4,
dui cavedoni da croce.

In la camera del Canelano[69].
Una lettéra e una cariola de piella,
dui sachoni de terliso, videlicet uno da letto numero 8 e uno da cariola numero 22,
uno matarazo de pignolato bertino de fetti 3, signato 6 e Cavedon, rotto e strazato,
c. 10v
uno piumazo cum fodra banbasina, virgi una, signato ut supra, numero 6, pisi 1, libre 11,
uno piumazo cum fodra ut supra virgi 4, signato ut
supra numero 3, pisi 0, libre 22,
uno letto cum fodra banbasina, vi[r]gi 12, de fetti
2, numero 5, signato ut supra, pisi 5, libre 8,
una coltra azura cum fodra rossa, da letto, signata
ut supra,
dui cavedoni da croce.

In la camera della Tortora.
Una lettéra e una cariola de piella,

dui sachoni de terliso, videlicet uno da letto, numero 7, e uno da cariola, numero 23,
uno matarazo de pignolato bertino, de fetti 3, signato B. e Cavedon,
uno letto cum fodra banbasina, virgi 11 de fetti 2, numero 14, signato ut supra, pisi 5, libre 0,
uno piumazo cum fodra ut supra, virgi 4, signato ut supra, numero 4, pisi 0, libre 17,
una coltra tutta biancha, signata ut supra, numero 11 de fetti 4,
una coltra azura cum fodra rossa da letto, numero 4, signata Cavedon,
dui cavedoni da croce,
una tavoletta cum dui trespedi.

In la camera del Guanto.
Una lettéra e una cariola de piella,
dui cavedoni da croce,
una tavoletta cum dui trespedi.

In la camera da le Mani in Fede.
Una lettéra e una cariola de piella,
dui sachoni de terliso, videlicet uno da letto, numero 3, e uno da cariola, rotto e strazato,
uno letto cum fodra banbasina de fetti 2, signato 6 e Cavedon numero 18, pisi 5, libre 21,
uno piumazo cum fodra ut supra virgi 1, signato ut supra, numero 12, pisi 1, libre 0,
uno piumazo cum fodra ut supra, signato ut supra numero 14, pisi 0, libre 16,
uno piumazo cum fodra ut supra virgi 3, signato ut supra, numero 24, pisi 0, libre 15,
uno piumazo cum fodra ut supra, virgi 4, numero 17, pisi 0, libre 16,
uno piumazo cum fodra ut supra, virgi 2, numero 2, pisi 0, libre 10,
una coltra azura cum fodra rossa de fetti 4, rotta e strazata, signata ut supra,
una coltra azura cum fodra verda, fatta a zoglie, rotta e strazata.

In la sala.
Dui cavedoni da croce,
una tavoletta cum dui trespedi et uno scremaglio.
c. 11r
In la camera de la Gonzaga vechia.
Una lettéra e una cariola de piella,
dui sachoni de terliso, videlicet uno de numero 17 e l'altro numero 16, signati ut supra.

In la camera del Piombino[70].
Una lettéra e una cariola de piella,
uno sachon de terliso signato 6 e Cavedon numero 9, da cariola.

In la camera dreto alla suprascripta camera.
Una lettéra e una cariola de piella.

In la quarta camera dreto alla suprascripta.
Una lettéra e una cariola de piella,
uno sachon de terliso de fetti 1, quarti 1, numero 1, signato 6 e Cavedon.

In el torion a man stancha.
Una lettéra de piella,
sei moschetti de ferro suso li cavaletti.

In la camera da li Brevi.
Una lettéra de piella,
dui cavedoni da croce.

In la camera del Sol.
Una lettéra e una cariola de piella,
uno sachon de terliso de fetti 1, quarti 3, signato 6 e Cavedon.

In la camera apresso alla suprascripta.
Una lettéra e una cariola de piella,
uno sachon de terliso de fetti 1, quarti 1, numero 14, signato ut supra.

In la camera sopra al primo Torion.
Una lettéra e una cariola de piella.

In la camera apresso al Tinello.
Una lettéra e una cariola de piella e una banzola.

In el Tinello.
Una tavola longa braza 10,
una tavoletta de braza 5,
due tavolette piccole,
nove trespeti da mettere sotto le tavole.
c. 11v
In el Torion.
Una lettéra de piella,
uno mattarazo de pignolato bertino de fetti 4 al traverso, signato 6 e Cavedon,
uno mattarazo de pignolato ut supra, de fetti 3, signato ut supra, numero 7.

In la camera de la Credenza.
Una lettéra de piella,
una scrana da servicii et uno trespido.

In la camera apresso alla Cosina.
Una tavoletta e quatro trespedi.

In la Cosina.
Uno cavedon da croce,
uno cavedon da menarola[71] da menar il rosto.

In la corte sotto la loza.
Trentauna banzola.

In el camerino del Sole.
Una lettéra e una cariola de piella,
dui cavedoni da croce.

In la camera de la Botigaria.
Una lettéra e una cariola de piella,
uno mattarazo de pignolato bertino, de fetti 3, signato B. e Cavedon,
uno letto cum fodra banbasina de fetti 1 1/2, virgi 5, signato ut supra, numero 20, pisi 2, libre 20,
uno piumazo cum fodra de tela, virgi 7, signato ut supra, numero 21, pisi 0, libre 20,
una coltra azura cum fodra rossa, signata ut supra, numero 1, da letto,
una coltra azura da letto, fatta a zoglie, rotta e strazata.

In Guardarobba.
Una lettéra e una cariola de piella,
dui sachoni de terliso, videlicet uno da letto numero 20 e uno da cariola numero 21,
uno mattarazo de pignolato bertino de fetti 3,

uno letto cum fodra banbasina, pisi 2, libre 10,
uno letto cum fodra banbasina vergada, signato ut supra, pisi 5, libre 20,
uno piumazo cum fodra banbasina vergada, pisi 0, libre 20,
uno piumazo cum fodra ut supra, numero 3, pisi 0, libre 16,
uno piumazo cum fodra ut supra, pisi 0, libre 11,
uno piumazo cum fodra ut supra, pisi 0, libre 19,
tre coltri azuri cum fodra rossa, de fetti 3, rotti e strazati,
una coltra fatta a zoglie, de fetti 2 1/2,
dodeci cavedoni da croce.
c. 12r
Inventario della robba quala è nel palazzo de Revero, sotto il governo de Evangelista dal Orto[72], fattor al ditto palazo, fatto a dì 20 de octobre 1540 per messer Nicolò Capilupo, superiore della Drapparia dello illustrissimo signor Ducha nostro, et in loco del suprascripto Evangelista, Iacomo dal Orto, suo figliolo.
Sei lenzoli di tela di sort, de fetti 2 1/2 l'uno, rotti e strazati,
vintiuna coltra azura cum fodra rossa, de fetti 4 l'una, vechie e parte rotte,
decesette coltre azure cum fodra rossa, de fetti 3 l'una, vechie e parte rotte,
uno sparavero di tela sutila de fetti 24, cum le porte de oro a guchia[73], rotto e strazato, cum il capeletto,
uno sparavero di tela di sorte, de fetti vinti, cosiuto a rebatedura[74], rotto e straciato, cum il capeletto,
vinti mattaracii de pignolato bertino, de fetti 4 l'uno, vechi e rotti,
uno mattarazo de pignolato bianco, de fetti 4, pino de cimatura[75], rotto e straciato,
dui mattaracii de pignolato bianco, de fetti cinque l'uno, rotti e strazati, pini de cimatura,
tri mattaracii de terliso, de fette due l'uno, pini de cimattura, rotti e strazati,
cinque mattaracii de terliso de fette 1 1/2, rotti e strazati, pini de lana,
dui piumacii cum fodra banbasina vergada, longi braza tri l'uno, di pesi uno l'uno, vechii,
uno piumazo cum fodra banbasina vergada, virgi 2 al longo, numero 1, pisi 0, libre 14,
uno piumazo cum fodra ut supra, virgi cinque, numero 3, pisi 0, libre 20,
uno piumazo cum fodra ut supra, virgi quatro, numero 3, pisi 0, libre 10,
uno piumazo cum fodra banbasina, virgi 4, numero 5, pisi 0, libre 15,
uno piumazo cum fodra di tela, numero 7, pisi 0, libre 10,
uno piumazo cum fodra de refrant, numero 8, pisi 0, libre 19,
uno piumazo cum fodra banbasina, virgi cinque, numero 8, pisi 0, libre 10,
uno piumazo cum fodra ut supra, virgi 9, numero 14, pisi 0, libre 22,
uno piumazo cum fodra ut supra, virgi 4, numero 16, pisi 0, libre 22,
uno piumazo cum fodra ut supra, virgi 5, numero

18, pisi 0, libre 17,

uno piumazo cum fodra ut supra, virgi 5, numero 19, pisi 0, libre 22,

c. 12v

uno piumazo cum fodra ut supra, virgi una, numero 20, pisi 0, libre 24,

uno piumazo cum fodra ut supra, virgi una, numero 20, pisi 0, libre 14,

uno piumazo cum fodra ut supra, virgi una, numero 20, pisi 0, libre 14,

uno piumazo cum fodra ut supra, virgi 1, numero 21, pisi 0, libre 21,

uno piumazo cum fodra ut supra, virgi 1, numero 21, pisi 0, libre 13,

uno piumazo cum fodra ut supra, virgi 1, numero 22, pisi 0, libre 23,

uno piumazo cum fodra ut supra, virgi 1, numero 22, pisi 0, libre 14,

uno piumazo cum fodra ut supra, virgi 1, numero 24, pisi 0, libre 14,

uno piumazo cum fodra ut supra, virgi 5, numero 26, pisi 0, libre 16,

uno piumazo cum fodra ut supra, virgi 4, numero 26, pisi 0, libre 11,

quindeci piumacii cum fodra banbasina vergada, longi braza dui l'uno, de libre sedeci di penna per piumazo,

uno piumazo cum fodra refrant, virgi 5, numero 27, pisi 0, libre 23,

uno piumazo cum fodra banbasina, virgi 1, numero 27, pisi 0, libre 14,

uno piumazo cum fodra ut supra, virgi 1, numero 28, pisi 0, libre 15,

uno piumazo cum fodra di tela, numero 30, pisi 0, libre 14,

uno piumazo cum fodra banbasina, virgi 6, numero 31, pisi 0, libre 21,

uno piumazo cum fodra ut supra, virgi 2, numero 31, pisi 0, libre 11,

uno piumazo cum fodra ut supra, virgi 5, numero 32, pisi 0, libre 17,

uno piumazo cum fodra banbasina, virgi 1, numero 32, pisi 0, libre 15,

uno piumazo cum fodra di tela, numero 33, pisi 0, libre 14,

uno piumazo cum fodra banbasina, virgi 1, numero 34, pisi 0, libre 15,

uno piumazo cum fodra banbasina, virgi 1, numero 35, pisi 0, libre 21,

uno piumazo cum fodra ut supra, virgi 1, numero 39, pisi 1, libre 0,

uno piumazo cum fodra ut supra, virgi 2, numero 39, pisi 0, libre 12,

uno piumazo cum fodra ut supra, virgi 1, numero 40, pisi 0, libre 24,

uno piumazo cum fodra ut supra, virgi 1, pisi 0, libre 24,

uno letto cum fodra banbasina, de fetti 2, virgi 7, numero 1, pisi 6, libre 0,

uno letto cum fodra ut supra, de fetti 1 1/2, virgi 2, numero 1, pisi 2, libre 20,

uno letto cum fodra ut supra, de fetti 2, virgi 7, numero 2, pisi 6, libre 10,

12. Revere, prima metà del XVII secolo. Mantova, Archivio di Stato, Archivio Gonzaga, b. 91, c. 36, particolare.

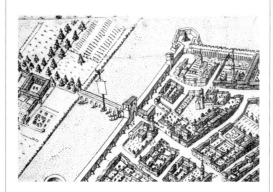

13. San Sebastiano, 1628, particolare della pianta prospettica della città di Mantova disegnata da Gabriele Bertazzolo e stampata da Ludovico Delfichi.

uno letto cum fodra ut supra, de fetti 1 1/2, virgi 2, numero 2, pisi 2, libre 5,

uno letto cum fodra ut supra, de fetti 2, virgi 7, numero 3, pisi 5, libre 9,

uno letto cum fodra ut supra, de fetti 1 1/2, virgi 5, numero 3, pisi 2, libre 0,

c. 13r

uno letto cum fodra ut supra, de fetti 1 1/2, virgi 6, numero 5, pisi 4, libre 5,

uno letto cum fodra ut supra, de fetti 2, virgi 8, numero 7, pisi 3, libre 20,

uno letto cum fodra di tela, de fetti 1 1/2, virgi 1, numero 7, pisi 1, libre 23,

uno letto cum fodra de refrant, de fetti 2, virgi 6, numero 8, pisi 5, libre 7,

uno letto cum fodra banbasina, de fetti 1 1/2, virgi 3, numero 8, pisi 2, libre 18,

uno letto cum fodra ut supra, de fetti 2 1/2, virgi 8, numero 9, pisi 10, libre 9,

uno letto cum fodra ut supra, de fetti 1 1/2, virgi 2, numero 9, pisi 2, libre 19,

uno letto cum fodra ut supra, de fetti 2, virgi 7, numero 14, pisi 6, libre 8,

uno letto cum fodra de tela, de fetti 2, numero 14, pisi 2, libre 12,

uno letto cum fodra ut supra, de fetti 2 1/2, numero 15, pisi 3, libre 12,

uno letto cum fodra banbasina, de fetti 1 1/2, numero 15, virgi 2, pisi 3, libre 14,

uno letto cum fodra ut supra, de fetti 2, virgi 11, numero 16, pisi 4, libre 15,

uno letto cum fodra ut supra, de fetti 1 1/2, virgi 5, numero 16, pisi 2, libre 20,

uno letto cum fodra de tela, de fetti 3, numero 17, pisi 2, libre 16,

uno letto cum fodra de refrant, de fetti 1 1/2, virgi 4, numero 17, pisi 1, libre 19,

uno letto cum fodra banbasina, de fetti 2, virgi 8, numero 18, pisi 5, libre 15,

uno letto cum fodra di tela, de fetti 2, numero 18, pisi 2, libre 23,

uno letto cum fodra banbasina, de fetti 2, virgi 11, numero 19, pisi 4, libre 15,

uno letto cum fodra ut supra, de fetti 1 1/2, virgi 2, numero 19, pisi 2, libre 19,

uno letto cum fodra ut supra, de fetti 2, virgi 5, numero 26, pisi 3, libre 18,

uno letto cum fodra de refrant, de fetti 3, virgi 5, numero 27, pisi 5, libre 18,

uno letto cum fodra ut supra, de fetti 1 1/2, virgi 14, numero 27, pisi 3, libre 10,

uno letto cum fodra de tela, de fetti 2 1/2, numero 30, pisi 1, libre 21,

uno letto cum fodra banbasina, de fetti 2, virgi 7, numero 32, pisi 5, libre 7,

uno letto cum fodra ut supra, de fetti 1 1/2, virgi 2, numero 32, pisi 3, libre 14,

uno letto cum fodra di tela, de fetti 2, numero 33, pisi 3, libre 19,

uno letto cum fodra ut supra, de fetti 3, numero 33, pisi 2, libre 11,

uno letto cum fodra ut supra, de fetti 3, numero 34, pisi 3, libre 23, uno letto cum fodra banbasina, de fetti 1 1/2, numero 34, virgi 2, pisi 2, libre 22,

uno letto cum fodra banbasina, fetti 2, virgi 7, numero 31, pesi 4, libre 24,

uno letto cum fodra di tela, de fetti 2, numero ***, pisi 1, libre 12,

una spalera a verdura cum li putini e la Gonzaga in mezo, vechia, da mettere atorno a un letto,

uno scaldaletto,

c. 13v

uno pomo da sparavero senza pictura,

vintiuna lettéra de piella, parte all'antiqua e parte suso li cavaletti,

desnove cariole de piella,

tre para de cavedoni de ferro, cum aste grande,

dui cavedoni grandi da cosina,

dui spedi da rosto grandi,

due menarole de ferro grande,

due cadene da focho grande,

una caldera de ramo de tenuta de 4 soglii[76],

una tavola de piella granda,

quatro tavolette piccole cum dece trespedi,

tre banche et otto banzole.

Inventario della robba ritrovata nel palazo de Pietulo, sotto il governo de messer Zohanne Fachon, fattor al ditto palazo, fatto per messer Nicolò Capilupo a dì 25 de octobre 1540.

In la camera de lo illustrissimo signor Ducha nostro.

Una lettéra e una cariola de piella,

dui sachoni, videlicet uno di tela di sort e uno de terliso, signati Pt.[77] e Cavedon,

uno mattarazo de pignolato bertino de fetti 4, signato Pt. e Cavedon,

uno piumazo cum fodra banbasina, virgi 2, signato ut supra, pisi 0, libre 24,

uno piumazo cum fodra ut supra, signato Pt. e Cavedon, ut supra, pisi 0, libre 14,

uno sparavero di tela suttila, cosiuto a ponto, de fetti 18, cum il capeletto e pomo dorato,

uno copertore a brochà cum frisi intorno,

una scrana da servicio,

quatro banzole depinte,

dui cavedoni da croce.

In la Guarda Camera.

Una lettéra e una cariola de piella,

uno sachon di tela di sort, de fetti 3, signato Pt. e Cavedon,

dui mattaracii de pignolato bertino, de fetti 4 l'uno,

uno piumazo cum fodra banbasina, virgi 2, signato ut supra, pisi 1. 0,

c. 14r

uno copertor a figuri sopra il letto,

uno celo da trabacha[78] di tella sittila[79], cum quattro bandinelli,

tre banzole depinte,

dui cavedoni da croce.

In la camera acosto alle suprascripte, dove se va suso dui scalini.

Una lettéra e una cariola de piella,

dui sachoni de terliso de fetti 1 1/2 l'uno,

dui mattaracii de pignolato bertino, de fetti 4 l'uno,

uno mattarazo de terliso de fetti 1, quarti 1, rotto e strazato,

uno piumazo cum fodra banbasina, virgi 1 al longo, signato Pt. e Cavedon, pisi 0, libre 14,

uno piumazo cum fodra ut supra, virgi 1, signato ut supra, pisi 0, libre 15,

uno piumazo cum fodra ut supra, signato ut supra, pisi 0, libre 11,

uno piumazo cum fodra ut supra, signato ut supra, pisi 0, libre 14,

una coltra azura cum fodra rossa, signata ut supra, rotta e strazata,

due banzole depinte,

dui cavedoni da croce.

In la camera del Crosolo[80].

Una lettéra e una cariola de piella,

uno sachon de terliso de fetti 1 1/2, signato Pt. e Cavedon,

due banzole depinte,

dui cavedoni da croce.

In la sala de Virgilio.

Tredeci banzole depinte,

uno tavolon di noce quadro suso le collonelle,

dui cavedoni da croce,

una tela azura atorno al camino,

una tavola de braza dece da lignamo, cum una tavoletta de capo, piccola, cum quatro trespedi.

Sopra la Cosina.

Una lettéra e una cariola de piella,

cinque sachoni, videlicet quatro da terliso e uno di tela di sort, rotti e strazati,

dui mattaracii de terliso, da cariola, de fetti 1 1/2, rotti e strazati,

c. 14v

dui piumacii di tela, pini di cimatura, signati Pt. e Cavedon, pini de cimatura,

due menarole da campo,

una padella e una lecarda[81] cum dui testi[82] de ramo et uno coperto da lavezo[83] rotto,

uno stagnato[84] grando e tri padeloni cum il manicho longo,

una padella da torta cum le manize.

In la Cosina.

Due menarole grande de ferro et dui cavedoni grandi da cosina,

tri spedi grandi da cosina,

dui cadenoni[85] grandi, uno gavado grando e una gradella[86],

dui caldari uno grando e uno picolo, cum il tripede,

una pignata[87] de ramo cum le manize,

uno mortaro de marmoro,

tre tavole da cosina cum li suoi trespedi e uno soglio[88] da bugada[89].

In el Salador[90].

Una lettéra e tre cariole de piella.

In la camera de la Tortora.

Dui cavedoni da croce,

uno credenzono de piella,

una tavola de piella cum tri trespedi,

due banche de piella.

In la camera del Sol.

Una lettéra de piella,

uno sachon de terliso de fetti 1, quarti 3, signato Pt. e Cavedon,

una coltra azura cum fodra rossa, signata ut supra, de fetti 3, rotta e strazata.

In la sala de sotto.

Tre banche, videlicet una depinta,

sette tavole grande,

tre tavole piccole,

tredeci trespedi.

In Guardarobba.

Otto coltri azuri, videlicet una fatta a zolie, rotte e strazate e sframbelate[91],

una coltra biancha strazata, in petii,

c. 15r

una schiavina pelosa,

dui candeleri de ferro, da torza,

cinque cavedoni da croce,

vinti tre banzole depinte.

In la camera de la Colombara.

Una lettéra de piella et una tavoletta da uno trespedo,

uno sachon de terliso de fetti 1 1/2, signato Pt. e Cavedon,

uno mattarazo mezzo de banbasina e mezo de terliso de fetti 1 1/2, pin de pello, rotto e strazato,

uno piumazo cum fodra banbasina, pino de pello, virgi 2,

una coltra azura cum fodra rossa, da letto, rotta e strazata,

una banzola.

In la camera de sopra.

Una lettéra de piella,

uno mattarazo, la mittà bambasina e la mittà terliso, de fetti 1, quarti 3, rotto,

uno sachon de terliso pino de paglia, rotto e strazato,

uno piumazo cum fodra de pignolato, pino de pello,

una tavoletta cum un trespido,

due banzole depinte.

In casa del fattor suprascripto.

Tri sachoni de terliso de fetti 1, quarti 3, signati Cavedon e Pt.,

uno mattarazo de pignolato bertin, de fetti 4, signato ut supra,

uno mattarazo de pignolato ut supra, de fetti 3, signato ut supra,

uno piumazo cum fodra de pignolato biancho, pino de lana, signato ut supra,

quatro coltre azure cum fodra rossa, videlicet due de fetti quatro e due de fetti trei, rotti e strazati,

una coltra de tela fatta a spinapesso[92] de fetti 5,

uno tapedo da tavola a rosetti, longo braza 11 1/2, alto braza 3 1/2,

uno tapedo da tavola da rodi, longo braza sei e mezo e alto braza trei, sei tapedi da tavoletta da tre rodi,

uno tapedo da tavoletta con rosi

una (sic) tapedo da tavoletta in campo zaldo, peloso dal roverso,

una (sic) tapedo da scrana a rosetti, peloso dal roverso,

c. 15v

una carpetta intapidada[93] fatta a quadretti,

una carpetta da tavola a listi, longa braza sei,

una carpetta alla moreschа, rotta e strazata, longa braza sette e mezo,

tredeci cossini pini de penna,

otto fodretti[94] cum cordi a osso, rotti e strazati,

quattro lenzoli de tela bambasina de fetti quatro l'uno,

dui lenzoli de tela sutilla de fetti quatro l'uno cum cordi a osso, rotti e strazati, videlicet uno alquanto bono,

dui lenzoli de tela sutilla de fetti quatro l'uno rotti e strazati,

sei coltrini de trabacha de tella sutilla, videlicet una strazata e una cum cordi a osso,

dui celi da trabacha de tela ut supra cum le sue bandinelle cum franze,

uno sparavero de tella suttila rotto e strazato e pezato, de fetti sedece in dui pezi, cum il capeletto,

una tovaglia de renso longa braza dece alta braza dui, rotta e strazata,

una tovaglia de renso longa braza cinque e mezo, alta braza dui e mezo, rotta e strazata,

una tovaglia de renso longa braza sette, alta braza dui e mezo, rotta e strazata,

una tovaglia de renso longa braza dece, alta braza dui e mezo, rotta e strazata,

quattro bronzini[95] da acqua e quatro bazinelle[96],

cinque candeleri de ottono, tri cavedoni da croce,

dui cavedoni da foco grandi, uno spedo da cosina e una lecarda rotta,

tri calderini de ramo e uno raminetto ferrato e una ramina integra,

una gratarola[97],

dui caldironi, dui grandi e uno piccolo,

due pignatelle de ramo, piccole,

uno stagnato de ramo rotto, qual è incalcinato,

due cazze[98] grande da bugada,

uno mescolo forato grando,

c. 16r

una cazza piccola, rotta,

due banche e dece banzole,

uno piumazo cum fodra banbasina, virgi 2, signato Pt. e Cavedon, pisi 0, libre 17,

una fodra de piumazo cum fodra de pignolato biancho, rotta.

In la camera del cavalar.

Uno matarazo de terliso de fetti 1, quarti 3, signato Pt. e Cavedon.

In le camere che arispondono al pozzo di stanciolì[99].

Due lettére dc piella,

uno sachono de terliso de fetti 1, quarti 3, signato Pt. e Cavedon,

uno pezo de uno sachon da cariola,

dui mattarazi de pignolato bertino, videlicet uno de fetti quatro e uno de fetti 3,

uno piumazo cum fodra banbasina, virgi 2, signato ut supra, pisi 1, libre ***,

uno piumazo cum fodra ut supra, vergi 2, signato ut supra, pisi 1, libre 1,

uno piumazo cum fodra ut supra, virgi 1, signato ut supra, pisi 1, libre ***,

due coltre azure, rotte e strazate,

una coltra bianca de fetti 5, signata Cavedon,

una coltra de tela a spinapesso de fetti quatro e meza, signata ut supra,

una scrana da servicii et sette banzole depinte,

due tavolette cum quatro trespedi et due banche, videlicet una depinta,

dui cavedoni da croce,

quattro mattaracii quali sono al palazo de messer Carlo.[100]

In le camare dove staseva lo illustrissimo signor Duca nostro a veder cavalcare.

Una scrana de noce cum il seder et l'apozo coperto de veluto turchino,

due scrane de paglia d'apozo,

quindece banzole depinte et due banche depinte,

una tavoletta cum dui trespedi,

dui cavedoni da croce.

Inventario de la robba ritrovata nel palazo de Sancto Sebastiano[101] quala è sotto il governo de messer Bardolino, fatto per messer Nicolò Capilupo a dì 24 de novembre 1540.

c. 16v

In el camerino de l'antana.

Una letéra suso li cavaletti e una cariola de piella, dui sachoni de terliso, videlicet uno da letto e uno da cariola, signati SS.[102],

uno mattarazo de pignolato bertino de fetti 3 1/2, signato SS.,

uno mattarazo de pignolato turchino e biancho, de fetti trei, signato SS.,

uno piumazo cum fodra banbasina, virgi 1, signato SS., pisi 0, libre 19,

uno piumazo cum fodra ut supra, virgi 4, signato SS. e M., pisi 0, libre 14,

cinque pecii de spalera de panno zaldo e rosso, reportato l'uno sopra l'altro, tra grandi e piccoli, cum li crosoli[103] suso,

uno copertor da letto simile, cum li crosoli,

uno tornaletto de panno simile, cum li crosoli,

una tavola cum dui trespedi.

In el camerino dorato.

Una lettéra de piella,

uno sachon da letto de fetti 1 1/2, signato SS.,

uno matarazo de pignolato biancho e turchino, de fetti 3, signato SS.,

uno piumazo cum fodra banbasina, signato SS, pisi 0, libre 24,

uno copertoro (sic) a verdura cum frisi e festoni de la secunda sort.

In el camerino acosto al camerino dorato.

Una lettéra de piella suso li cavaletti,

uno sachon de terliso de fetti 1 1/2, signato SS,

uno mattarazo de pignolato biancho de fetti 2, quarti 3, signato SS.,

uno piumazo cum fodra banbasina, virgi 1, signato SS., pisi 1, libre ***,

uno copertor a verdura de la secunda sort cum frisi e feston.

In l'altro camerino acosto al soprascripto e alla camera del Sol.

Una lettéra de piella suso li cavaletti,

uno sachon de terliso de fetti 1, quarti 1, signato SS.,

uno mattarazo de pignolato bertino de fetti 3, signato SS.,

uno piumazo cum fodra banbasina, virgi 1, signato SS., pisi 0, libre 23,

uno copertor a verdura de la secunda sorte, cum frisi e festoni.

In la camera del Sol.

c. 17r

Una lettéra suso li cavaletti e una cariola de piella, dui mattaracii de pignolato azuro e biancho de fetti 3 1/2, signato SS.,

uno piumazo cum fodra banbasina, virgi 1, signato SS, pisi 1, libre ***,

uno copertor a verdura de la secunda sort cum frisi e feston.

In la camera da le Frize[104].

Una lettéra suso li cavaletti e una cariola de piella, dui sachoni de terliso, videlicet uno da letto e uno da cariola,

uno matarazo de pignolato bertino de fetti 3 1/2, signato SS.,

uno matarazo de pignolato bertino de fetti 2, quarti 3, signato SS.,

uno piumazo cum fodra banbasina, virgi 5, signato SS., pisi 0, libre 20,

uno piumazo cum fodra ut supra, virgi 3 al longo, signato SS., pisi 0, libre 15,

uno copertor a verdura cum animali de la secunda sort, senza frisi,

dui cavedoni cum le aste de ottono.

In la camera da li Brevi.

Una lettéra suso li cavaletti e una cariola de piella, dui sachoni de terliso, videlicet uno da letto e uno da cariola, signati SS.,

uno matarazo de pignolato bertino de fetti 3 1/2, signato SS.,

uno matarazo de pignolato bertino de fetti 3, signato SS.,

uno piumazo cum fodra banbasina, virgi 1, numero 140, signato SS., pisi 0, libre 23,

uno piumazo cum fodra ut supra, signato SS, pisi 0, libre 18,

uno letuzo[105] coperto de panno rosso, rotto e strozato[106],

uno copertor a verdura cum frisi e feston da la secunda sort,

dui cavedoni cum le aste de ottono,

uno tavolino di noce intersiato.

In la camera del mapamondi et del Caiero.

Una lettéra suso li cavaletti e una cariola de piella,
dui sachoni de terliso, uno da letto e uno da cariola,
uno matarazo de pignolato bianco de fetti 3 1/2, signato SS.,
uno mattarazo de pignolato azuro de fetti 3, signato SS.,
uno piumazo cum fodra banbasina, virgi 1, signato SS., pisi 1, libre ***,
uno piumazo cum fodra ut supra, signato SS, pisi 0, libre 15,

c. 17v

uno copertor a verdura de la secunda sort, schietto, senza frisi,
due spalere a figure, da li spiritelli[107] sopra le fenestre,
dui cavedoni cum le aste de ottono.

In la camera del Crosol, di sotto.
Una lettéra suso li cavaletti e una cariola de piella,
dui sachoni de terliso, uno da letto e uno da cariola,
uno mattarazo de pignolato bertino, de fetti 3 1/2, signato SS.,
uno mattarazo de pignolato bertino, de fetti 3, quarti 3 al traverso, signato SS.,
uno piumazo cum fodra banbasina, virgi 1, signato SS., pisi 1, libre ***,
uno piumazo cum fodra ut supra, virgi 3, signato SS., pisi 0, libre 15,
uno copertor a verdura cum frisi e festoni della secunda sorte,
dui cavedoni da croce,
uno tavolino quadro di noce.

In la camera del Porchospino.
Una lettéra e una cariola de piella,
dui sachoni de terliso, videlicet uno da letto e uno da cariola, signati SS.,
uno mattarazo de pignolato bianco de fetti 3 1/2, signato SS.,
uno mattarazo de pignolato bertino, de fetti 3, strazato, signato SS.,
uno piumazo cum fodra banbasina, virgi 1, signato SS., pisi 1, libre ***,
uno piumazo cum fodra ut supra, virgi 4, signato SS., pisi 0, libre 15,
uno copertor a verdura de la secunda sorte,
uno candelero da torza de ferro basso,
dui cavedoni cum le aste de ottono.

In la camera del Sol, di sotto.
Una lettéra e una cariola de piella,
dui sachoni de terliso, videlicet uno da letto e uno da cariola, signati SS., rotti,
uno mattarazo de pignolato bertino, de fetti 2, quarti 3, da cariola, signato SS.,
uno mattarazo de pignolato bianco e turchino, de fetti 3 1/2, signato SS.,
uno piumazo cum fodra banbasina, virgi 1, signato SS., pisi 1, libre ***,
uno piumazo cum fodra ut supra, virgi 1, signato SS., pisi 0, libre 17,
uno copertor a verdura della secunda sorte cum animali, senza frisi,
una tavoletta de piella.

c. 18r

In la camara del Azalino[108].
Una lettéra e una cariola de piella,
uno sachon de terliso da letto, signato SS.,
uno mattarazo de pignolato bertino, de fetti 3 1/2, signato SS.,
uno mattarazo de pignolato bertino, de fetti 3, quarti 3 al traverso, signato SS.,
uno piumazo cum fodra banbasina, virgi 1, signato SS., pisi 0, libre 23,
uno piumazo cum fodra ut supra, virgi 1, signato SS., pisi 0, libre 16,
uno copertor a verdura de la secunda sort, schietto, senza frisi.

In la Stuua[109].
Uno mattarazo de pignolato bertino de feti due e meza, rotto e strazato e marzo[110].

In la camera de la Stuua.
Una lettéra suso li cavaletti de piella,
uno matarazo de pignolato biancho e azuro, a listi, signato SS.,
uno mattarazo de pignolato biancho de fetti 3 1/2, signato SS.,
uno piumazo cum fodra banbasina, virgi 1, signato SS., pisi 1.0,
uno tornaletto a verdura schietto cum il Marchesa[111],
uno copertore a verdura cum frisi e feston de la secunda sort, cum il Marchesato[112],
due spalere a verdura de la secunda sort, schiette, alte braza 2,
uno tapedo da tavoletta, o sia da credenza, da rodi 3,
uno tapedo da scrana, piccolo, in campo negro, strazato,
una scragna da servicii, depinta azuro e negro,
due cavedoni da croce e una paletta de ferro.

In la guarda camera de la Stuua.
Una lettéra de piella,
uno mattarazo de pignolato bertino, de fetti 3 1/2, signato SS.,
uno mattarazo de pignolato biancho e azuro, de fetti 3 1/2, signato SS.,
uno piumazo cum fodra banbasina virgi 2, signato SS., pisi 0, libre 21,
una spalera a verdura, cum il Marchesa, alta quarti 6,
uno tapedo da tavoletta, da rodi tre, suso una tavoletta,
uno candelero da torza, piccolo.

In el primo camerino, suso la Stuua.
Una lettéra de piella depinta,
uno letto cum fodra banbasina, de fetti 1, quarti 3, virgi 1, signato SS., pisi 4, libre 20,
uno piumazo cum fodra banbasina, virgi 3, signato SS., pisi 0, libre 21,
una coltra azura cum fodra rossa, de fetti 4, rotta.

c. 18v

In el secundo camerino sopra la Stuua.
Una lettéra de piella depinta,
uno letto cum fodra banbasina, de fetti 1, quarti 1, virgi 6, signato SS., pisi 2, libre 20,

uno piumazo cum fodra banbasina, pino de pello, virgi 1, signato SS.,
una coltra azura cum fodra rossa, rotta e strazata, de fetti 3 1/2.

In el camerino apresso alla Stuua.
Una lettéra de piella,
uno letto cum fodra di tela de fetti 2, signato SS., pisi 2, libre 20,
uno piumazo cum fodra de refrant, virgi 2, signato SS., pisi 0, libre 13,
una coltra azura cum fodra verda, de fetti 2.

In la camara apresso il salotto di sotto.
Una lettéra di piella suso li cavaletti,
uno letto cum fodra banbasina de fetti 2 al traverso, signato SS., pisi 2, libre 12,
uno letto cum fodra ut supra, de fetti 1, quarti 3, virgi 2, signato SS., pisi 4, libre 20,
uno piumazo cum fodra banbasina, virgi 1, signato SS., pisi 0, libre 24,
uno piumazo cum fodra ut supra, virgi 1 al longo, signato SS., pisi 0, libre 15,
una coltra de tela alla cingalescha[113], da letto, rotta,
una coltra azura cum fodra rossa, de fetti 2, da cariola.

In la sala de sotto.
Dui cavedoni cum le aste de ferro.

In la camera da li spechii.
Una lettéra de piella depinta et una cariola de piella,
uno letto cum fodra banbasina de fetti 2 1/2, virgi 6, signato SS., pisi 3, libre 12,
uno letto cum fodra ut supra, de fetti 1, terzi 1, virgi 10, signato SS., pisi 2, libre 10,
uno piumazo cum fodra banbasina, virgi 4, signato SS., pisi 0, libre 15,
uno piumazo cum fodra ut supra, signato SS., pisi 1, libre ***,
una coltra azura cum fodra rossa, rotta e strazata.

In la camera da meza scala.
Una lettéra depinta de piella et una cariola de piella,
uno mattarazo de pignolato biancho, de fetti 3, qual va in la Stuua,
uno letto cum fodra banbasina, virgi 10, de fetti 1, quarti 3, signato SS., pisi 5, libre 0,
uno letto cum fodra ut supra, de fetti 1, quarti 1, virgi 4, signato SS., pisi 2, libre 6,
uno piumazo cum fodra banbasina, virgi 2, signato SS., pisi 0, libre 17,
uno piumazo cum fodra banbasina, virgi 3, signato SS., pisi 0, libre 14,

c. 19r

due coltre azure, videlicet una cum fodra rossa e l'altra cum fodra verda,
una coltra biancha di tela cum cimatura dentro.

In la camera acosto alla sala de sopra.
Una lettéra de piella suso li cavaletti,
uno letto cum fodra banbasina, de fetti 1, quarti 3, virgi 4, signato SS., pisi 4, libre 18,
uno letto cum fodra di tela, de fetti 2, signato SS.,

pisi 2, libre 20,

uno piumazo cum fodra banbasina, virgi 1, signato SS., pisi 0, libre 21,

uno piumazo cum fodra de tela, signato SS., pisi 0, libre 15,

due coltre azure, videlicet una cum fodra rossa e una cum fodra verda, da cariola,

uno banchal a verdura zalda, cum il Marchesa per il tornaletto,

dui cavedoni cum le aste de ottono.

In el camerino sopra il pozzo.

Una lettéra suso li cavaletti e una cariola de piella,

uno sachon de terliso da letto rotto e strazato,

uno mattarazo de terliso da monacho, de fetti 1 1/2, signato S.,

uno mattarazo de terliso da monacho, de fetti 1, quarti 1, signato SS.,

uno mattarazo de pignolato bertino, de fetti 3 1/2, signato SS.,

uno piumazo cum fodra banbasina, virgi 2, signato SS., pisi 0, libre 20,

uno piumazo cum fodra ut supra, signato SS., pisi 0, libre 19,

uno tapedo da tavoletta a rosetti,

una tavoletta cum dui trespedi.

In el secundo camerino.

Una lettéra de piella e una tavoletta cum dui trespedi,

uno piumazo cum fodra banbasina, virgi 3, pisi 0, libre 16,

uno piumazo cum fodra ut supra, pisi 0, libre 14,

uno piumazo cum fodra banbasina, virgi 2, pisi 0, libre 19,

uno piumazo cum fodra banbasina, virgi 1, signato Cavedon, pisi 0, libre 13,

uno piumazo cum fodra di tela, virgi 6, signato Cavedon, pisi 0, libre 19,

uno piumazo cum fodra banbasina, virgi 2, pisi 0, libre 13,

uno piumazo cum fodra ut supra, pisi 0, libre 16,

uno piumazo cum fodra banbasina, virgi 1, pisi 0, libre 21,

uno piumazo cum fodra ut supra, virgi 1, pisi 0, libre 14,

uno piumazo cum fodra banbasina, senza virgi, pisi 0, libre 16,

uno piumazo cum fodra banbasina, virgi 1, pisi 0, libre 13,

uno piumazo cum fodra banbasina, pisi 0, libre 15.
c. 19v

Inventario de le robbe retrovate nella draparia comune dilla Corte dello illustrissimo signor Duca nostro, in mane de messer Nicolò Beleza,[114] a dì 4 de luio 1542.

Dui sparaveri de tela de renso, con cordoni bianchi e negri, con li suoi capeletti,

quatro sparaveri de tila sutile, con cordi bianchi e negri, cum li sui capeletti,

tri sparaveri di tela a friadi grandi, cum li sui capeletti,

dui sparaveri de tela a friadi, picholi, cum li sui ca-

peletti,

tri sparaveri de tela suttila, grandi, cum cordi marani, cum li suoi capeletti,

tri sparaveri de tela suttila, picholi, cum cordi marani, cum li suoi capeletti,

quatro pomi adorati, da sparavero,

ventinove pomi da sparaviero, depinti,

cinque coltre bianche da letto,

cinque coltre bianche da cariola,

deceotto coltre azure cum fodre rosse, da letto,

tredece coltre azure, fodre rosse, da cariola, videlicet una fodra verda,

cinque mante[115] de lana biancha,

deceotto lenzoli de renso, de fetti 3 l'uno,

desnove lenzoli sutili, de fetti 3 l'uno,

trentasei lenzoli di no, de fetti 3 l'uno,

vintisei lenzoli di no, de feti 2 l'uno,

ducento sesantaotto lenzoli de sorte, de feti trei l'uno,

vintisette lenzoli de sorte, de fetti 2 1/2, da letto,

cento trenta lenzoli de sorte, de fetti 2 1/2, da cariola,

settantanove lenzoli de sorte, de fetti 2,

due tovaglie de renso de Fiandra, videlicet una lunga braza 14 e una longa braza 13,

tre tovaglie de renso de Fiandra, videlicet due longhe braza sei l'una et una longa braza 12,

tre tovaglie de renso alti braza 4, lunghi braza 20 l'una,

due tovaglie de renso alte braza quatro, lunghi braza 12 l'una,

due tovaglie de renso alti braza quatro, videlicet una longa braza 8 et una longa braza 10,

una tovaglia alta braza 3, lunga braza 25[116],

una tovaglia alta braza 3, lunga braza 20,

tre tovaglie alte braza 3, lunga braza 14,

due tovaglie alte braza 3, lunga braza 13,

una tovaglia alta braza 3, lunga braza 19,

dece tovaglie alti braza 3, lunghi braza 12 l'una,

tre tovaglie alti braza 3, lunga braza 10,

una tovaglia alta braza 3, lunga braza 9,
c. 20r

una tovaglia alta braza 3, lunga braza 6,

tre tovaglie alti quarti 9, lunghi braza 20,

una tovaglia alta quarti 9, lunga braza 14,

una tovaglia alta quarti 9, lunga braza 12,

undece tovaglie de renso, alti quarti 9, lunghi braza 10 l'una,

tre tovalie de renso lunghi braza 9, videlicet una intovagliada[117] de quarti 9 alta,

dece tovaglie de renso alti quarti 9, lunghi braza 8 l'uno,

dece tovaglie de renso alti quarti 9, lunghi braza 7 l'una,

cinquantadue tovaglie de renso alti quarti 9, lunghi braza 4 l'una,

cinquantasette tovagliole da mano, de renso,

trecento quarantaotto tovagliolini de renso,

trenta panicelli da compagno,

quatuordeci panicelli da signor,

seii (sic) fodrette da cussin[118],

quaranta tovagliole de Fiandra,

una tovaglia de renso lunga braza 13,

cinque tovaglie de renso lunghe braza 5,

tre tovaglie de renso lunghe braza 7 l'una,

due tovaglie de renso, videlicet una de braza 3 e una de braza 3 1/2 l'una,

sette tovaglie de renso lunghi braza 6 l'una,

ottantaotto tovagliolini de renso, grosi,

quaranta tovagliolini de tela solindenta[119],

undece tovagliolini de tela solindente in peza,

nove tovagliolini grosi de renso impeza,

trentanove tovagliolini de renso grosi,

deceotto tovagliole de renso, grosi, da man,

trentasei tovagliolini da massaria,

vintidui tovagliolini de renso, grosi,

uno pezo de tovaglia da massaria lungo braza 11,

due tovaglie da massaria lunge braza 5 l'una,

quatro tovaglie da massaria lunghi braza 6 l'una,

una tovaglia da massaria lunga braza 7,

tre tovaglie da massaria lunghi braza 8 l'una,

una tovaglia da massaria lunga braza 4,

seii tovaglie da massaria lunghi braza 3 l'una,

uno pezo de tovaglia da massaria de braza 36, novo,

vintinove tovaglie da massaria de braza 10 l'una,
c. 20v

vintitré tovaglie da massaria de braza 6 l'una,

sesantatré tovaglie da massaria de braza 4 l'una,

sesantadue tovagliole da man, da massaria,

vinti guardanapi,

otto sugamani[120],

cinquantauno terlisoni[121],

quatro matarazi de pignolato azuro e negro da letto,

tri mattarazi de terliso da cariola,

dui piumazi cum fodra banbasina, coperti de pignolato biancho, libre 20,

dui piumazi cum fodra banbasina, virghi ***, libre 22 l'uno,

dui pavaioni[122],

due camare,

quatro tele da pavaiono,

dui andetti[123] da pavaiono,

uno letto da cariola de pisi uno, libre 16,

uno mattarazo de terliso de fetti 1 1/2 da letto, tinto in bertino,

uno mattarazo de pignolato ranzo da cariola,

uno piumazo de banbasina da letto de libre 20,

uno letto da letto fodrato banbasina de pesi 4, libre 0,

uno sachon da cariola,

sedeci cossini da testa,

due coltre azure, fodre rosse, da letto, rotte e strazate.

Inventario de la palacina de campagna fatto per messer Nicolò Capilupo de le robbe che sono sotto il governo de Hieronimo Falchonero, a dì 28 de novembro 1540.

In la prima camera de sotto, verso la cosina.

Una lettéra de piella,

duii (sic) mattaracii de pignolato bertino, de fetti 3 1/2 l'uno, rotti e strazati,

una coltra azura cum fodra rossa, rotta e strazata,

una scrana da servicii.

In la secunda camera.
Una lettéra de piella suso li cavaletti.

In la terza camera.
Una lettéra de piella senza fondo.

In la prima camera de sopra.
Una lettéra de piella suso li cavaletti e una cariola
senza fondo,
c. 21r
Dui mattaracii de pignolato azuro de fetti 4 l'uno.

In la secunda camera de sopra.
Una lettéra de piella suso li cavaletti e una cariola
senza fondo.

Il el camerino de sopra.
Una lettéra de piella suso li cavaletti.

In la salla de sopra.
Sette tavole tra grande e piccole,
quatuordeci trespedi, videlicet uno rotto,
due banche de piella,
uno credenzono de piella, rotto, qual Hieronimo
dice che lo illustrissimo signor Duca nostro lo ha
donato a Scaramuza falchonero,
sedeci banzole depinte vechie,
una scrana da servitio vechia.

In la Cosina.
Uno parolo[124] de ramo,
uno caldaro senza manico, rotto,
una cadena da cosina, granda,
uno mortaro de marmoro,
un armario de piella qual è in la canova, vechio,
una ramina da cosina.

Inventario de la robba ritrovata in la rocha de Goyto sotto il governo de messer Alexandro di Al-
homatii, castelano de ditta rocha, fatto per messer
Niccolò Capilupo, a dì 27 de novembre 1540.

In la camera granda de sotto.
Una lettéra e una cariola de piella,
uno mattarazo de pignolato bertino de fetti 3, signato Goyto,
uno mattarazo de terliso da monacho de fetti 1 1/2,
rotto e strazato signato Go.[125],
uno letto cum fodra banbasina de fetti 2, virgi 4, signato Go., numero 18, pisi 6, libre ***,
uno letto cum fodra ut supra de fetti 1, terzi 1, virgi
3, signato Go., pisi 2, libre 16,
uno piumazo cum fodra ut supra, virgi 3, signato
Go., numero 20, pisi 0, libre 17,
uno piumazo cum fodra banbasina, virgi 7, signato
Go., numero 10, pisi 0, libre 22,
una coltra biancha inzipada de fetti 5, rotta,
una coltra azura fodrata de verdo, de fette 2.

In el camerino da li Canelani[126] apresso a ditta camera.
c. 21v
Una lettéra suso li cavaletti cum la cariola de piella,
uno mattarazo de terliso de fetti 1, quarti 1,
uno letto cum fodra banbasina de fette 2, virgi 4, signato Go., numero 1, pisi 7, libre 8,
uno letto cum fodra ut supra de fetti 1, quarti 1, si-

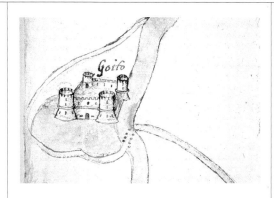

14. *Rocca di Goito, fine del XVI secolo. Mantova,*
Archivio di Stato, Archivio Gonzaga, b. 3245,
"Tipo per la fossa di Pozzolo", particolare.

gnato Go., numero 11, pisi 3, libre 20,
uno piumazo cum fodra ut supra, virgi 3, signato
Go. ut supra, pisi 1, libre 4,
uno piumazo cum fodra ut supra virgi 1, signato
Aquila e Go., pisi 0, libre 15,
una coltra azura cum fodra rossa de fetti 3 1/2, signato Go. e Cavedon, numero 18,
una coltra fatta a zoglie de fetti 2, rotta e strazata,
una scrana d'apozo cum il seder de coramo, rotta.

In la Botigaria.
Una lettéra de piella,
uno letto cum fodra banbasina, de fetti 2, virgi 3,
numero 3, signato Go., pisi 5, libre 2,
uno piumazo cum fodra ut supra, virgi 3, signato
Go. e Cavedon numero 25, pisi 0, libre 18,
una coltra azura fatta a zolie de fetti 4, rotta e strazata.

In la camera di cogi[127].
Una lettéra de piella cum uno bancho, vechia,
uno letto cum fodra di tella de fetti 2 1/2, signato
Go. e Cavedon numero 4, pisi 5, libre 0,
uno piumazo cum fodra banbasina, virgi 3, signato
ut supra, numero 2, pisi 0, libre 14,
una coltra azura fatta a zoglie de fetti 3, rotta e strazata.

In la camera de la credenza.
Una lettéra de piella,
uno letto cum fodra banbasina, de fetti 2, virgi 2, signato Go. e Cavedon, pisi 5, libre 4,
uno piumazo cum fodra de terliso, signato Go. e
Cavedon, numero 15, pisi 0, libre 16,
una coltra azura fatta a zoglie, rotta e strazata, de
fetti 3 1/2.

In la camera de la canzelaria, drio al pozo.
Una lettéra e una cariola de piella,
uno mattarazo de terliso de fetti 1, quarti 1,
uno letto cum fodra banbasina, de fetti 2 1/2, virgi
2, signato Go., pisi 5, libre 4,
uno letto cum fodra di tela de fetti 2, quarti 1, signato Go. e Cavedon, numero 9, pisi 4, libre 9,
uno piumazo cum fodra banbasina, virgi 3, signato
ut supra, numero 18, pisi 0, libre 20,
uno piumazo cum fodra di tela, virgi 2 al longo, signato ut supra, numero 9, pisi 0, libre 16,
una coltra azura cum fodra rossa de fetti 3 1/2, signato Go.,
una coltra azura cum fodra rossa, fatta a zolie rotta
e strazata,
una tavola con dui trespedi.
c. 22r
In la secunda camera, dreto al pozo, a costo alla suprascripta.
Una lettéra antiqua e una cariola de piella,
uno letto cum fodra di tela de fetti 3, virgi 8, signato Go. e Cavedon, numero 9, pisi 6, libre 18,
uno letto cum fodra ut supra, da cariola, de fetti 2
1/2, signato ut supra, numero 14, pisi 3, libre 6,
uno piumazo cum fodra banbasina, virgi 4, signato
ut supra, numero ***, pisi 0, libre 19,
uno piumazo cum fodra di tela, virgi 4, numero 12,
signato ut supra, pisi 0, libre 8,

una coltra azura cum fodra rossa, de fetti 4, signato Go., numero 6,

una coltra azura cum fodra ut supra, de fetti 4, signata Go., numero 13,

uno cavedon da croce,

una scrana da servicii,

una tavoletta cum dui trespedi.

In la terza camera del pozo.
Una lettéra e una cariola de piella,

uno letto cum fodra di tela de fetti 3, virgi 9, signato Go. e Cavedon, numero 8, pisi 6, libre 2,

uno letto cum fodra ut supra, schietto, signato ut supra, numero 8, pisi 2, libre 16,

uno piumazo cum fodra banbasina, virgi 4, signato Go. e K., pisi 1, libre ***,

uno piumazo cum fodra banbasina, virgi 2, signato Go. e Cavedon, pisi 0, libre 22,

una coltra azura cum fodra rossa de fetti 4, signata ut supra,

una coltra azura fatta a zoglie, de fetti 3, rotta e strazata,

una tavoletta cum dui trespedi.

In la quarta camera drieto al pozo.
Una lettéra e una cariola de piella,

uno letto cum fodra banbasina de fetti 2, virgi 5, signato Go., numero 5, pisi 5, libre 3,

uno letto cum fodra de tela de fetti 2 1/2, signato Go. e Cavedon, numero 2, pisi 5, libre 23,

uno piumazo cum fodra banbasina, virgi 1, signato Go., pisi 1, libre 2,

uno piumazo cum fodra de tela, signato Go. e Cavedon, numero 8, pisi 0, libre 15,

una coltra azura cum fodra verda de fetti 2 1/2, signato Go.,

una coltra azura cum fodra verda, fatta a zoglie, rotta e strazata,

una tavoletta cum dui trespedi.

In la camera dove alozava l'illustrissimo signor Duca nostro, de sopra.
Una lettéra de noce cum quatro colone e una cariola de piella,

c. 22v

dui mattaracii de pignolato azuro e negro, de fetti 3 1/2 l'uno,

uno letto cum fodra banbasina de fetti 1 1/2, virgi 3, signato Go. e Cavedon, numero 13, pisi 2, libre 9,

uno piumazo cum fodra de pignolato biancho, pisi 1, libre 5,

uno piumazo cum fodra de tela, virgi 3, signato Go. ut supra, numero 19, pisi 0, libre 12,

una coltra azura cum fodra rossa de fetti 2 1/2, signata Go.,

uno copertor a verdura schietto de la secunda sorte,

uno banchal a verdura de la ditta sort, cum aier, novo,

una tavoletta cum dui trespedi,

dodeci banzoli azuri e negri,

due scrane da servicii depinte, azuro e negro,

dui cavedoni grandi da focho,

uno scremaglio,

una scrana di noce cum il seder e lo apozo de coramo.

In la guarda camera del illustrissimo signor Duca nostro.
Una lettéra e una cariola de piella,

uno mattarazo de pignolato bertino de fetti 3 1/2, signato Go. e Cavedon,

uno letto cum fodra banbasina, virgi 9, de fetti 1, quarti 3, signato ut supra, numero 10, pisi 6, libre 23,

uno letto cum fodra ut supra, de fetti 1 1/2, virgi 3, signato ut supra, numero 1, pisi 4, libre 2,

uno piumazo cum fodra banbasina, virgi 1, signato ut supra, pisi 1, libre 0,

uno piumazo cum fodra de refrant signato ut supra e K., pisi 0, libre 22,

una coltra azura cum fodra rossa, de fetti 4, signata Go.,

una coltra azura cum fodra rossa, de fetti 3, signata Go. e Cavedon,

uno copertor a verdura de la secuda sorte, schietto,

uno banchal a verdura de la ditta sort, cum aier e animali,

una tavoletta di noce intersiata, vechia, cum dui trespedi,

dui cavedoni da croce cum la forcina, moglia e gavato,

uno scremaglio de piella.

In la camera sopra la guarda camera de sua Excellentia.
Una lettéra e una cariola de piella,

uno letto cum fodra banbasina, virgi 4, de fetti 2, signato Go. e Cavedon, pisi 5, libre 11,

uno letto cum fodra di tela de fetti 2 1/2, signato Go., numero 25, pisi 2, libre 22,

uno piumazo cum fodra banbasina, virgi 4, signato ut supra, numero 17, pisi 1, libre 2,

uno piumazo cum fodra ut supra, virgi 2, signato ut supra, numero 1, pisi 0, libre 16,

una coltra azura rotta e strazata, signata Go.,

una coltra azura cum fodra rossa, signata Go. e Cavedon,

una tavoletta cum dui trespedi e una banzola,

c. 23r

In la camera sopra la suprascripta camera.
Una lettéra e una cariola de piella,

uno letto cum fodra banbasina, de fetti 2, virgi 4, signato Go. e Cavedon, numero 13, pisi 4, libre 23,

uno letto cum fodra ut supra de fetti 2, virgi 7, signato ut supra, numero 16, pisi 5, libre 18,

uno letto cum fodra de tela, de fetti 2, terzi 1, signato ut supra, numero 23, pisi 2, libre 3,

uno piumazo cum fodra de refrant, virgi 3, signato ut supra, pisi 0, libre 15,

uno piumazo cum fodra de refrant, virgi 3, signato ut supra, pisi 0, libre 15,

una coltra azura cum fodra rossa, de fetti 3 1/2, signata Go., Cavedon,

una coltra azura fatta a zoglie, rotta e strazata,

una tavoletta cum dui cavaletti e uno cavedon da croce.

In el camerino acosto alla suprascripta camera.
Una lettéra de piella, granda, alla antiqua,

uno letto cum fodra de refrant, signato Go. e Cavedon, numero 14, pisi 5, libre 5,

uno piumazo cum fodra banbasina, virgi 4, signato Go., pisi 0, libre 17,

uno piumazo cum fodra di tela, signato Go. e Cavedon, numero 2, pisi 0, libre 12,

una coltra azura cum fodra rossa, de fetti 3, rota e strazatta, signato Go.

In la camera sopra la camera de lo illustrissimo signor Duca nostro.
Una lettéra suso li cavaletti et una cariola de piella,

uno mattarazo de pignolato bertino, de fetti 3 1/2, signato Go. e Cavedon,

uno letto cum fodra de refrant, virgi 4, fetti 2, signato Go. e Cavedon, numero 9, pisi 0, libre 19,

uno piumazo cum fodra de refrant, virgi 2, signato ut supra, numero 18, pisi 0, libre 23,

una coltra azura cum fodra rossa, de fetti 3, signata Go.,

una coltra azura cum fodra rossa, de fetti 2, signata ut supra,

una tavola cum dui trespedi.

In la camera de la scala per andar alle camere de sopra.
Una lettéra granda alla antiqua, vechia de piella, cum la cariola,

uno mattarazo de pignolato bertino, de fetti 3 1/2, rotto e strazato, signato Go. e Cavedon,

uno letto cum fodra banbasina, de fetti 2, virgi 3, signato Go. e Cavedon, numero 15, pisi 0, libre 19,

una coltra azura cum fodra rossa, de fetti 4, signata ut supra,

una tavoletta cum dui trespedi.

In el camerino acosto a ditta camera.
Una lettéra de piella suso li cavaletti,

c. 23v

uno mattarazo de terliso da frisengo, de fetti 1 1/2, rotto,

uno piumazo cum fodra refrant, virgi 3, signato Go. e Cavedon, numero 5, pisi 0, libre 12,

uno piumazo cum fodra banbasina, virgi 1, signato ut supra e K., pisi 0, libre 18,

uno piumazo cum fodra refrant, virgi 1, signato ut supra, numero 5, pisi 0, libre 11,

una coltra azura cum fodra verda, rotta e strazata.

In la prima camera suso alto, dove alozavano le donzelle.
Una lettéra suso li cavaletti et una cariola de piella,

uno mattarazo de pignolato bertino, de fetti 3 1/2, signato Go.,

uno letto cum fodra refrant de fetti 2 1/2, virgi 3, signato Go., pisi 8, libre 16,

uno letto cum fodra banbasina de fetti 1 1/2, virgi 2, signato ut supra, numero 16, pisi 2, libre 20,

uno piumazo cum fodra ut supra, virgi 9, signato ut supra, numero 20, pisi 1, libre 12,

uno piumazo cum fodra de refrant, virgi 2, signato ut supra, pisi 0, libre 11,

una coltra azura cum fodra rossa de fetti 4, signato

Go. e Cavedon, numero 23,

una coltra azura cum fodra ut supra, de fetti 3, signata Go.

In la secunda camera de sopra, acosto alla suprascripta.
Una lettéra sopra li cavaletti et una cariola de piella,
uno mattarazo de pignolato bertino, de fetti 3 1/2,
uno letto cum fodra de refrant, virgi 3, signato Go., numero 19, pisi 8, libre 23,
uno letto cum fodra ut supra, virgi 4 al longo, numero 17, signato ut supra, pisi 2, libre 24,
uno piumazo cum fodra ut supra, virgi 3, signato Go. ut supra, numero 2, pisi 0, libre 17,
uno piumazo cum fodra ut supra, signato ut supra, pisi 0, libre 15,
una coltra azura cum fodra rossa, de fetti 3 1/2, signata Go. e Cavedon,
una coltra azura cum fodra rossa, de fetti 3 1/2, signato Go. e Cavedon ut supra,
una tavoletta cum dui trespedi bassi,
una scrana da servicii vechia.

In el camerino acosto alla suprascripta camera.
Una lettéra de piella,
uno mattarazo de terliso da frisengo de fetti 1 1/2, rotto,
uno letto cum fodra banbasina, de fetti 1, quarti 3, virgi 7, signato Go., numero 21, pisi 4, libre 10,
uno piumazo cum fodra ut supra, virgi 2, signato Go. e Cavedon, pisi 1, libre 2,
una coltra azura cum fodra rossa, de fetti 3, signata Go. e Cavedon,
dui cavaletti e una banzola vechia.

In la ultima camera de sopra.
Una lettéra e una cariola de piella,
uno mattarazo de pignolato bertino de fetti 3 1/2, strazato,
c. 24r
uno letto cum fodra de refrant de fetti 2 1/2, virgi 2, signato Go., pisi 8, libre 0,
uno letto cum fodra ut supra, de fetti 1 1/2, signato ut supra, numero 12, virgi 4, pisi 2, libre 0,
uno piumazo cum fodra ut supra, virgi 3, signato Go., numero 50, pisi 0, libre 16,
uno piumazo cum fodra banbasina, virgi 1, signato Go., pisi 0, libre 14,
una coltra azura cum fodra rossa de fetti 3, signato Go.,
una coltra azura cum fodra rossa de fetti 2 1/2, signata Go. e Cavedon,
una tavoletta cum dui cavaletti.

In la camera de la preson.
Una lettéra e una cariola de piella,
uno mattarazo de pignolato biancho de feti 3, rotto e strazato, pin de bambaso,
uno letto cum fodra di tela de fetti 2 1/2, signato Go., numero 7, pisi 4, libre ***,
uno letto cum fodra de refrant, de fetti 2, virgi 4, signato ut supra, numero 2, pisi 4, libre 13,
uno piumazo cum fodra ut supra, virgi 3, signato ut supra, pisi 0, libre 14,

uno piumazo cum fodra de terliso, rotto e strazato, signato ut supra, pisi 0, libre 15
una coltra azura cum fodra rossa, rotta e strazata, fatta a zoglie,
una coltra azura fatta a zoglie ut supra, rotta e strazata,
una tavoletta de piella cum dui trespedi over cavaletti,
uno cavedon da croce.

In el pé de la torre in pregione.
Uno mattarazo de terliso, rotto e strazato, signato Go.,
una coltra azura fatta a zoglie, rotta e strazata e sbendachata[128].

In la camera sopra la pregione.
Una lettéra e una cariola de piella,
uno letto cum fodra de refranto de fetti 1, quarti 3, signato Go., numero 24, pisi 5, libre ***,
uno letto cum fodra banbasina de fetti 1 1/2, virgi 4, signato ut supra, numero 10, pisi 2, libre 19,
uno piumazo cum fodra de refrant, virgi 3, signato ut supra, numero 16, pisi 0, libre 14,
uno piumazo cum fodra ut supra, virgi 1, signato ut supra, pisi 0, libre 15,
una coltra azura cum fodra rossa, fatta a zoglie, rotta e strazata,
una coltra azura cum fodra rossa, rotta e strazata.

In la camera del Tinello.
Una lettéra de piella,
uno mattarazo de terliso rotto e strazato e sbendachato,
uno letto cum fodra banbasina de fetti 2, quarti 1, signato Go., virgi 4, pisi 0, libre 5,
uno piumazo cum fodra ut supra, virgi 5, signato Cavedon, K. e Go., pisi 1, libre 3,
tre coltri azuri fatti a zoglie, rotti e strazati,
due banzole vechie.
c. 24v

In el Tinello.
Tre tavole tra grande e piccole,
quatro trespedi,
due banche.

In la sala dove manzava il signor Duca.
Due tavole grande cum cinque trespedi,
una bancha,
dui cavedoni da croce.

In la camara di cappo di la sala.
Una lettéra e una cariola de piella,
uno mattarazo de pignolato biancho de feti 3 1/2, rotto e strazato, pino de bambaso,
uno letto cum fodra banbasina, de fetti 2, quarti 1, signato Go. e Cavedon, numero 11, pisi 6, libre 23,
uno letto cum fodra di tela, de fetti 2, signato ut supra, numero 24, pisi 2, libre 10,
uno piumazo cum fodra de refrant, virgi 5, signato Cavedon e K., pisi 1, libre 2,
uno piumazo cum fodra banbasina, signato Go. e Cavedon, pisi 0, libre 15,
una coltra cum fodra rossa, de fetti 3, signata Go.,
una coltra azura cum fodra rossa fatta a zoglie, rot-

ta e strazata,
una tavoletta de piella,
dui trespedi,
una banzola vechia.

In el Guardarobba.
Una coltra biancha rotta e strazata e sbendachata,
sette coltre azure fatte a zoglie, rotte e strazate e sbendachate,
uno piumazo cum fodra banbasina, signato M. e Go. e Cavedon, pisi 0, libre 18,
uno piumazo cum fodra di tela, virgi 3, signato Go, pisi 0, libre 12,
uno piumazo cum fodra banbasina, virgi 1 al longo, signato ut supra, pisi 0, libre 13,
uno piumazo cum fodra ut supra, signato K. e Go., pisi 0, libre 16,
vinti dui lenzoli di tela de sort de fetti 4 l'uno, usi, frusti,
nove lenzoli di tela di sort, de fetti 4 l'uno, rotti, quali se ponno anchor adoperare,
cinque lenzoli de sort de fetti 4 l'uno, rotti e strazati, che non si ponno più adoperare,
dui lenzoli de sort de fetti 3 l'uno, quali solevano essere de fetti 4,
alli quali ge fu robato una fetta per cadauno,
sedeci lenzoli di tela de sort, de fetti tre l'uno, rotti et strazati, che non si ponno adoperare,
vintiotto lenzoli de tela de sort, de fetti 2 1/2 l'uno, rotti e strazati,
c. 25r
dodece lenzoli di tela todescha, de fetti 2 1/2 l'uno, usi da letto,
dodece lenzoli di tela todescha de fetti 2 l'uno, usi, da cariola,
una spalera a verdura larga, cum il Marchesa, vechia e rotta e strazata, alta braza trei, longa braza otto,
una spalira a verdura de la ditta sort, longa braza 16, alta braza dui, rotta,
una spalira a verdura de la ditta sorte, longa braza 6, alta braza dui, rotta e strazata,
due spalere a verdura de la ditta sorte, longe braza 8, alte braza 2 l'una, strazate,
una spalira a verdura de la ditta sort, longa braza 5, alta quarti 6, rotta e strazata,
due spalere a verdura de la ditta sort, longe braza 8, alti quarti 6 l'una, rotte e strazate,
una spalira a verdura de la ditta sort, longa braza 16, alta quarti 6, rotta,
una spalera a figuri, rotta e strazata, marza e sframbelata,
uno antiporto a verdura larga, rotto e strazato, marzo e sframbelato,
dui cossini de veludo verdo, frusti, cum coramo di sotto,
quatro banzole depinte vechie.

In la Cosina.
Tri paroli grandi, videlicet dui da cosina e uno da bugada,
quatro caldari da cosina de ramo, videlicet dui grandi e dui mezani,
una ramina vechia e rotta,

una cazza da cosina de ramo, senza manicho,

uno mortaro de marmoro,

due menarole,

dui spedi da carne, grandi,

una gradella granda, rotta,

uno padelono[129] da frizere,

dui cavedoni da croce,

una tavoletta da cosina, longa,

dui scaldaletti rotti.

Inventario de la robba ritrovata in la casa dove aloza il comissario in Goyto, fatto per messer Nicolò Capilupo a dì 27 de novembro 1540, sono apresso al suprascripto signor comissario, il signor Torol Capriano.

Dece lettére de piella depincte, cum cinque cariole,

uno sparavero di tela sutilla de fetti 18, cum cordi ruzeni cum il capeletto a friadi, rotto,

uno sparavero di tela sutilla, de fetti 16, cum il capeletto cum cordi a osso, rotto,

c. 25v

uno sparavero de tela sutilla cum cordi a osso, de fetti 18, cum il capeletto rotto,

uno sparavero de tela suttila, cosiuto a rebatadura, de fetti 16, cum il capeletto rotto,

quatro lenzoli de tela sutilla, de fetti 3 l'uno, cum cordi a osso,

quatro lenzoli di tela di sort, de fetti 3 l'uno, rotti e strazati,

una tovaglia de renso, longa braza 11, sbusada[130], alta braza 2 1/2,

due tovaglie da massaria, longe braza 4 l'una, rotte e strazatte,

cinque coltri azuri cum fodra rossa, videlicet una cum fodra verda,

uno copertore a verdura, grosso, rotto e strazato,

due scrane di noce d'apozo, cum il seder e lo apozo de coramo, rotti, da homo,

tre scrane da servicii, depinte azure e negro,

dodeci banzole depinte azure e negro,

una tavola di noce intersiata, rotta,

quatro tavole de piella, tra grande e piccole, cum quatuordeci trespedi,

uno candelero di ferro da torza,

uno sachon di tela di canovazo, bono,

dui cavedoni da menarola,

una cadena da cosina, granda.

Inventario de la robba ritrovata nel palazo de Belfior, sotto il governo de Zohanne Filippo, gastaldo al deto palazo, fatto per messer Nicolò Capilupo, a dì 17 de octobre 1540.

In la camara de la illustrissima Madama nostra.

Una lettéra di noce cum quatro colone di noce e una cariola,

uno sachono de terliso da letto, de fette 1 1/2,

uno letto cum fodra di tela de fette 3, virgi 7, pisi 3, libre 15,

uno piumazo cum fodra banbasina, virgi 4, da letto, pisi 0, libre 22,

uno sparavero de tela ranza, cum friadi bianchi, cum il capeletto e pomo dorato,

uno copertor a verdura de la secunda sort, cum

animali e occelli e paeso, de braza tri,

uno tornaletto a verdura grosso, de sei cossini,

tre spalere de lana zalda a imprese, de Madama bona memoria, de più longheze,

uno tavolino di noce picolo,

quatro forcieri depinti,

dui cavedoni cum li pomi de ottono.

c. 26r

In la camera dove alozava sua Excellentia.

Una lettéra di noce cum le colone di noce e una cariola voda,

dui mattaracii de pignolato azuro, de fette 3 1/2, pini de lana, videlicet uno de fina,

uno mattaracio de pignolato biancho de fette 2 1/2, pin de lana bisa[131], piccolo,

uno piumazo cum fodra banbasina, signato Cavedon, numero 45, pisi 0, libre 15,

cinque spalere a verdura larga, de la terza sort, a barcho, alte braza 3 l'una,

uno sparavero de tela ranza, cum liste bianche dentro, cum il capeletto de raso bianco e ranzo,

uno copertor a verdura de la secunda sort, cum frisi e festoni,

una spalera a verdura fina, longa braza 8, alta quarti 6,

uno banchal a verdura de la secunda sort, longo braza sei, alto quarti 3,

uno banchal a verdura de la ditta sort, longo e alto ut supra,

la mittà de una spalera a verdura, longa braza sei, alta quarti 3, tagliata al longo,

uno tapedo da tavoletta a rosetti,

una carpetta a listi de banbaso, ranza e biancha, longa braza 8, alta braza 2 1/2,

due scrane di noce da homo coperte de coramo,

una scrana granda tutta coperta de coramo,

una scrana da homo coperta de treppa[132] negra,

una scrana de noce, da homo, incanestrada,

una scrana de noce, da donna, incanestrada,

una scrana de noce da donna cum il seder e lo apozo de coramo,

una tavola quadra intersiada,

tri forcieri depinti a imprese de Madama,

uno tavolino de noce,

dui cavedoni cum le aste de ottono.

In el salotto de li putini.

Tre spalere a verdura de la secunda sort cum frisi e festoni e aier e animali, de più longeze,

tri antiporti a verdura de la ditta sort,

duodeci forcieri depinti d'intorno a ditto salotto,

una tavola de tre asse e duodeci banzole de noce e uno credenzono de noce,

dui cavedoni cum li pomi de ottono.

In la camera depinta, dove alozava le donzele di sopra, a tondi.

Una lettéra cum due cariole de piella,

uno letto cum fodra banbasina, virgi 4 de fetti 1, quarti 3, pisi 3, libre 19,

uno letto cum fodra ut supra, virgi 2 de fetti 1, quarti 1, pisi 2, libre 5,

uno letto cum fodra ut supra de fetti 2, virgi 6, pisi 4, libre 0,

uno letto cum fodra ut supra de fetti 1, quarti 3, virgi 2, pisi 3, libre 16,

c. 26v

uno letto cum fodra ut supra, de fetti 1 1/2, virgi 2, numero 12, signato Ysabel, pisi 2, libre 21,

uno piumazo cum fodra banbasina, virgi 1, signato Cavedon, numero 69, pisi 0, libre 20,

uno piumazo cum fodra ut supra, virgi 3, pisi 0, libre 18,

uno piumazo cum fodra de tila, virgi 2, pisi 1, libri 0,

uno piumazo cum fodra banbasina, virgi 1, signato Ysabel, pisi 0, libre 15,

uno piumazo cum fodra ut supra, cum virgi al longo, pisi 0, libre 14,

uno mattarazo de pignolato bianco de fetti 3 1/2, pin de lana da lizo[133].

In la secunda camera de le donzele.

Una lettéra de piella suso li cavaletti,

uno mattarazo de pignolato azuro de fetti 3, quarti 1, pin de lana nostrana,

uno letto cum fodra banbasina, virgi due de fetti 1, quarti 3, signato Ysabel, pisi 4, libre 23,

uno piumazo cum fodra ut supra, virgi 4, pisi 0, libre 21,

uno piumazo cum fodra de refrant, virgi 1, numero 33, pisi 0, libre 17.

In la terza camera de le donzele.

Una lettéra de piella,

una lettéra di noce desfatta cum quatro coloni,

uno letto cum fodra banbasina, virgi 7 de fetti 3, basse, pisi 6, libre 10,

uno piumazo cum fodra banbasina, virgi 2, pisi 0, libre 19,

due tavole grande cum li trespedi,

una tavoletta piccola.

In la camera dove alozava li regacii.

Una lettéra de piella e una cariola,

uno letto cum fodra banbasina, virgi 4 de fetti 1, quarti 3, pisi 4, libre 2,

uno letto cum fodra ut supra, virgi 4 al longo, pisi 5, libre 8,

uno piumazo cum fodra ut supra, virgi 4, pisi 0, libre 22.

In la camera de la soffitta dove alozavan li coghi.

Due lettére de piella suso li cavaletti piccoli,

uno letto cum fodra de tila, schietto, de fetti 2, pisi 2, libre 20,

uno letto cum fodra banbasina, de fetti 1, quarti 3, pisi 3, libre 20,

uno piumazo cum fodra banbasina, virgi 4, pisi 1, libre 2,

uno piumazo cum fodra ut supra, virgi 2 al longo, pisi 0, libre 23,

uno mattarazo de pignolato bertino, de fetti 3, pin de lana da lizo,

dodece banzole de piella,

due tavolette e quatro trespedi.

c. 27r

Inventario de la robba ritrovata nel palazo de Poggio Reale, sotto il governo de messer Zoan Petro di

Mezani, fatto per messer Nicolò Capilupo, a dì 11 de octobre 1540.

In el salotto, over andito di sotto.
Una carpetta a listi, longa braza 10 vel circa,
due carpette a liste de braza 4 l'una,
due tavole, videlicet una granda e una piccola, cum cinque trespedi,
dodece banzole depinte zaldo e morello,
vintiotto banzole depinte, a liste, vechie,
una bancha depinta.

In la camera de la Gonzaga vechia.
Due tavole, videlicet una granda e una piccola, cum cinque trespedi,
una bancha piccola.

In la camera del Guanto.
Tre tavole, videlicet una granda e due piccole, cum sette trespedi,
quatro banche, videlicet due grande e due piccole.

In la camera da le Arme.
Una lettéra de piella suso li cavaletti e una cariola senza fondo,
dui mattaracii de pignolato bertino, de fetti 3 1/2 l'uno,
tre banche armate, videlicet due piccole.

In la camera del Crosuolo.
Una lettéra de piella suso li cavaletti, cum la cariola senza fondo,
una tavoletta cum dui trespedi,
una bancha armata.

In el Guardarobba sotto la scala.
Quatro lettére de piella e dui trespedi,
quatro candeleri de ferro, da torza,
duodeci cavedoni da croce.

In la camera da le Rode, de sopra.
Una lettéra de piella suso li cavaletti, cum la cariola senza fondo.

In la camera del Mirto.
Una lettéra de piella suso li cavaletti, cum la cariola.
c. 27v

In la camera del Sol.
Una lettéra e una cariola de piella.

In la camera apresso alla suprascripta.
Una tavola de piella,
una tavola tonda.

In la Botigaria.
Quatro menarole, videlicet due grande e due piccole,
quatro caldari, videlicet tri grandi e uno piccolo,
uno paroletto rotto,
tre cazze, videlicet due grande,
due padelle da rostire,
due padelle da torta,
uno coperto da caldaro,
uno testo de ramo,
dui cavedoni torti cum le aste basse,
dui spedi da carne,
una gradella granda,

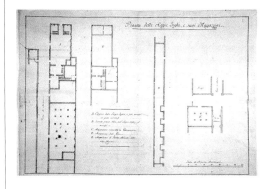

15. "Pianta delle Regie Seghe e suoi magazzini", fine del XVIII secolo. Mantova, Archivio di Stato, Beni Camerali, b. 1, particolare.

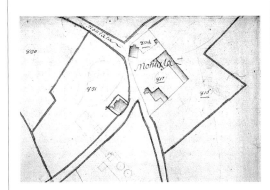

16. Montata, 1776. Mantova, Archivio di Stato, Catasto teresiano del Comune di Porto Mantovano, f. 52, particolare.

uno mescolo forato,
uno mortaro rotto,
una carnatera[134] de ramo.

In la Cosina.
Una cadena cum dui sechioni,
tre tavolette cum otto trespedi.

In el Tinello.
Due tavole cum sei trespedi,
tre banche, videlicet una armata,
due cadene, videlicet una granda e una piccola.

Inventario de la robba ritrovata nel palazo de la Rasega[135], sotto il governo de maestro Baptista da Covo[136], fatto per messer Nicolò Capilupo, a dì 12 de octobre 1540.

In la prima camera acosto alla Capella.
Una lettéra de piella depincta,
uno sachon di tela di canovazo da letto,
uno mattarazo de pignolato bertino, de fetti tre signato Cavedon, pin de garzadura[137],
c. 28r
uno letto cum fodra de tila, de fetti 2 1/2, signato Cavedon, pisi 3, libre 10,
uno piumazo cum fodra banbasina, virgi 6, signato Cavedon, pisi 0, libre 21,
una trabacha de sarza zalda e morella, cum due bandinelle e il cello[138], rotta,
uno copretor[139] a verdura, groso, cum animali, cum il friso intorno, rotto,
una carpetta a listi, quadra, suso una tavoletta de noce quadra,
uno quadro dorato cum una Madona.

In el secundo camerino.
Una lettéra depinta,
uno sachon di tela di canovazo, rotto e strazato,
uno letto cum fodra banbasina, de fetti 1 1/2, virgi 6, signato Cavedon, pisi 3, libre 12,
uno piumazo cum fodra de refrant, signato Cavedon, pisi 0, libre 11,
una trabacha de sarza morella e zalda, celo, e due coltrine, rotti,
uno celono[140] todescho.

In la sala de sopra.
Uno tapedo da tavola, longo braza 8 vel circa, groso, sopra una tavola,
vinti sei quadri de teste e cavalli e uno zirifalcho[141] retratti,
uno quadro de uno Santo Sebastiano, grando, dorato,
tri quadri de porfido, videlicet dui grandi e uno piccolo,
due tondi de porfido.

In la camera granda a costo a ditta sala, dal capo verso il camino.
Due lettére, videlicet una di noce e una di piella, cum otto colone dorate e a biacha,
dui sachoni da letto, videlicet uno de terliso e uno de canovazo,
uno letto cum fodra di tela, virgi 12 de fetti 3, signato Cavedon, pisi 2, libre 18,

uno letto cum fodra di tela de fetti 3, signato Cavedon, pisi 2, libre 10,

uno piumazo cum fodra di tela, virgi 3, signato Cavedon, pisi 0, libre 11,

uno piumazo cum fodra ut supra, signato Cavedon, pisi 0, libre 11,

sette cossinetti piccoli, cum fodre de cendal,

una coltra de cendal bertino e turchino, de fetti 4, pina de bambaso, rotta e strazata,

una coltra de cendal turchino e negro, fatta a penni de pavone, pina de bambaso, rotta,

dui lenzoli de tela sutila, de fetti 4, cum maglie in le cositure, longi braza 5,

una trabacha de sarza morella e bertina, cello, testera e tre coltrini, rotte,

una trabacha de sarza turchina e negra, celo, testera e tre coltrini, rotte,

uno tapedo da tavola a rosetti, longo braza 9 vel circa, groso, sopra una tavola.

In la camera de capo de la sala, a man dritta verso il ponto.
Una lettéra depinta,
c. 28v
uno sachon de tila da la scerpa[142], pin de paglia,
uno letto cum fodra di tela de fetti 3 1/2, signato Cavedon, pisi 2, libre 15,
uno piumazo cum fodra di tela, signato Cavedon, pisi 0, libre 16,
uno lenzolo de tela sutila, de fetti 3, cum cordi a maglia, longo braza 5,
tri cossinetti, videlicet dui coperti de cendal negro e uno de cendal bertino e uno di tela verda,
una trabacha de sarza verda e rossa, cello, testera e tre coltrini,
dui cavedoni da croce,
uno tapedo da tavola a rosetti, damaschino, longo braza sei, sopra una tavola.

In el secundo camerino.
Una lettéra depinta,
uno mattarazo de terliso da monacho, pin de lana negra, rotto,
uno letto cum fodra di tela de fetti 3 al traverso, pisi 3, libre 3,
uno piumazo cum fodra banbasina, virgi 2, signato Cavedon, pisi 0, libre 16,
una trabacha de sarza morella e bertina, cello e tre coltrini, rotta,
uno copertor a verdura cum frisi intorno, groso, vechio e rotto.

In la camera acosto al studio de capo de la sala de sopra, a man stancha.
Una lettéra depinta,
uno sachon de terliso da lion, signato Cavedon, pin de paglia,
uno letto cum fodra di tela de fetti 1, quarti 3, signato Cavedon, pisi 3, libre 0,
uno piumazo cum fodra di tela da monacho, signato Cavedon, pisi 0, libre 9,
uno mattarazo de terliso da monacho, de fetti 2, pin de lana,
uno lenzolo di tela sutila, de fetti 3, cum corda pic-

cola a osso, longo braza 4,
undece lenzoli de sorte, de fetti 3 l'uno, frusti,
dui lenzoli sutilli cum cordi a osso, de fetti 3 l'uno,
quatro cossinetti piccoli, coperti de cendal, cioè dui morelli e dui tanedi,
una coltra biancha da letto, pina de bambaso,
una trabacha di sarza turchina e negra, cello cum quatro coltrini, vechia,
tre tovaglie de renso longe braza 8 l'una, vechie e rotte,
una tovaglia de renso longa braza 7, vechia,
una tovaglia de renso longa braza cinque, vechia,
quatro tovaglie de renso longe braza 3, vechie e rotte,
trenta tovagliolini de renso rotti e strazati,
otto tovagliolini de tela rotti e strazati,
nove tovagliolini da massaria,
tri banchali de cossini grossi,
c. 29r
uno pezoletto de antiporto piccolo, a verdura,
cinque quadri piccoli,
cinque casse depinte,
cinque teste de relevo, videlicet due de bronzo,
dui cavedoni da croce.

In el camerino del studio.
Una lettéra depinta,
uno sachon de terliso da lion, pin de paglia,
uno mattarazo de pignolato bianho, de fetti 3, pin de cimatura,
uno letto cum fodra banbasina, virgi 7, fetti 1 1/2, signato Cavedon, pisi 2, libre 15,
uno piumazo cum fodra banbasina, virgi una, signato Cavedon, pisi 0, libre 12,
uno lenzolo di tela sutilla, de fetti 3, cum cordi a osso, de braza 4,
uno letuzo de tela da monacho supra una bancha,
una coltra bianca pina de bambaso, vechia,
una trabacha de sarza zalda e morella, cello e quatro coltrini, vechia,
quatro cossini de cendal tanedo e morello,
uno tapedo da tavoletta da rodi 3,
uno banchal de lana bertina e verda,
quatro tondi de meschio grandi,
cinque tondi de meschio mezani,
sei tondi piccoli de ponfido[143],
dui tondi grandi cum figure di zesso,
uno quadro de allabastro incornisato de legnamo dorato,
un vaso de preda[144] mandolada[145], in foggia de campana,
otto quadri di cesso[146] cum figuri,
cinque quadretti piccoli de cesso,
uno quadro cum uno crucifisso e uno Santo Hieronimo,
uno (sic) testa piccolina de marmoro,
una meza testa de porfido,
cinque teste, videlicet una cum il petto, tra grandi e piccoli,
quatro balle de preda de meschio,
due taze de marmoro,
decesette medaglie grande de piombo,
quarantanove medaglie, videlicet una de piombo e

le altre de metalo,
sei lumaghe marine, tra grande e piccole,
sei cappe[147] marine,
una man de marmoro, rotta, antiqua,
c. 29v
uno gambaro cum due zanche marine,
tre busole[148] de legno rotte,
quatuordece quadretti de preda meschia,
uno speggio[149] adorato,
uno organetto fornito, guasto, cum la cassa,
le Epistole de Ovidio, rotte e strazate,
uno legendario[150] de Santi, de capretto,
uno Luchano scritto a mano,
el Supplemento de le Croniche,
Valerio vulgare,
uno libro de frate Antonio de Santo Dominico,
uno libro dove è scritto suso alcuni privilegii, de carta de capretto,
uno almanacho,
tri cavalli e tre figure de cirra[151], rotte,
due scarpe alla turchescha.

In la sala de sotto acosto al giardino.
Uno tapedo da tavola longo braza otto, suso una tavola,
uno letuzo de terliso da monacho,
uno copertor a verdura, grosso.

In la capelina.
Dui quadri, videlicet uno cum uno Christo, l'altro cum la Madonna, dorato,
dui angeli dorati,
una preda sagrata,
due tovaglie d'altare suso l'altare,
uno banzolar[152] depinto.

In el camerino sopra il Studio.
Uno letto cum fodra di tela, de fetti 2, signato Cavedon, pisi 1, libre 10,
uno piumazo cum fodra di tela, signato Cavedon, pisi 0, libre 3,
una coltra azura cum fodra verda, da cariola, rotta e strazata.

In Guardarobba.
Due coltre azure da letto, rotte e strazate,
una coltra azura da cariola, rotta e strazata.

In la Cosina.
Otto bazinelle de ottono,
sette bronzini da aqua,
sette candeleri de ottono,
c. 30r
cento e vinti tondi de maiolica, rotti,
quaranta otto scudele de maiolica, rotte,
sei piatti grandi de maiolica, rotti,
vinti tondi[153] de preda[154], rotti,
due cadene da foco,
dui cavedoni da croce, tre moglie, una forcina, dui gavadi,
una carpetta da lion,
uno banchal de lana verda e morella.

In Salvarobba de Cosina.
Uno centenaro[155] de marmoro,
quatro caldari, videlicet dui grandi e dui piccoli,

cum li suoi coperti, videlicet uno apresso alle lavandere,
uno testo de ramo et uno parolo grando cum il tripede de ferro,
uno padelano[156] grando et due padelle piccole, da
frizere[157],
due menarole da spedo,
tri spedi da rosto et una giotta[158],
quatro coperti da lavezo, de ramo, grandi,
una gradella granda,
quatro ramine,
due padelle da torta e una caza de ramo.

In la camara dove alozano le lavandere.
Una lettéra de piella,
uno letto cum fodra banbasina, de fetti 1, quarti 2,
virgi 4, signato Cavedon, pisi 4, libre 20,
uno piumazo cum fodra de tela signato Cavedon,
pisi 0, libre ***,
uno tapedo da tavoletta in campo rosso,
uno copertor a verdura cum frisi, groso, rotto,
quatro cavedoni da croce.

Inventario de la robba retrovata nel palazo de la
Montada, sotto il governo de messer Zohan Petro
di Mezani, fattor al ditto palazo, fatto per messer
Nicolò Capilupo, adì 2 de novembre 1540.

In la Camera de le Arme.
Una lettéra de piella depinta,
uno sachon de tela di canovazo, de fetti 3, signato
Cavedon,
tri mattaracii de tela a friadi, pini de lana, signati
Cavedon,
uno piumazo cum fodra de tela ut supra, pin de lana,
c. 30v
uno tapedo da tavoletta a rosetti,
una tavoletta cum dui trespedi,
dui cavedoni da croce,
una coltra de raso verde, inzipada a colli,
una coltra tutta bianca, da letto.

In la camera apresso alla suprascripta.
Una lettéra de piella depinta,
uno sachon di tela di canovazo, de fetti 2 1/2, signato Cavedon,
uno mattarazo de tela a friadi, signato ut supra, pin
de lana,
uno piumazo de tela ut supra, pin de lana,
due coltre tutte bianche, da letto.

In la camera del zardinero.
Una lettéra de piella depinta,
uno sachon di tela di canovazo, de fetti 2 1/2, signato Cavedon,
uno mattarazo de tela a friadi, signato Cavedon,
pin de lana,
uno piumazo cum fodra de tela ut supra, signato
Cavedon, pin de lana.

In la camera apresso alla suprascripta.
Una lettéra de piella depinta,
uno sachon di tela di canovazo, de fetti 2, quarti 1,
signato Cavedon,
uno mattarazo de tela a friadi, pin de lana,

uno piumazo cum fodra di tela, signato ut supra,
pin de lana.

In la camara granda, verso la lozetina piccola.
Una lettére di noce cum le colone,
uno banchal a verdura larga, a barcho.

In la camera apresso alla suprascripta, quala è depinta.
Una lettéra de piella depinta.

In la terza camera depinta, a costo alla capella.
Una lettéra de piella depinta.

In la quarta camera.
Una lettéra di noce cum le colone e una cariola de
piella,
uno sachon di tela di canovazo, de fetti 2 1/2, signato Cavedon,
uno banchal a verdura, largo, a barcho.

In la sala.
Quatro tavole, videlicet una granda e tre piccole,
cum otto trespedi,
tri tapedi da tavoletta, da rodi 3, grossi,
cinque tapedi da tavoletta, a roseti, grossi.
c. 31r
In la camara de li Signori.
Una lettéra de piella depinta,
uno sachon de tela di canovazo, de fetti 2, quarti 1,
undece pomi da sparavero depinti,
uno mattarazo di tela a friadi.

In el camerino de Madama.
Una lettéra de piella depinta,
uno sachon di tela di canovazo, de fetti 2 1/2,
uno mattarazo di tela a friadi, pin de lana,
uno piumazo cum fodra di tela, pin de lana.

In l'altro camerino apresso al suprascripto.
Uno (sic) lettéra de piella depinta,
uno sachon di tela di canovazo, de fetti 2 1/2,
uno mattarazo di tela a friadi, pin de lana, grosso,
uno piumazo cum fodra di tela ut supra, pin de lana,
uno tapedo da tavoletta a rosetti, grosso, sopra una
tavoletta.

In el Guardarobba.
Quatro sacchoni di tela di canovazo, da letto,
un piumazo cum fodra di tela a friadi, pin de lana,
dui tapedi da tavoletta a rossetti, grosi,
due tavolette piccole,
vintidui trespedi,
cinque scrane da servicii,
quintiquatro (sic) banzole,
uno soglio grando da bugada,
uno star[159] da mesurare,
quatro casse depinte, cum le chiavadure[160] sopra,
due bazinelle de ottono, cum li suoi bronzini,
dece candeleri de ottono, da candele,
uno bacino grando de ottono,
dui vasetti da acqua sancta de ottono,
una cacetta[161] da acqua d'otton,
dui candeleri de otton,
quatuordeci cavedoni da croce,
due cadene da foco,

quatro spedi da carne,
due menarole da rosto,
c. 31v
cinque pignatte de ramo, tra grande e piccole, cum
quatro coperti,
due ramine da carne,
tri calderini de ramo,
uno testo de ramo,
dui cazzoni[162] de ramo,
due cazze de ramo,
quatro tegge[163] da torta,
una giotta da rosto,
una padella da frizere,
tri mescoli de ferro,
una gratarola da formaglio[164],
due gradelle,
sesanta schudelle de maiolica dal ordello[165] largo,
quarantanove piadenelle[166] de maiolicha,
settantasette scudelini de maiolicha,
cinquantaquatro cuchiari,
desnove cortelli de ferro, tra boni e rotti.

[1]Oggi Palidano, località nel Comune di Gonzaga.
[2]Cantina, cfr. F. Cherubini, *Vocabolario mantovano-italiano*, Milano 1827 (d'ora in poi Cherubini) *canva*; P. Sella,
Glossario Latino Emiliano, Città del Vaticano 1937 (d'ora
in poi Sella 1) *caneva*; P. Sella, *Glossario Latino Italiano.
Stato della Chiesa, Veneto, Abruzzi*, Città del Vaticano
1944 (d'ora in poi Sella 2) *canova*.
[3]Tettoia, attigua per lo più alla stalla, per il ricovero di fo-
raggi e attrezzi (Cherubini *barchessa*; F. Arrivabene, *Vocabolario mantovano-italiano*, Mantova 1882 [d'ora in poi
Arrivabene] *barchèsa*).
[4]La biolca mantovana corrisponde a 3138,59 metri quadrati: cfr. L. Martini, *Manuale di metrologia, ossia misure,
pesi e monete...*, Torino 1883 (ristampa anastatica Roma
1976), p. 336.
[5]La voce deriva da salice, quindi in questo caso indica terre coltivate a salici (cfr. Arrivabene, *sàlas*; C. Arrighi, *Dizionario Milanese-Italiano*, Milano 1896, *sàles*).
[6]Con il tetto ricoperto di coppi (cfr. Sella 1 *cupare*, ricoprire di tegole; Sella 2 *cuppus*, tegola).
[7]Capanna, tettoia, fienile (Cherubini *teza*; Arrivabene *tesa*; Sella 1 *tezia*).
[8]È stata omessa l'interpretazione della parola "contrata"
che si legge nella filza dello stesso notaio in forma abbre-
viata.
[9]Il carro di fieno era una unità di misura di volume corrispondente a 10,175 metri cubi: cfr. A. Martini, *Manuale di
metrologia...*, cit., p. 336.
[10]Il quadretto era un sottomultiplo del carro (vedi nota
precedente), corrispondente a 0,101 metri cubi: cfr. *ibidem*; Arrivabene *quadrèt*).
[11]La locuzione potrebbe essere riferita a cavalle che for-
mavano reparti di cavalleria, per estensione del termine
militare *giannetta*, lancia corta e leggera usata dalla cavalleria spagnola (cfr. S. Battaglia, *Grande dizionario della
lingua italiana*, voll. I [A-Balb]-XVII [Robb-Schi], Torino 1961-1994, in corso di pubblicazione [d'ora in poi Bat-
taglia], *giannetta* e *alla giannetta*, maniera di cavalcare).
[12]Soccida (Cherubini *sozzda* e *sodza*, "accomandita di be-
stiame che si dà altrui perché il custodisca e governi a mezzo guadagno e mezza perdita").
[13]Botte schiacciata e ovale per contenere e trasportare il
vino sui carri (Cherubini *carera*; Battaglia *carrera*).
[14]Carreggiare, percorrere o trasportare con carri (Sella 1 e
Sella 2 *carrezare*).
[15]Larice (Cherubini *àras*; Sella 1 *arexe*).
[16]Piccole stanze, stanzini.
[17]Siniscalco, maestro di casa (cfr. P. Fanfani, *Vocabolario*

[18] *della lingua italiana*, Firenze 1905 [d'ora in poi Fanfani], *sescalco*).

[18] Pollaio (Sella 2 *gallinaria*; Battaglia *gallinaio*).

[19] Spazio verde cintato, con fiori e alberi da frutto (Arrivabene *broel*; Sella 1 *broilum* e *broylum*).

[20] La tavola è una unità di misura sottomultiplo della biolca che corrisponde a 31,38 metri quadrati: cfr. A. Martini, *Manuale di metrologia...*, cit., p. 336.

[21] Cfr. nota 5.

[22] Luogo coperto di deposito (Sella 1 *barchus*).

[23] Sic per chiaveghero (Arrivabene, *ciavghèr*, "chi ha in custodia le acque di irrigazione o le cateratte di un fosso naviglio").

[24] Il termine sta per caseificio (cfr. infra "casaria per far formazo").

[25] Per l'inventario della possessione di Carlo Bologna cfr. *Giulio Romano. Repertorio di fonti documentarie*, a cura di D. Ferrari, introduzione di A. Belluzzi, Roma 1992, vol. II, p. 854.

[26] Tini di grandi dimensioni (Arrivabene *tinàs*; Sella 1 *tinacium, tinatium*; Sella 2 *tinacius, tinazus*).

[27] Bigoncio, recipiente di assi che, posto sul carro, serve a trasportare le uve dalla vigna al tino (Cherubini *navazza*; Arrivabene *navàsa*; Sella 1 *navacia*).

[28] Pioppo (Cherubini, Arrivabene e Sella 1 *albara*).

[29] Per l'inventario della corte Spinosa cfr. *Giulio Romano. Repertorio...*, cit., vol. II, pp. 853-854.

[30] Barbere, cavalle della corsa (Battaglia *bàrbero* e *barbaro*).

[31] Salice, cfr. nota 5.

[32] Oggi corrisponde alla corte Valle del Fitto situata presso l'Oglio nel Comune di Marcaria (cfr. cartografia I.G.M., foglio 62 III S.E., levata 1885, riveduta 1912).

[33] Il termine indica probabilmente un'area golenale (cfr. Arrivabene *restèra*).

[34] Oggi cfr. "dugale Gardinala" presso Moglia di Sermide, (cfr. cartografia I.G.M., foglio 62 II S.O., levata 1889, riveduta 1912).

[35] Località nel Comune di Sermide (cfr. cartografia I.G.M., foglio 75 I N.O., levata 1893, riveduta 1912).

[36] Dragoncello, oggi frazione del Comune di Poggio Rusco.

[37] Corsiere, cavalle da corsa e da guerra (Battaglia *corsièro*).

[38] Oggi Mottella nel Comune di Sermide (cfr. cartografia I.G.M., foglio 75 I N.O., levata 1893, riveduta 1912).

[39] Oggi Mainolda nel Comune di Sermide (*ibidem*).

[40] Oggi Bardellona nel Comune di Sermide (*ibidem*).

[41] Per l'inventario della corte di Marengo cfr. *Giulio Romano. Repertorio...*, cit., vol. II, p. 853.

[42] Posto sulla terra (Fanfani *terragno*; cfr. anche nota 51).

[43] Biade (Cherubini e Arrivabene *biava*).

[44] In questo caso il termine sta per "parco" e non per "luogo coperto di deposito" (cfr. nota 22).

[45] Paglia per la copertura di tetti (Sella 1 *cumus*).

[46] Caccia (Cherubini *cazza*).

[47] Oggi cfr. "la Piuda" nel Comune di Curtatone (cartografia I.G.M., foglio 62 I S.O., 1970).

[48] Oggi località omonima nel Comune di Mantova, *ibidem*.

[49] Si legge "poscholiva" anche nelle imbreviature dello stesso notaio.

[50] Oggi Belgioioso, località nel Comune di Nogara (cfr. cartografia I.G.M., foglio 63 III N.O., levata 1889, riveduta 1912).

[51] Di struttura collocata sulla terra, contrapposta a quella costruita su mezzi galleggianti (Fanfani *mulino terragno*, "quello che ha la ruota piccolina sotto").

[52] Oggi cfr. "Molino Torretta" nel Comune di Curtatone (cartografia I.G.M., foglio 62 I S.O., 1970).

[53] Oggi Ostiglia.

[54] Si omette a questo punto il formulario di rito, in lingua latina, che riporta l'elenco dei testimoni, il principale dei quali è Alessandro Andreasi, aromatario di Corte; accanto a lui compaiono Giovanni Francesco de Nagel e Rugerio de Amorottis; alla loro presenza Nicolò Capilupi, superiore della drapperia (guardaroba) ducale dichiara di avere in consegna tappezzerie, beni mobili, letti, materassi, "drappamenti" e paramenti, affidati a diverse persone in

diversi luoghi, la cui descrizione è oggetto degli inventari che seguono.

[55] Cassetta, panchetta (Arrivabene *bansoela*; Sella 1 *banzolla*).

[56] Strutturate a incastro (cfr. Arrivabene *incanestràr*).

[57] Per l'inventario di palazzo Te cfr. *Giulio Romano. Repertorio...*, cit., vol. II, pp. 856-859.

[58] È posto a spesa a ducati 12 tra i salariati spettanti alla Tesoreria per anno, dove compare come "Bardolino guardiano alli pallaci di Santo Sebastiano", Archivio di Stato di Mantova (d'ora in poi ASMn), Archivio Gonzaga, Mandati (1543-1544), vol. 46, c. 124r.

[59] Ambasciatore gonzaghesco a Roma dal 1525 al 1531 circa, cfr. *Giulio Romano. Repertorio...*, cit., *passim*.

[60] Parafuoco (G. Rambelli, *Vocabolario domestico*, Bologna 1850, *schermaglio*).

[61] È corretto in "tapedo".

[62] Si tratta del conte Nicola Maffei, già podestà di Viadana, consocio ducale e collaterale (cfr. ASMn, C. D'Arco, Annotazioni genealogiche di famiglie mantovane..., ms., vol. V, pp. 114-115) e in quanto *familiaris* del duca citato col solo nome di battesimo.

[63] Cucina (Cherubini e Arrivabene *cosìna*).

[64] È posto a spesa a ducati 12, tra i salariati spettanti alla Tesoreria per anno, come "Battista famiglio al palazzo dil Ti", ASMn, Archivio Gonzaga, Mandati (1543-1544), vol. 46, c. 124r.

[65] Secchi (Cherubini e Arrivabene *caldarìn*; Sella 1 *calderinus*).

[66] Probabilmente lastra che chiude la bocca del forno (cfr. Cherubini *sarador* e *saràj*).

[67] Funzionario di corte, già commissario di Volta, viene nominato commissario di Curtatone nel 1539 (L. Mazzoldi, *Mantova. La storia*, Mantova 1961, vol. II, p. 386).

[68] Si tratta della sigla adottata come contrassegno per gli arredi della rocchetta di Borgoforte.

[69] Impresa gonzaghesca del cane alano.

[70] Martin pescatore, impresa dell'imperatore Venceslao concessa ai Gonzaga (cfr. Battaglia *piombino*, martin pescatore "con riferimento all'improvviso precipitarsi in volo per catturare la preda").

[71] Girarrosto (Cherubini e Arrivabene *menaròst*).

[72] Oltre che custode del palazzo, Evangelista dall'Orto viene nominato ufficiale dei magazzini del sale a Revere, nel 1534 (L. Mazzoldi, *Mantova. La storia...*, cit. p. 410, nota 82).

[73] Ago (Cherubini *guccia*; Arrivabene *gucia*).

[74] A cuciture ribattute, cfr. G. Devoto-G. C. Oli, *Dizionario della lingua italiana*, Firenze 1971 (d'ora in poi Devoto-Oli), *ribattitura*.

[75] Lana (Sella 2 *cimatura*).

[76] Unità di misura per liquidi corrispondente a 109,36 litri: cfr. L. Martini, *Manuale di metrologia...*, cit., p. 336.

[77] Si tratta della sigla adottata come contrassegno per gli arredi del palazzo di Pietole.

[78] Cielo da tenda ("Tessuto sospeso orizzontalmente in modo da formare un "tetto" piano al di sopra del letto [...]. La porzione principale di tessuto, quella sospesa parallela al letto, veniva chiamata "cielo", "capocielo" o "sopracielo", P. Thornton, *Interni del Rinascimento italiano*, Milano 1992 (d'ora in poi Thornton), p. 121.

[79] Sic per "sutilla", sottile.

[80] Crogiolo, impresa gonzaghesca (Cherubini e Arrivabene *crosoeul*; Sella 2 *crosolus*).

[81] Leccarda, recipiente piano a sponde bassissime che si pone sotto lo spiedo per raccogliere il grasso che cola, detto anche ghiotta (Arrivabene *lecàrda*).

[82] Grandi coperchi di ferro (Arrivabene *test*).

[83] Laveggio, paiolo di rame (Cherubini *lavezz*; Arrivabene *lavès*; Sella 1 *lavezum*).

[84] Recipiente di rame stagnato (Cherubini e Arrivabene *stagnada*; Sella 1 *stagnata*).

[85] Grosse catene (Arrivabene *cadnòn*).

[86] Graticola (Cherubini *gradella*; Arrivabene *gradèla*; Sella 1 e Sella 2 *gradella*)

[87] Pentola (Cherubini *pignatta*; Arrivabene e Sella 1 *pignata*).

[88] Mastello per fare il bucato (Cherubini *soj*; Arrivabene *soi*).

[89] Bucato (Cherubini, Arrivabene e Sella 1 *bugàda*).

[90] Probabilmente stanza per effettuare le operazioni di salatura degli alimenti e conservarli.

[91] Ridotte in brandelli (Devoto-Oli *strambellare*).

[92] Probabilmente il termine indica un tipo di tessitura a spina di pesce (cfr. Arrivabene *spina dal pes* e *spinà*).

[93] Probabilmente il termine "intappezzata" indica una coperta da tavolo composta da quadretti cuciti insieme.

[94] Federe (Cherubini *fodretta*; Arrivabene *foedra*).

[95] Piccoli recipienti di bronzo, catini (Arrivabene *bronsìn*; cfr. anche Sella 1 *bronzium* e *bronzum*).

[96] Piccoli bacili, bacinelle (cfr. Arrivabene *basìn*; Sella 1 e Sella 2 *bazinus*).

[97] Grattugia (Cherubini *grataroeula*; Arrivabene *grataroela*).

[98] Ramaioli, mestoli (Sella 1 *cazia*).

[99] Cfr. nota 16.

[100] Carlo Bologna, già consocio marchionale, massaro generale e tesoriere ducale, cfr. *Giulio Romano. Repertorio...*, cit., *passim*.

[101] Per il palazzo di San Sebastiano si segnala l'articolo di C. M. Brown, *Paintings by Lorenzo Costa, Dosso Dossi and "Matteo di Bologna" (1509-1512), for the Palazzo di S. Sebastiano*, di prossima pubblicazione su questa rivista.

[102] Si tratta della sigla adottata come contrassegno per gli arredi del palazzo di San Sebastiano.

[103] Crogiolo, impresa gonzaghesca, cfr. nota 80.

[104] Frecce, impresa gonzaghesca (Cherubini *frizza*; Sella 1 *friza*).

[105] Lettuccio, letto da giorno, mobile realizzato *en suite* con il letto principale, cfr. Thornton, p. 149 (Sella 2 *letutius*).

[106] Sic per "strazato".

[107] Probabilmente il termine indica le imposte della finestra (cfr. Cherubini *spirej*; Arrivabene *spirèl*).

[108] Acciarino, impresa gonzaghesca (Arrivabene *asarìn*).

[109] Stufa (Cherubini e Arrivabene *stua*).

[110] Marcio (Cherubini *marz*; Arrivabene *mars*; Sella 2 *marzus*).

[111] Si tratta di un contrassegno ampiamente utilizzato nel guardaroba di Corte, cfr. la trascrizione dell'inventario Stivini sul numero precedente di questa rivista.

[112] Si tratta di altro contrassegno che qui compare per la prima volta.

[113] Alla zingaresca (cfr. Battaglia *cingaro*).

[114] È posto a spesa a ducati 18, tra i salariati spettanti alla Tesoreria per anno, come "Nicolò Bellezza ufficiale alla Drapperia", ASMn, Archivio Gonzaga, Mandati (1543-1544), vol. 46, c. 123r.

[115] Mantelle (Sella 1 *manta*).

[116] Con la nota a margine "de renso", riferita alle dodici voci successive.

[117] Tessute a spina di pesce (Arrivabene *intvaià*).

[118] Cuscino (Cherubini *cussin*; Sella 1 e Sella 2 *cussinus*).

[119] Il termine potrebbe riferirsi al colore argento (cfr. R. Signorini, *Un nuovo contributo alla biografia di Teofilo Folengo*, in *Cultura letteraria e tradizione popolare in Teofilo Folengo*, a cura di E. Bonora e M. Chiesa, Milano 1979, p. 384, nota 16).

[120] Asciugamani (Cherubini e Arrivabene *sugamàn*).

[121] Traliccio, tessuto resistente impiegato per sacchi, fodere di materassi ecc. (Cherubini *terlis*; Sella 2 *terlixus*).

[122] Padiglione ("Un'altra maniera di provvedere di cortinaggi un letto consisteva nel sospendervi sopra un padiglione, cioè una struttura a cono o a cupola, appesa a un cordone attaccato a un gancio nel soffitto, al cui culo inferiore erano fissate le tende che si allargavano fino a circondare il letto sottostante", Thornton, p. 124; Sella 1 e Sella 2 *pavilione*; Battaglia *pavaglione*).

[123] Probabilmente si tratta di paramenti che costituiscono l'ingresso, o àndito, a un padiglione (cfr. Arrivabene *àndit*; Sella 1 *andictus*; Sella 2 *anditum*).

[124] Paiolo (Cherubini *paroeul*; Arrivabene *paroel*).

[125] Sigla adottata come contrassegno per gli arredi della rocca di Goito.

[126]Cfr. nota 69.

[127]Cuochi (Cherubini *cogh*; Arrivabene *coech*).

[128]Lacera, sfrangiata (Arrivabene *sbindacà*).

[129]Padella grande (Arrivabene *padlòn*).

[130]Bucata, forata (Cherubini *sbusà*; Arrivabene *sbus*).

[131]Bigia, di colore grigio (Cherubini *bis*; Sella 1 *lana bixella*).

[132]Velluto di lana dagli schemi decorativi piuttosto elaborati (Thornton, p. 77).

[133]Liccio (cfr. Cherubini *lizz* "filo torto a uso di spago di cui si servono i tessitori per alzar e abbassar le fila dell'ordito nel tesser le tele"; Sella 1 *lizius*); in questo caso il termine potrebbe indicare, per estensione, scarti di tessitura della lana.

[134]Probabilmente recipiente per contenere la carne.

[135]Segheria (cfr. Cherubini *rasga* e *ràssega*; Sella 1 *resega*).

[136]È posto a spesa a ducati 38. 3. 6, tra i salariati spettanti alla Tesoreria per anno, come "Magistro Baptista da Covo soprastante delle fabriche", ASMn, Archivio Gonzaga, Mandati (1543-1544), vol. 46, c. 122v; per una biografia completa si rimanda alla voce curata da C. Tellini Perina nel *Dizionario Biografico degli Italiani*, 30, Roma 1984.

[137]Lana di scarto che resta dalla cardatura (Sella 2 *garzatura*).

[138]Cfr. nota 78.

[139]Sic per "copertor", copriletto.

[140]Parati di stoffa ruvida, usati per sopracoperte e per rivestimenti parietali, il cui nome derivava da Châlons-sur-Marne, da dove provenivano i migliori esemplari (Thornton, p. 164, *celono* e *zalonus*; Sella 2 *chalone*).

[141]Girifalco, uccello da preda della famiglia dei falchi (Sella 1 *girifalcus*).

[142]Tela grossa (Sella 2 *scherpa*).

[143]Sic per "porfido", come si legge più distintamente nelle imbreviature dello stesso notaio.

[144]Il termine "preda", pietra, in questo caso indica terracotta.

[145]Probabilmente il termine si riferisce a una lavorazione a graticcio romboidale (cfr. Battaglia *mandorlato*).

[146]Gesso (Cherubini *zess*; Arrivabene *ges*).

[147]Conchiglie (Cherubini e Arrivabene *capa*).

[148]Cassette (Sella 1 *busola*; Sella 2 *bussola*).

[149]Specchio (Cherubini *specc*; Arrivabene *spec*).

[150]Raccolta di leggende che narrano la vita dei santi e la morte dei martiri (Battaglia *leggendario*).

[151]Cera (cfr. Sella 1 e Sella 2 *cirius*).

[152]Panca (Arrivabene *bansoela*; Sella 1 *banzolla*).

[153]Piatti (Cherubini e Arrivabene *tond*).

[154]Cfr. nota 144.

[155]Centenario, vasca di marmo per tenere l'olio (Cherubini *centener*; Sella 2 *centenarium*).

[156]Padella grande, come "padelono", cfr. nota 129.

[157]Friggere (Arrivabene *frisar*; Sella 2 *frizere*).

[158]Ghiotta, leccarda, cfr. nota 81.

[159]Staio, unità di misura di capacità per gli aridi corrispondente a 34,60 litri (cfr. A. Martini, *Manuale di Metrologia...*, cit., p. 336; Arrivabene *ster* e Sella 1 *starium* e *starum*).

[160]Il termine, derivante da chiave, indica "chiusure".

[161]Piccolo mestolo o, più generalmente, recipiente metallico (cfr. Fanfani *cazzetta*).

[162]Mestoli (Sella 2 *cazonus*).

[163]Teglie (Cherubini *teggia*; Arrivabene *tegia*).

[164]Formaggio (Sella 1 *formaglus*; Sella 2 *formagium*).

[165]Orlo (Cherubini *ordell*; Arrivabene *ordèl*; Sella 1 *ordellum*).

[166]Piastrelle (Sella 2 *piadela*).

* Le illustrazioni che corredano il testo sono state pubblicate con autorizzazione dell'Archivio di Stato di Mantova n. 14/1995.

Referenze fotografiche

Grazia Sgrilli, Pistoia
Scala, Firenze
Jean Bernard, Aix-en-Provence
Barbara Malter, Roma
Graphische Sammlung, Kunstmuseum, Düsseldorf

Questo volume è stato stampato
dalla Fantonigrafica - Elemond Editori Associati